40 leçons

pour parler

anglais

par

Michel Marcheteau
Agrégé de l'Université
Professeur émérite
à l'ESCP/EAP

Jean-Pierre Berman
Ancien assistant à l'Université
de Paris-IV Sorbonne

Michel Savio
Professeur honoraire
École supérieure d'électricité

Jo-Ann Peters
M.A. Oxon

avec la collaboration de
Declan McCavana
M.A. Trinity College Dublin
Chef de travaux pratiques à l'École Polytechnique

POCKET

© 1997, Pocket – Langues pour tous, Département d'Univers poche
© 2013 pour cette nouvelle édition
ISBN : 978-2-266-18905-7

40 leçons pour parler anglais est un outil d'auto-apprentissage complet appelé : « *tout-en-un* » car il propose à son utilisateur :

une présentation méthodique, déjà mise au point avec succès dans sa précédente version, pour acquérir les bases de la langue, accompagnée d'une série d'exercices calibrés avec corrigés destinés à ancrer solidement les connaissances ;

une batterie de tests permettant de mesurer les acquisitions ;

un ensemble de repères géographiques, historiques et culturels pour mieux connaître et comprendre la Grande-Bretagne et les États-Unis et donc mieux communiquer avec les anglo-saxons ;

des dialogues vivants pour l'entraînement à la compréhension ;

un guide pratique pour la vie de tous les jours ;

une grammaire et un lexique bilingue.

À qui s'adresse cet ouvrage ?

à ceux, en premier lieu, qui *commencent à zéro* l'étude de l'anglais, et qui pourront progresser à leur rythme, avec une totale autonomie ;

à ceux qui n'ont pu accorder à l'étude de l'anglais, le temps nécessaire, avec, pour conséquence, *un manque de structuration de leur apprentissage* ;

enfin à ceux qui ont étudié l'anglais dans de bonnes conditions, *mais n'ont pu pratiquer* pendant des années et ont besoin de rafraîchir leurs connaissances.

Les auteurs ont donc choisi :

d'assurer *la connaissance claire et nette des bases principales* de la langue, en veillant à ce que tous les éléments présents soient définitivement assimilés ;

d'illustrer les mécanismes décrits par des *formules de grande fréquence* et d'une utilisation courante ;

d'éveiller *l'intérêt pour la langue et le pays* de ceux qui la parlent.

Ces caractéristiques font également de **40 leçons pour parler anglais** *un ouvrage de complément*, tant pour les élèves et les étudiants, que pour les participants aux sessions de formation continue.

La description et les conseils qui suivent vont vous permettre d'utiliser cette méthode et d'organiser votre travail de façon efficace.

Présentation et conseils

Vous retrouverez dans toutes les leçons une **organisation identique** destinée à faciliter l'auto-apprentissage ; elle comporte 4 parties : **A**, **B**, **C** et **D**, de 2 pages chacune.

Ainsi vous pourrez travailler **au rythme qui vous conviendra.** Même si vous n'avez pas le temps d'apprendre l'ensemble d'une leçon, vous pourrez l'aborder et en **étudier une partie seulement**, sans perdre pied ni avoir le sentiment de vous disperser.

A et **B** présentent les éléments de base.

C propose des exercices avec corrigés et des points de civilisation.

D offre des dialogues en situation et un guide pratique.

- PRÉSENTATION

Cette 1re section vous apporte les matériaux de base nouveaux *(grammaire, vocabulaire, prononciation)* qu'il vous faudra connaître et savoir utiliser pour construire des phrases.

- APPLICATION

À partir des éléments présentés en **A 1** et **B 1** vous est proposée *une série de phrases modèles* (qu'il faudra par la suite vous entraîner à reconstruire par vous-même).

- REMARQUES

Diverses *remarques* portant sur les phrases de **A 2** et **B 2** précisent tel ou tel point de grammaire, vocabulaire ou prononciation.

- TRADUCTION

Cette dernière section apporte *la traduction intégrale* de **A 2** et **B 2**.

Présentation et conseils

elle est également subdivisée en 4 sections :

- EXERCICES

Ils servent à *contrôler l'acquisition* des mécanismes appris en **A** et **B**.

- CORRIGÉS

On y trouve la solution complète des exercices de **C 1**, ce qui permet une *auto-correction*.

- EXPRESSIONS

Un certain nombres *d'expressions* ou *d'explications* complètent l'apport de **A** et de **B**.

- CIVILISATION

Rédigée en français, cette section permet de prendre contact avec des *informations géographiques, historiques et culturelles*, afin de mieux connaître et comprendre vos futurs interlocuteurs. Elle peut être lue en dehors de la progression imposée par les parties A et B.

également subdivisée en 4 parties :

: proposent un *dialogue vivant* reprenant le vocabulaire acquis en A et B.

: sont consacrés à la *vie pratique* et offrent du vocabulaire, des expressions et des informations utiles pour la vie quotidienne.

Les dialogues ne débutent qu'à partir de la leçon 6.

À partir de la leçon 6, chaque section **D 4** comporte *une question* (*un « quizz »*) qui vous permettra, si vous ne connaissez pas la réponse ou si vous voulez vérifier votre savoir, de naviguer à l'intérieur du livre, et ainsi vous encouragera à poursuivre votre effort.

Présentation et conseils

Leçons 10 bis, 20 bis, 30 bis, 40 bis

Effectuez chaque série de 10 tests *sans vous reporter aux leçons* en moins de cinq minutes.

Reportez-vous au corrigé et étudiez les points sur lesquels vous vous êtes trompés.

Si vous n'êtes pas débutant faites l'ensemble des 40 tests, *sans vous reporter au livre* en 10 à 15 minutes et établissez votre diagnostic.

Précis grammatical et lexique bilingue

Le **précis** vous donne un résumé d'ensemble des problèmes grammaticaux de base.

Le **lexique bilingue** reprend tout le vocabulaire nouveau rencontré en A, B, C et D.

Conseils généraux

Travaillez régulièrement : étudier 20 à 30 minutes par jour sur une leçon est plus profitable que de survoler plusieurs leçons 3 heures tous les 10 jours.

Programmez l'effort : ne passez pas en **B** sans avoir bien retenu **A**.

Revenir en arrière : n'hésitez pas à refaire plusieurs fois les exercices :

> pour les parties **A** et **B** : après avoir pris connaissance de **A 1** ou **B 1**, bien lu **A 2** ou **B 2**, reportez-vous aux remarques **A 3** ou **B 3**. Essayez de reconstituer les phrases **A 2** ou **B 2** en partant de **A 4** ou **B 4**.

Partie C 4 (CIVILISATION) et **D 2** et **D 3** (VIE PRATIQUE) : vous pouvez la lire au fur et à mesure ou au hasard si cela peut stimuler votre intérêt.

Partie C (EXERCICES) : faites les exercices par écrit avant de regarder le corrigé (10 minutes par leçon).

Partie D (DIALOGUE) : voir **Version sonore**.

Présentation et conseils

VERSION SONORE

Le coffret **40 leçons** comporte un enregistrement
réalisé en son numérique sur 2 CD.

Vous y trouverez :
– l'intégralité des parties **A 2, B 2, D 2**, portant le symbole :

– une sélection des explications données en **A 1, A 3** et
B 1, B 3 indiquée par des crochets ⌐⌐ précédés du symbole

– une sélection des exercices **C 1** préédées de
et précisée, le cas échéant, par les crochets

   Cet enregistrement vous permettra de travailler chez
vous, mais aussi en déplacement (voiture, train, métro,
etc.)
   Le **CD** vous offre un grand confort d'écoute et facilite
la recherche des leçons et l'accès rapide à ce que vous sou-
haitez ré-écouter, grâce aux index qui correspondent à
chaque leçon.
Il vous permettra un bon entraînement à la compréhension orale.
Il ne comporte pas de blanc pour la répétition mais en
utilisant la touche pause vous pourrez également vous
entraîner à répéter.

Conseils :
   Dans un premier temps, suivez l'enregistrement en
vous aidant de votre livre.
   Puis, petit à petit, efforcez-vous de répéter et de comprendre sans votre livre !

I am

I [aï], *je*, **s'écrit toujours en majuscule**

am, *suis,* 1re personne du singulier du verbe *être* en anglais.

I am	[aï am]	*je suis*
glad		*heureux, heureuse*
sad		*triste*
Pam		*Pam(ela)*
Dan		*Dan(iel)*

1. I am glad.
2. I am sad.
3. I am Pam.
4. I am Dan.

Je suis

I, *je*, se prononce comme en français : *ail, aille, aïe*, il est figuré par [aï] entre crochets.

Les consonnes se prononcent à la fin des mots ; ainsi dans **glad, sad,** on entend le **d** comme dans le français *salade* ; dans **Dan, n** s'entend comme dans le français *canne*.
En outre, les consonnes sont toujours prononcées avec plus de vigueur qu'en français, surtout au début des mots : **g**lad, **D**an.

Le **a** de **am, glad, sad, Pam, Dan** est très court, il ressemble à celui du français *papa*.
Il est figuré par [a].

Grammaire

En anglais, les adjectifs (**sad, glad,** etc.) sont invariables.

1. Je suis heureux (heureuse).
2. Je suis triste.
3. Je suis Pam (c'est moi Pam).
4. Je suis Dan (c'est moi Dan).

I'm

I am — I'm
[aï am]   [aïm]

I am, *je suis,* peut dans la langue parlée se contracter en **I'm** [aïm].

a		*un, une*
man		*homme*
woman	[wou**men**]	*femme*
Vic(tor)		*Vic(tor)*
Linda	[linde]	*Linda*
Liz		*Liz*

1. I'm a man.
2. I'm a woman.
3. I'm Vic.
4. I'm Linda.
5. I'm Liz.
6. I'm glad.

Je suis

En anglais les différentes parties d'un mot ne sont pas prononcées de façon égale. La partie accentuée, indiquée ici en **gras**, est prononcée de façon plus accusée.

Le son de **a**, *un*, *une*, est celui du *e* français dans *le*. Il est figuré par [e] ; c'est aussi la prononciation du **a** de **Linda**.

Le **o** dans w**o**man se prononce *ou* comme dans le français *cou*, en plus bref. Ce son est figuré par [ou].

Le **i** de **Vic**, **Linda**, **Liz**, ressemble au *i* du français *vite*, en plus bref. Ce son est figuré par [i].

Rappels :
1. Les consonnes se prononcent à la fin des mots, notamment le **n** final de **man**, **woman**.
2. Le **a** de **man** est celui de **Dan**, **Pam** (A 3).

Grammaire

a [e], est invariable : *un*, *une*.

1. Je suis un homme.
2. Je suis une femme.
3. Je suis Vic (c'est moi Vic).
4. Je suis Linda (c'est moi Linda).
5. Je suis Liz (c'est moi Liz).
6. Je suis heureux(se) [= content(e)].

Exercices

A. Traduisez en anglais

1. Je suis un homme.
2. Je suis Linda.
3. Je suis une femme.
4. Je suis Vic.
5. Je suis heureux.
6. Je suis heureuse.

B. Contractez

1. I am Pam.
2. I am a man.
3. I am sad.
4. I am a woman.
5. I am glad.
6. I am Vic.

A.
1. I am a man.
2. I am Linda.
3. I am a woman.
4. I am Vic.
5. I am glad.
6. I am glad.

B.
1. I'm Pam.
2. I'm a man.
3. I'm sad.
4. I'm a woman.
5. I'm glad.
6. I'm Vic.

Prononcez

I [aï]
am [am]
I am [aï am]
I am a man [aï am̩ e man]

I'm [aïm]
I'm a woman [aïm̩ e woumen]

Remarque : bien lier le **m** de **am** au son [e] de **a.**

CIVILISATION

LA PRÉHISTOIRE

Ce n'est qu'environ 5000 ans avant Jésus-Christ que la Grande-Bretagne fut séparée du continent par un bras de mer.

Il subsiste de cette époque quelques vestiges : des *chaussées*, **trackways**, des *tumulus*, **barrows**, et surtout, le célèbre temple mégalithique de **Stonehenge** (3000 ans avant J.C.).

LES CELTES

Vers 600 avant J.C., des tribus guerrières venues d'Allemagne, les **Gaels**, envahissent l'île et s'installent en Irlande et en Ecosse.

Ils sont suivis par les **Britons** (400 avant J.C.), qui donnèrent son nom à la Grande-Bretagne. La loi et la religion sont aux mains de la caste des « druides ». Les Celtes ont des contacts avec les Gaulois qu'ils aident même à combattre les Romains, ce qui poussent ces derniers à débarquer en Grande-Bretagne.

LA GRANDE-BRETAGNE ROMAINE

Les Romains débarquent en 55 avant J.C., avec Jules César, puis, en 43 après J.C., l'empereur romain Claude entreprend une conquête systématique du pays jusqu'au nord.

En 127 après J.C., les Romains construisent un rempart, le *Mur d'Hadrien*, pour se protéger des incursions des tribus écossaises (les **Picts** et les **Scots**), qui marque la limite de l'occupation romaine. Celle-ci prend fin en 410 après J.C.

Il en reste un réseau de communication et des villes reconnaissables à leur nom se terminant par -*chester*, (du latin *caster*, *camp fortifié*) : **Dorchester, Leicester, Lancaster, Manchester, Winchester,** etc. sans parler de l'élégante ville d'eau, **Bath**, et de **London**, baptisée alors *Londinium*.

(à suivre p. 25)

LE ROYAUME-UNI

GRANDE-BRETAGNE:
Angleterre - Ecosse - Pays de Galles

Iles Orkney

Hebrides

Highlands

Inverness

Loch Ness

Balmoral

Aberdeen

ECOSSE

Oban

Dundee

MER DU NORD

OCEAN ATLANTIQUE

Glasgow

Edimbourg

IRLANDE DU NORD (ULSTER)

Belfast

Newcastle

LAKE DISTRICT

Ile de Man

MER D'IRLANDE

York

Leeds Hull

Liverpool

REPUBLIQUE D'IRLANDE (EIRE)

Manchester

Sheffield

ANGLETERRE

PAYS DE GALLES

Severn

Birmingham Cambridge

Gloucester

Cardiff

Oxford

Bristol

Tamise

Londres

Douvres

Hastings

CORNOUAILLES

Southampton

Newhaven

Plymouth

MANCHE

LE ROYAUME-UNI

Pour mieux connaître et comprendre nos voisins britanniques, voici quelques données de base.

Ce que nous appelons souvent *Angleterre* pour nommer l'île située outre-Manche, n'est que l'un des pays qui forment le *Royaume-Uni*, **the United Kingdom (UK)**, 58 millions d'habitants, qui comprend la *Grande-Bretagne*, **Great Britain**, et l'*Irlande du Nord*, **Northern Ireland**.

LA GRANDE-BRETAGNE est la plus importante des *Iles Britanniques*, **the British Isles**.

Longue de près de 1000 km du nord au sud, elle a une superficie de 245 000 km carrés.

Elle se compose de trois entités principales :

L'*ANGLETERRE*, **England** : 48 millions d'habitants ; *les Anglais*, **the English**. Capitale : *Londres*, **London**.

LE *PAYS DE GALLES*, **Wales** : 3 millions d'habitants ; *les Gallois*, **the Welsh**. Capitale : **Cardiff**.

L'*ECOSSE*, **Scotland** : 5 millions d'habitants ; *les Ecossais*, **the Scottish people** ou **the Scots**.

Capitale : *Edinbourg*, **Edinburgh**.

Il faut y ajouter :

200 petites îles au nord de l'Ecosse, les **Hébrides**, les **Shetlands** et les **Orcades**.

L'île de Man, **Isle of Man**, et **Anglesey**, dans la Mer d'Irlande.

L'île de Wight et les *Iles Anglo-Normandes*, **Channel Islands**, **Jersey** et **Guernesey**, dans la Manche.

L'IRLANDE DU NORD, **Northern Ireland** : 1,6 millions habitants (60 % de protestants et 40 % de catholiques, y occupent la partie nord-est de l'autre grande île, l'**Irlande**. Capitale : **Belfast**.

I am not

not	*ne... pas*
I am not	*je ne suis pas*

an [en] : forme de l'article **a** devant une voyelle

a, an	*un, une*
animal [animel]	*animal*
child [tchaïld]	*enfant*
big	*grand(e), gros(se)*
English [inglich]	*anglais(e)*

Rappel :

man	*homme*
woman [woumen]	*femme*

1. I am not a kid.
2. I am not big.
3. I am not English.
4. I am not an animal.
5. I am not a man, I'm Linda.
6. I am not a woman, I'm Dan.

Je ne suis pas

Prononciation : [o] [ch]

Le **o** de **not** rappelle, en plus bref, celui du français *botte*. Il est figuré par [o].

Le groupe **sh** anglais se prononce comme *ch* en français. Il est figuré par [ch]

Rappels :

Dans les mots de plus d'une syllabe, la partie accentuée, en **gras**, est prononcée de façon plus accusée : **E**nglish, **a**nimal.

Les consonnes se prononcent à la fin des mots et se lient à la voyelle initiale du mot suivant : ainsi, **an animal** donne : [en animel]

Grammaire

Rappel : Les adjectifs sont invariables :

> **English :** *anglais, anglaise(s)*
> **big :** *grand(s), grande(s), gros, grosse(s).*

le groupe **ch** anglais se prononce comme *tch* dans *tchèque*.

1. Je ne suis pas un enfant.
2. Je ne suis pas grand(e).
3. Je ne suis pas anglais(e).
4. Je ne suis pas un animal.
5. Je ne suis pas un homme, je suis Linda.
6. Je ne suis pas une femme, je suis Dan.

21

I'm not

I'm not [aïm not] *je ne suis pas*

Rappels :

1. La contraction de **I am** = **I'm**
2. L'article s'emploie devant un nom qui suit le verbe *être* en anglais :
   I'm not a kid.

Bob	*Bob (diminutif de Robert)*
Tom	*Tom (diminutif de Thomas)*
a baby [béïbi]	*un bébé*
a cook [kouk]	*un cuisinier, une cuisinière*
a pilot [païlet]	*un pilote*
bad	*méchant(e), mauvais(e)*

1. I'm not Bob.
2. I'm not Tom.
3. I'm not a baby.
4. I'm not a cook.
5. I'm not a pilot.
6. I'm not bad.
7. I'm not a bad cook.

Je ne suis pas

<u>Prononciation</u> : [éï], [ou], [aï]

Le **a** de **baby** est un son double où l'on entend, liés ensemble, é + i ; il ressemble en gros au son *eille* de *bouteille*. Il est figuré par [éï].

Rappels : Le groupe **oo** de **cook** est prononcé [ou].

Le **i** de **pilot** est prononcé [aï].

Les parties accentuées des mots de deux syllabes (et plus) sont prononcées de façon plus accentuée et figurent en **gras.**

<u>Grammaire</u>

a : *un, une,* s'emploie devant un nom de métier après **I'm (not)**

I'm not a cook	*Je ne suis pas cuisinier.*
I'm a pilot	*Je suis pilote.*

1. Je ne suis pas Bob.
2. Je ne suis pas Tom.
3. Je ne suis pas un bébé.
4. Je ne suis pas cuisinier(ère).
5. Je ne suis pas pilote.
6. Je ne suis pas méchant(e).
7. Je ne suis pas un(e) mauvais(e) cuisinier(ère).

23

Exercices

A. Traduisez en anglais

1. Je ne suis pas un gosse.
2. Je ne suis pas pilote.
3. Je ne suis pas un animal.
4. Je ne suis pas méchant.

B. Mettez à la forme négative

1. I am a woman.
2. I am a man.
3. I am an English pilot.
4. I am a bad cook.

C. Contractez

1. I am not Linda.
2. I am not a baby.
3. I am not an animal.
4. I am not Liz.

A.
1. I am not a child.
2. I am not a pilot.
3. I am not an animal.
4. I am not bad.

B.
1. I am not a woman.
2. I am not a man.
3. I am not an English pilot.
4. I am not a bad cook.

C.
1. I'm not Linda.
2. I'm not a baby.
3. I'm not an animal.
4. I'm not Liz.

Prononcez

1. I am [aï am]
   I am an animal [aï am en**a**nimel]

2. I'm not [aïm not]
   I'm not English [aïm not**i**nglich]
   I'm not a pilot [aïm note p**aï**let]

Remarque : bien lier le **t** de **not** au début du mot qui suit :
English, a, etc.

CIVILISATION

LES ANGLO-SAXONS

Le départ des légions romaines en l'an 410 laissa le terrain libre à trois groupes d'envahisseurs (**invaders** [invéïdez]), tribus germaniques venues du nord de l'Europe :

les **Saxons**, venus du nord de l'Allemagne ;

les **Angles**, venus du Jutland (Danemark) ;

les **Jutes** venus de Frise (Hollande et Allemagne).

Bien que contenus pendant un temps par le *Roi Arthur* et ses chevaliers, les envahisseurs finirent par refouler les Celtes vers les régions éloignées de Cornouailles, du Pays de Galles, d'Irlande et même du continent, vers ce qui allait devenir la Bretagne.

Les nouveaux arrivants constituèrent plusieurs royaumes qui se livrèrent une lutte sanglante. Elle prit fin au IXème siècle, avec l'avènement du roi Saxon *Alfred*, qui unifia le sud du pays en le défendant contre les incursions des Vikings. De cette époque naît la base historique de la langue anglaise (voir p. 33).

LES NORMANDS

Les Normands furent les derniers envahisseurs de la Grande-Bretagne.

Le 14 octobre 1066, *Guillaume le Conquérant* (**William the Conqueror**) l'emporta sur *Harold le Saxon* à la bataille de Hastings, et devint le premier roi d'Angleterre normand.

Il fit construire une série de forts le long de la Tamise dont deux sont encore présents : *la Tour de Londres* (**the Tower of London**) et le *Château de Windsor* (**Windsor Castle**). Il dépouilla de nombreux seigneurs saxons de leurs terres, qu'il offrit à ses partisans normands. Les exploits, peut-être légendaires, de *Robin des Bois* (**Robin Hood**) contre l'occupant normand, témoignent de ces temps troublés.

C'est de cette époque que date la double origine des mots en anglais et donc la richesse de son vocabulaire, avec, à travers le normand, des mots d'origine latine, et au travers de l'anglais de l'époque (vieil anglais), des mots d'origine germanique (voir p. 33).

**REPUBLIQUE D'IRLANDE
(Eire)**

L'IRLANDE

Située à l'ouest de la Grande-Bretagne, *l'Irlande* (**Ireland**) est l'une des îles qui constituent les îles britanniques. Politiquement, l'île est séparée en deux entités :

l'Irlande du Nord (**Northern Ireland**), rattachée à la couronne britannique (environ 14 300 km²) et peuplée d'environ 1 600 000 habitants ;

la République d'Irlande (**Republic of Ireland**), au sud, avec 70 300 km² et 3 500 000 habitants.

Cette partition est le résultat de l'histoire tragique de l'île, très tôt envahie par le puissant voisin de l'Est, l'Angleterre. À partir du milieu du XVIIᵉ siècle, l'occupation anglaise fut définitive et les Irlandais payèrent cher leur résistance acharnée et leur appartenance à la religion catholique. Massacres, famines et exactions provoquèrent l'émigration de millions d'Irlandais, notamment vers les États-Unis. Les soulèvements du début de ce siècle aboutirent finalement à l'indépendance de la majeure partie du pays, mais aussi à la séparation de six comtés de l'Ulster au Nord qui, majoritairement protestants, sont restés sous la couronne britannique.

Avec une superficie d'environ 84 000 km², l'île bénéficie d'un climat atlantique doux et humide. De nombreux *fleuves*, *rivières* (**rivers**) et *lacs* (en anglais **lakes**, localement **loughs**) arrosent cette *île verdoyante* (la « *verte Erin* ») et contribuent à faire du pays un lieu propice l'élevage du *bétail* (**livestock**).

La côte ouest est tourmentée, avec notamment des *falaises* (**cliffs**) élevées ; la côte orientale est plus plate et mieux abritée. On y trouve les deux plus grandes villes de l'île, qui sont également des ports : **Dublin**, capitale de la république d'Irlande (environ 1 000 000 habitants) et **Belfast**, capitale de l'Irlande du Nord (500 000 habitants). Le tourisme reste une importante ressource du pays et fait l'objet de soins attentifs des pouvoirs publics. Avec l'adhésion à l'Union européenne, l'industrialisation de l'Irlande (avec des industries informatiques de pointe) a pris un nouvel essor et le pays connaît depuis quelques années une période d'expansion continue.

It is...

it is... [it iz]   *c'est, il est, elle est*

En parlant, on contracte souvent :

it is en **it's** [its]   L'apostrophe remplace la voyelle élidée

black		*noir(e)*
good	[goud]	*bon(ne), bien*
nice	[naïs]	*joli(e), bon(ne), beau (belle), aimable*
a bag		*un sac, une valise*
a taxi	[taksi]	*un taxi*
Betty	[bèti]	*Betty*

Rappel : **bad**   *mauvais(e), méchant(e)*

1. It is nice.
2. It is good.
3. It is black.
4. It is a taxi.
5. It is a bag.
6. It is Betty.
7. It's a black taxi.
8. It's a black bag.

C'est...

<u>Prononciation</u> : [è]

Le **e** de **Betty** est prononcé, en plus bref, comme le *è* français. Il est figuré par [è].

Rappel : les consonnes sont toujours prononcées avec plus de vigueur qu'en français, surtout en début de mot :

good, black, taxi, Betty.

<u>Grammaire</u>

It : 1. *Cela, ce, c'...* :

It is good *c'est bon, c'est bien*
It is Betty *c'est Betty*

2. *Il, elle,* pour les choses ou les animaux :

My bag is nice, it is black *Mon sac est joli, il est noir*

Rappels :
1. L'adjectif est invariable.
2. Il se place toujours avant le nom :

a black taxi *un taxi noir*

1. C'est beau.
2. C'est bon.
3. C'est noir.
4. C'est un taxi.
5. C'est un sac.
6. C'est Betty.
7. C'est un taxi noir.
8. C'est un sac noir.

29

It is not... It's not...

it is not   *ce n'est pas*

It is not se contracte en **It's not** ou **It isn't** [izent]

my job	[djob]	*mon travail*
my book		*mon livre*
my bike	[baïk]	*ma bicyclette*
a cat		*un chat*

Rappels :

big	*grand(e), gros(se)*
bad	*méchant(e), mauvais(e)*
nice	*joli(e), beau (belle), bon(ne), aimable*

1. It is not my job.
2. It is not my book.
3. It is not my bike.
4. It is not a dog.
5. It is not a cat.
6. It isn't a good job.
7. It isn't a good book.
8. It's not a bad job.

Ce n'est pas...

Prononciation : [dj]

Le **j** de **job** se prononce *dj* comme dans *Djibouti*. Il est figuré par [dj].

Rappels :

1. Le groupe **oo** de **book, good,** se prononce *ou* comme dans le français *cou* en plus bref.
2. La contraction **isn't** se prononce [**i**zent] ; le **e** de la deuxième syllabe est très faiblement prononcé.

Grammaire

my : *mon, ma,* adjectif possessif invariable :

    my job, *mon travail* — **my bike,** *ma bicyclette*

signifie également *mes.*

a dog — a cat : *un chien, une chienne* — *un chat, une chatte* :

pas de masculin ou de féminin, ces noms sont neutres.

Rappel : l'adjectif se place toujours avant le nom :

a black cat   *un chat noir.*

1. Ce n'est pas mon travail.
2. Ce n'est pas mon livre.
3. Ce n'est pas ma bicyclette.
4. Ce n'est pas un chien.
5. Ce n'est pas un chat.
6. Ce n'est pas un bon travail.
7. Ce n'est pas un bon livre.
8. Ce n'est pas un mauvais travail.

Exercices

A. Traduisez en anglais

1. C'est une bonne bicyclette.
2. Betty est aimable.
3. C'est un bon livre.
4. Ce n'est pas un sac.
5. Ce n'est pas bon.

B. Contractez

1. It is a man.
2. It is not a woman.
3. It is not a taxi.
4. It is not a black cat.

C. Traduire en anglais

1. C'est ma bicyclette.
2. C'est mon travail.
3. Ce n'est pas bon..
4. C'est mon chien.
5. C'est mon livre.
6. Ce n'est pas Betty.

A.
1. It is a good bike.
2. Betty is nice.
3. It is a good book.
4. It is not a bag.
5. It is not good.

B.
1. It's a man.
2. It isn't a woman.
3. It isn't a taxi.
4. It isn't a black cat.

C.
1. It's my bike.
2. It's my job.
3. It is not good.
4. It's my dog.
5. It's my book.
6. It isn't Betty.

Prononcez

a) It's a good bike   [itse goud baïk]
   It's a nice book   [itse naïs bouk]

b) It isn't Betty   [itizent Bèti]
   It isn't a kid   [itizente kid]

CIVILISATION

L'anglais d'aujourd'hui est la résultante d'influences linguistiques successives, liées à des vagues d'invasions et à une longue évolution historique.

Au début de notre ère, la Grande-Bretagne est peuplée de *Celtes* dont les tribus (**tribes** [traïbz]) parlent des dialectes différents.

L'occupation par les *Romains* du centre du pays (du 1er au 4ème siècle) ne laisse que peu de traces linguistiques, à part quelques noms de lieux (voir C 4 p. 17) et des mots comme **street** (du latin *strata*, rue). Ce n'est que plus tard, après l'évangélisation (VIIème siècle) que le latin d'église et l'influence des clercs écrivant en latin contribueront à enrichir la langue.

A partir de 449, les invasions anglo-saxonnes (*Angles, Jutes* et *Frisons* venus d'Allemagne et du nord de l'Europe vont donner naissance au « Vieil Anglais » qui constitue la base historique de la langue (environ un tiers des mots utilisés aujourd'hui sont censés en provenir). Les incursions des *Vikings* (du VIIIème au XIème siècle) qui, au IXème siècle, contrôlent l'est de l'Angleterre, vont laisser environ 1800 mots d'origine danoise, en plus de nombreux noms de lieux.

En 1066, la victoire de *Guillaume le Conquérant* à la bataille de Hastings marque le début de l'influence française sur l'anglais. Pendant un siècle, le *normand*, langue des occupants, et le *saxon*, langue des serfs, co-existent sans grande interpénétration. De cette époque datent des différences comme celle entre **pork**, *porc*, d'origine française, et **pig**, d'origine saxonne, le premier désignant la viande que consommaient les Normands, le second désignant l'animal sur pied qu'élevait le serf saxon.

Il faut attendre ce que l'on appelle le « Moyen-Anglais », pratiqué du XIIème siècle jusqu'au milieu du XVème, pour que les deux langues se combinent : les mots d'origine française s'introduisent dans la langue d'origine saxonne, alors que cette dernière est de plus en plus pratiquée par la classe dirigeante. Environ 10 000 mots d'origine française (ou normande) pénètrent ainsi l'anglais.

Le plus grand écrivain, anglais de l'époque est **Geoffrey Chaucer** (1340-1400), auteur des *Contes de Canterbury* (1350). Il contribue à fixer la langue sous une forme plus stable.   *(à suivre)*

LE COMMONWEALTH

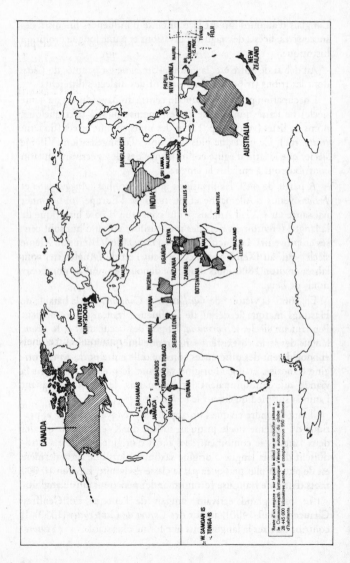

Reste d'un empire « sur lequel le soleil ne se couche jamais »,
le Commonwealth britannique s'étend du globe au globe sur
28 445 000 kilomètres carrés, et compte environ 950 millions
d'habitants.

LE COMMONWEALTH

Ce terme désigne aujourd'hui l'association volontaire entre trente-sept États souverains et indépendants issus de l'empire colonial britannique, « *un empire sur lequel le soleil ne se couche jamais* ». Les *États membres* (**Member States**) continuent de *reconnaître la reine d'Angleterre* (**the Queen of England**) comme chef du Commonwealth, quel que soit leur régime.
La plupart des pays membres sont officiellement des démocraties parlementaires. Un manquement grave par l'un d'entre eux aux règles de la démocratie entraîne en principe son exclusion.

La reine Elizabeth II est donc le chef de l'État dans douze des pays du Commonwealth : *l'Australie* (**Australia**), *les Bahamas, la Grande-Bretagne* (**Great Britain** ou **United Kingdom**), *le Canada, les îles Fidji* (**Fiji Islands**), *la Grenade* (**Granada***), la Jamaïque* (**Jamaica**), *l'île Maurice* (**Mauritius**), *la Nouvelle Zélande* (**New Zealand**), *la Papouasie-Nouvelle Guinée* (**Papua New Guinea**), *les îles Salomon* (**Solomon Islands**) et *Tuvalu*. La reine y est représentée par un gouverneur général, nommé par elle auprès du gouvernement local. Une vingtaine d'États sont des républiques. Quatre ont leur propre monarque.

Cette association se traduit par des réunions entre chefs d'États et de gouvernements et par des consultations entre ministres, mais aucune politique commune ne s'en dégage. La *politique étrangère* (**foreign policy**) est établie librement par chacun d'eux en fonction de ses positions et de sa politique propre. Des aides financières sont attribuées *aux pays en voie de développement* (**developing countries**). Depuis l'adhésion de la Grande-Bretagne au *Marché commun* (**Common Market**) devenu *l'Union européenne* (**European Union**), les avantages directs en matière d'*exportations* (**exports**) ont dû prendre une autre forme : les pays les moins riches ont pu adhérer à la convention de *Lomé* qui leur ouvre un accès privilégié à l'Union européenne.

are...

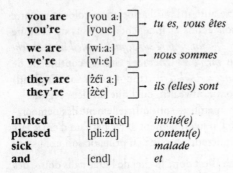

you are	[you a:]	
you're	[youe]	→ *tu es, vous êtes*
we are	[wi:a:]	
we're	[wi:e]	→ *nous sommes*
they are	[żéï a:]	
they're	[żèe]	→ *ils (elles) sont*

invited	[invaïtid]	*invité(e)*
pleased	[pli:zd]	*content(e)*
sick		*malade*
and	[end]	*et*

kids [kidz] (familier) : *des gosses, des enfants*

Le pluriel des noms s'obtient, en règle générale, en ajoutant **s** ; celui-ci se prononce [z] ou [s].

L'article indéfini **a, an,** disparaît au pluriel.

Rappel : Le verbe précédé du pronom est souvent contracté ;
Ex. : **you are — you're** [youe]

1. **You are invited (you're invited).**
2. **We are sick (we're sick).**
3. **They are kids (they're kids).**
4. **We are pleased (we're pleased).**
5. **Pam and Betty are invited.**

36

Tu es (vous êtes)…

: [a:] [i:] [y] [oue] [ż]

Le groupe **ar** de **are** se prononce comme le *â* de *hâte*, en plus long ; il est figuré par [a:]. Ne pas prononcer le **r**.

Le **y** de **you** se prononce comme celui de <u>Yougoslave</u>, il est figuré par [y].

Le son entendu dans la contraction **you're** est double : *ou + e* ; il est figuré par [oue].

Le groupe **ea** dans **pleased** est celui du français *mie*, en plus long ; il est figuré par [i:]. On le retrouve dans la contraction **we're** [wi:e].

Le **th** de **they** se prononce *z* avec le bout de la langue entre les dents. Il est figuré par [ż].

<u>Grammaire</u> : **are**

Une seule forme en anglais correspond à la conjugaison du présent du verbe *être* au pluriel.

we are	*nous sommes*
you are	*vous êtes (tu es)*
they are	*ils (elles) sont, ce sont*

Remarque
Pour traduire *il y a…* on emploie :

there is	+ singulier
there are	+ pluriel

1. (Tu es) vous êtes invité(s), invitée(s).
2. Nous sommes malades.
3. Ce (Ils) sont des enfants.
4. Nous sommes content(e)s.
5. Pam et Betty sont invitées.

You are not...

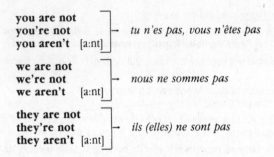

you are not
you're not
you aren't [a:nt] → *tu n'es pas, vous n'êtes pas*

we are not
we're not
we aren't [a:nt] → *nous ne sommes pas*

they are not
they're not
they aren't [a:nt] → *ils (elles) ne sont pas*

American	[emèriken]	*américain(e)*
Italian	[italien]	*italien(ne)*
different	[difrent]	*différent(e)*
noisy	[noïzi]	*bruyant(e)*

American, Italian : les adjectifs de nationalité prennent toujours une majuscule.

À la forme négative, deux contractions sont possibles :
1. **You're not**   2. **you aren't**

1. You are not American.
2. We are not Italian.
3. They are not different.
4. They are not noisy.

Tu n'es pas (vous n'êtes pas)...

Prononciation : [r] [a:]

- [r] : le **r** dans **American different**, ne ressemble pas au *r* français ; il est plutôt proche du *l* prononcé avec la pointe de la langue remontant vers le palais. Le **r** final est rarement prononcé en anglais (voir remarque p. 37).

- **aren't** [a:nt] : cette contraction de **are not** se prononce un peu comme le *ante* de *Dante*, où l'on entendrait le *n*. Ne pas prononcer le **r**.

- Rappels :   **you're** **not** [youe not]
                we're **not** [wi:e not]
                they're **not** [zèe not]

Dans une contraction l'apostrophe remplace le (ou les) lettre(s) supprimée(s).

Grammaire

- **We are not** : *Nous ne sommes pas* : la négation *ne... pas* est **not** pour les verbes auxiliaires.
- Rappels :
1. Pronoms personnels pluriels :

            we   *nous*
            you   *vous* (mais aussi *tu*)
            they   *ils, elles*

2. **Are** : forme unique pour le français *es/êtes*, *sommes*, *sont*.

1. Vous n'êtes pas américain(e).
2. Nous ne sommes pas italien(ne)s.
3. Ils (elles) ne sont pas différent(e)s.
4. Ils (elles) ne sont pas bruyant(e)s.

Exercices

A. Traduisez

1. Linda, tu es gentille.
2. Betty, tu n'es pas triste.
3. Tu es un gosse.
4. Nous sommes heureux.
5. Ce sont des gosses bruyants.
6. Ils sont américains.

B. Mettez à la forme négative

1. They are noisy kids.
2. You are Italian.
3. We are invited.
4. They are sick.

C. Mettez à la forme contractée négative

1. We are sad.
2. They are not different.
3. You are not pleased.
4. They are invited.

A.
1. Linda, you are nice.
2. Betty, you are not sad.
3. You are a kid.
4. We are glad.
5. They are noisy kids.
6. They are American.

B.
1. They are not noisy kids.
2. You are not Italian.
3. We are not invited.
4. They are not sick.

C.
1. We aren't sad.
2. They aren't different.
3. You aren't pleased.
4. They're not invited.

Prononcez

you're American	[youe emèriken]
you're Italian	[youe italien]
we're sick	[wi:e sik]
you aren't noisy	[you a:nt noïzi]
they aren't kids	[żéï a:nt kidz]

Remarque : en <u>américain</u>, le **r** de **are** est prononcé ; il en va de même du **r** en <u>fin de mot</u>.

CIVILISATION

Pendant la Renaissance (XVème-XVIème siècle), l'intense activité des traducteurs et écrivains enrichit l'anglais de nombreux mots d'origine latine, grecque, française, italienne, espagnole et portugaise. Plusieurs influences vont contribuer à stabiliser la langue :

les pièces de **Shakespeare** (1564-1616) ;

la version autorisée de la *Bible* en anglais (1601) ;

le Dictionnaire publié par **Samuel Johnson** (1705-1784) en 1755.

L'anglais continuera à évoluer, mais il ne connaîtra plus d'altération fondamentale. La lecture d'auteurs du XVIIIème siècle ne pose pas de trop grands problèmes à l'étudiant d'aujourd'hui, et c'est de cette époque qu'on peut dater l'anglais moderne.

L'anglais d'aujourd'hui : sans aller jusqu'à considérer la pénétration de l'américain comme une invasion supplémentaire, il faut constater son influence, en particulier sur les jeunes générations ainsi que dans les milieux économiques et commerciaux. En dehors de cet élément relativement récent, l'anglais moderne a les traits suivants :

C'est une langue très riche au plan littéraire, disposant d'une grande variété de termes descriptifs et concrets et comptant environ *un tiers* de termes de plus que le français, ce qui s'explique par les différentes strates linguistiques qui se sont accumulées historiquement. Par contre, la langue courante n'utilise qu'un nombre assez limité de mots et de tournures.

Plus cette langue est idiomatique, concrète et descriptive, plus on y retrouve le fonds anglo-saxon. Plus elle est intellectuelle et abstraite, plus on y retrouve l'influence latine et française.

Ainsi pour dire que quelqu'un est *intelligent*, ses amis et ses proches diront qu'il / elle est **clever** ou **smart**, alors qu'un enseignant dira qu'il / elle est **intelligent**.

Un très grand nombre de mots d'origine latine ou française existent en anglais, mais leur fréquence d'emploi en langue « quotidienne » peut être très faible. On les retrouvera beaucoup plus nombreux dans les domaines scientifiques, juridiques, économique, etc., et dans les échanges d'idées plus abstraites.

Ceci contribue, pour les français, à rendre la maîtrise de l'anglais de tous les jours souvent plus difficile que celle de la langue technique ou des échanges intellectuels.

LES ÉTATS-UNIS

ÉTATS-UNIS

1 VERMONT - Montpelier
2 NEW HAMPSHIRE - Concord
3 MASSACHUSETTS - Boston
4 RHODE ISLAND - Providence
5 CONNECTICUT - Hartford

6 NEW JERSEY - Trenton
7 DELAWARE - Dover
8 MARYLAND - Annapolis
9 WEST VIRGINIA - Charleston

LES ÉTATS-UNIS

9 385 000 km2.

50 états, dont l'**Alaska** et **Hawaï** (plus le **District of Columbia** où se trouve la capitale, **Washington**).

Au sud des grands lacs du nord-est s'étendent les *Grandes Plaines*, drainées par le **Mississippi** vers le *Golfe du Mexique* (**Gulf of Mexico**). Elles sont encadrées à l'est par l'ancien massif montagneux des *Appalaches* (**Appalachian Highlands**) et à l'ouest par les chaînes des *Rocheuses* (**Rocky Mountains**), qui enserrent les plateaux de l'**Oregon** et du **Colorado**, et au-delà desquels se trouve la *Californie*, **California**.

Le climat, continental, devient subtropical au Sud et sur la façade pacifique, océanique au nord, méditerranéen au Sud.

Population : environ 260 millions d'habitants.

Pays d'immigration à l'origine britannique, puis scandinave et allemande, et enfin méditerranéenne et slave à la fin du XIXème siècle. Les vagues d'immigration les plus récentes viennent d'Amérique Latine (**Hispanics**) et d'Asie (**Asians**).

REPÈRES HISTORIQUES

1776 : *Déclaration d'Indépendance* (**Declaration of Independence**) de 13 colonies britanniques qui prennent le nom de « **United States of America** ».

1776-1783 : guerre d'indépendance, gagnée par le Commandant en chef **George Washington**, avec l'aide de la France (La Fayette, Rochambeau).

1787 : rédaction de la Constitution, appliquée en 1789, date à laquelle G. Washington devient le premier Président des Etats-Unis.

1803 : rachat de la *Louisiane* (**Louisiana**) à la France.

1848 : conquête du **Texas**, du *Nouveau Mexique* (**New Mexico**) et de la *Californie*, enlevée aux Mexicains.

La 1ère moitié du XIXème siècle est l'époque de la conquête de l'Ouest (au-delà du Mississippi), qui repousse et décime les premiers occupants, les Indiens. *(suite p 49)*

Are you...?

$$\text{are you...?} \leftarrow \left[\begin{array}{l} \textit{êtes-vous, es-tu ?} \\ \textit{est-ce que vous êtes ?} \\ \textit{est-ce que tu es ?} \end{array}\right.$$

busy	[bizi]	*occupé*
free	[fri:]	*libre*
French	[frèn(t)ch]	*français(e)*
lucky	[lœki]	*veinard(e), chanceux (-euse)*
a doctor	[dokte]	*un docteur, un médecin*
please	[pli:z]	*s'il vous plaît*

Avec le verbe *être* en anglais, l'interrogation s'opère par simple inversion (verbe + sujet) :

are you?	*es-tu, êtes-vous, est-ce que tu es, est-ce que vous êtes ?*
are we?	*sommes-nous etc. ?*
are they?	*sont-ils, elles etc. ?*

1. **Please, are you free?**
2. **Are you busy?**
3. **Are you lucky?**
4. **Please, are you a doctor?**
5. **Are you French?**

Êtes-vous...?

Prononciation : [œ] [i] [iː] [o] [r]

Le **u** de l**u**cky ressemble à un *a* prononcé du fond de la gorge, et aussi au *œu* de *bœuf*, il est figuré par [œ].

Le **u** de b**u**sy se prononce [i] : [b**i**zi].

Rappels :
— le groupe **ee** de **free** et **ea** de **please** ont le [iː] allongé de *mie*
— dans **doctor** on n'entend que le premier **o** [d**o**kte], d'où l'abréviation **Doc** *(toubib)*
— le **r** de **free** ressemble un peu au *l* français.

Grammaire : rappels :

Are you *a* doctor? *êtes-vous médecin ?*
On emploie l'article **a** devant le nom au singulier.

Les adjectifs sont invariables et placés avant le nom :

a busy doctor	*un médecin occupé*
busy doctors	*des médecins occupés.*

1. S'il vous plaît, êtes-vous libre ?
2. Êtes-vous (Es-tu) occupé(e)s ?
3. Êtes-vous chanceux (Avez-vous de la chance) ?
4. S'il vous plaît, êtes-vous médecin ?
5. Êtes-vous français(e) ?

Is it...?

is it...?   *est-ce...?*   *est-ce que c'est...?*
                est-il...?   *est-elle...?*

blue	[blou:]	*bleu(e)*
new	[nyou:]	*nouveau (nouvelle), neuf (neuve)*
free	[fri:]	*libre, gratuit(e)*
Linda's job	[lindez djob]	*le travail de Linda*
Pam's bike	[pamz baïk]	*la bicyclette de Pam*
Bill's doctor	[bilz dokte]	*le médecin de Bill*

Rappels :

1. **It** : *il, elle, ce, c'.*
2. L'interrogation de **it is** s'obtient par simple inversion :

       is it?   *est-ce ?*

1. **Is it blue?**
2. **Is it new?**
3. **Is it free?**
4. **Is it Linda's job?**
5. **Is it Pam's bike?**
6. **Is it Bill's doctor?**

Est-ce...?

: [ou:] [you:]

Le son de **blue** est un son *ou* allongé, comme dans le français *boule*
qu'on ferait traîner. Il est figuré par [ou:].
Le groupe **ew** de **new** est figuré par [you:].

Le **ll** de **Bill** est prononcé de façon plus accusée qu'en français,
en relevant la pointe de la langue en fin de son.

Grammaire

Marque de la possession : pour indiquer la possession on a ici la
construction suivante :

> possesseur + apostrophe + **s** + ce qui est possédé

Ex. **Linda's bike**   *la bicyclette de Linda*
    Pam's job   *le travail de Pam*

Remarques :
1. Pas d'article ici en anglais.
2. Le **s** est prononcé [z].

1. Est-ce (Est-il) bleu ?
2. Est-ce nouveau ?
3. Est-ce gratuit (libre) ?
4. Est-ce le travail de Linda ?
5. Est-ce le vélo de Pam ?
6. Est-ce le médecin de Bill?

Exercices

A. Mettez à la forme interrogative

1. You are free.
2. Linda is lucky.
3. Bill is a doctor.
4. You are French.

B. Traduisez en utilisant la forme possessive

1. Le médecin de Bill est occupé.
2. La bicyclette de Linda est française.
3. Le travail de Pam est nouveau.

C. Traduisez au pluriel

1. Une bicyclette.
2. Un bon emploi.
3. Un médecin français.
4. Un enfant charmant.

A.
1. Are you free?
2. Is Linda lucky?
3. Is Bill a doctor?
4. Are you French?

B.
1. Bill's doctor is busy.
2. Linda's bike is French.
3. Pam's job is new.

C.
1. Bikes.
2. Good jobs.
3. French doctors.
4. Nice kids.

Prononcez le **s** du pluriel

doctors [doktez]
bikes [baïks]   (notez le **s** prononcé [s])
jobs [djobz]

Prononcez le **s** de la forme possessive

Linda's doctor [Lindez dokte]
Bill's bike [Bilz baïk]
Pam's job [Pamz djob]

CIVILISATION

1860-1865 : *guerre de Sécession* (**Civil war**) perdue par le Sud qui doit abandonner l'esclavage. Le vainqueur de la guerre, le Président **Abraham Lincoln**, est assassiné par un fanatique en 1865.

1898 : intervention contre l'Espagne, annexion de Porto Rico, des Philippines, de Guam et de Hawaï.

1903 : acquisition de la zone du Canal de Panama.

1917 : rompant avec leur isolationisme, les Etats-Unis contribuent à la victoire dans la *Première Gerre Mondiale* (**World War I**).

Crise de 1929 : **Franklin Delano Roosevelt**, Président de 1933 à 1945, redresse l'économie grâce aux mesures sociales du **New-Deal**.

7 décembre 1941 : désastre de **Pearl Harbor**. La destruction de leur flotte par les Japonais jette les Etats-Unis dans la 2ème guerre mondiale (**World War II**). Le commandant en chef des armées alliées en Europe, **Dwight David Eisenhower**, sera élu Président en 1953.

La présidence de **Harry Truman** (1945-1953) sera marquée par l'aide de l'Europe (Plan Marshall), le lancement de la première bombe atomique sur le Japon et le raidissement à l'égard de l'U.R.S.S. et de la Chine (guerre de Corée).

1961-1963 : Présidence de **John Fitzgerald Kennedy**, assassiné en 1963.

1962 : crise de Cuba, causée par l'arrivée des missiles soviétiques sur cette île, et qui sera suivie de la détente avec les Russes.

1963 : marche sur Washington organisée par le Pasteur noir **Martin Luther King**, pour obtenir dans la pratique l'égalité des *droits civiques* (**civil rights**) pour les noirs, dont Kennedy a favorisé l'intégration.

Sous le successeur de Kennedy, **Lyndon Baines Johnson**, les Américains vont s'enliser dans la guerre du Viet-Nam.

Le président suivant, **Richard Nixon**, élu en 1969, démissionne de son mandant en 1972 à la suite du scandale politique du **Watergate**.

Le Président **Ronald Reagan**, père du programme de défense anti-missiles, la « *Guerre des Etoiles* » (**Stars War**), redonnera le moral aux Américains. A la suite de l'effondrement de l'empire soviétique, ses successeurs **Georges Bush** et **Bill Clinton** (élu en 1992, réélu en 1996) seront à la tête de la seule super-puissance mondiale.

LE CANADA

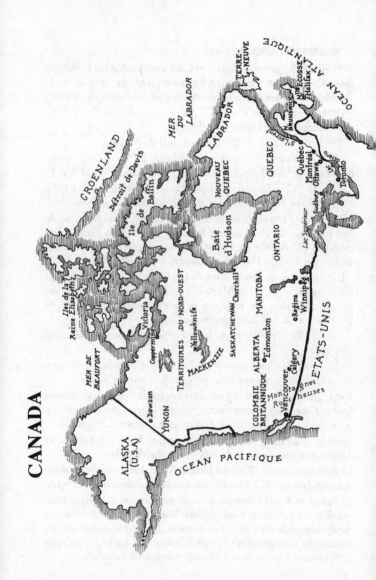

LE CANADA

Avec une superficie de 9 992 330 *kilomètres carrés* (**square kilometers** [kilôoumi:tez]), le Canada, grand pays agricole et minier, est, en taille, le deuxième pays du monde après la Russie.

Les territoires recouverts d'eau douce – *lacs* (**lakes** [léiks]) et *rivières* (**rivers** [rivez]) représentent un total de 755 165 km^2 (la France : 549 000 km^2) et environ 25 % de la superficie du pays sont recouverts de *forêts* (**forest** [forist]).

Le taux de densité de la population n'est que de trois personnes au km^2 avec un total de près de 27 millions d'*habitants* (**inhabitants** [inhabitents]), dont environ sept millions de francophones.

Membre du **Commonwealth** (voir p. 35), le Canada est divisé en 2 territoires, les Territoires du Nord-Ouest et le Yukon, et en 10 provinces :

Alberta	Colombie Britannique	Ile du Prince-Edouard
Manitoba	Nouveau-Brunswick	Nouvelle-Ecosse
Ontario	Québec	Saskachewan
Terre-Neuve		

La capitale fédérale est **Ottawa**.

Le climat rude, notamment dans le nord, amène près de 90 % de la population à se regrouper le long de la frontière avec les Etats-Unis. Les villes principales sont : **Edmonton, Hamilton, Montreal, Ottawa, Quebec, Vancouver, Winnipeg.**

Rappel historique

Peuplé d'Indiens au départ, le Canada est annexé par la France en 1534 par *Jacques Cartier*. Québec est créé en 1608 par *Champlain* et Louis XIV fonde la « Compagnie des Indes » (1663). Face aux Indiens et aux Anglais, les Français perdent peu à peu du terrain et après la chute de Québec et de Montréal la France cède le Canada en 1763. Les Canadiens français obtiendront quelques compensations mais ce n'est qu'en 1848 que le français sera reconnu comme langue officielle au même titre que l'anglais.

Après la 1ère guerre mondiale, le Canada devient une puissance internationale et, en 1926, un pays indépendant.

Malgré les revendications autonomistes depuis les années 80 de la province francophone de Québec, le Canada reste à ce jour une Confédération.

He/she is ; he/she is not

he **is**   [hi: iz] *il est*   he's [hi:z] à la forme contractée
she **is** [chi: iz] *elle est* she's [chi:z] à la forme contractée

he **is not**   *il n'est pas*   he's **not**   ou he **isn't** [izent]
she **is not** *elle n'est pas* she's **not** ou she **isn't** [izent]

careful	[kèefoul]	*soigneux, soigneuse*
happy	[hapi]	*heureux, heureuse*
pretty	[priti]	*joli(e)*
ten	[tèn]	*dix*

Attention, pour indiquer l'âge on emploie le verbe *être*, **to be** [tou bi:] en anglais et non le verbe *avoir* comme en français.

Ex. :   **she is ten** *elle a dix ans*
           I am ten *j'ai dix ans*

1. **She is careful.**
2. **He isn't careful.**
3. **She is pretty.**
4. **He isn't happy.**
5. **He is ten.**
6. **She isn't ten.**

Il/elle est ; il/elle n'est pas

Prononciation : [h] [èe]

Le **h** de **he** ou **happy** se prononce fortement en anglais ; il est net-tement expiré, c'est-à-dire que l'air sort de la bouche lorsqu'on le prononce. Il est figuré par [h].

Le **a** de **careful** est un son double qui se prononce [èe].

Le **e** de **pretty** se prononce [i] : [pri̇ti].

Grammaire : **les pronoms personnels sujets** (voir p. 345)

he   [hi:]   *il*   (masculin)

she   [chi:]   *elle* (féminin)
he et **she** s'emploient pour les personnes

it : *il, elle, ce, c'*
it s'emploie pour les choses et les animaux exclusivement ; c'est le pronom neutre

we   [wi:]   *nous*

you   [you]   *tu, vous*

they   [żéi]   *ils, elles*

Rappel :

is : 3e personne du singulier du verbe **to be** [tou bi:] au présent.

1. Elle est soigneuse. (Elle fait attention.)
2. Il n'est pas soigneux. (Il ne fait pas attention.)
3. Elle est jolie.
4. Il n'est pas heureux.
5. Il a dix ans.
6. Elle n'a pas dix ans.

Is he...? Is she...?

is she...?	*est-elle ? est-ce qu'elle est...?*	
is he...?	*est-il ? est-ce qu'il est...?*	

cool	[kou:l]	*calme, décontracté(e)* (mais aussi « *frais* »)
old	[ôould]	*âgé(e), vieux (vieille)*
sorry	[sory]	*désolé(e)*
German	[dje:men]	*allemand(e)*
late	[leït]	*en retard ; tard*

Rappel : l'adjectif de nationalité prend une majuscule.

1. Is she sorry?
2. Is he cool?
3. Is she old?
4. Is he old?
5. Is she Italian?
6. Is he Italian?
7. Is she German?
8. Is he German?
9. Is he late?

Est-il…? Est-elle…?

: [ôou] [e:]

Le **o** de **old** est un son double, une sorte de glissement de *o* ou bien *eu* sur *ou* ; il est figuré par [ôou].

Le groupe **er** de **German** est un *e* allongé ; il est figuré par [e:]. Notez que, comme souvent après une voyelle, le **r** provoque l'allongement de celle-ci, mais n'est pas prononcé.

Grammaire

L'interrogation avec **to be** (rappel) :

      Is she…? Is he…?   *Est-elle ? Est-il ?*

Avec la forme auxiliaire **is**, l'interrogation s'obtient par simple inversion.

      Is he old?   *Est-il âgé ?*
      Is she Italian?   *Est-elle italienne ?*

Rappel : l'adjectif est invariable en anglais.

      Is he old? Is she old? Are they old?
      Est-il vieux ? Est-elle vieille ? Sont-ils vieux ?

1. Est-elle désolée ?
2. Est-il décontracté ?
3. Est-elle âgée ?
4. Est-il âgé ?
5. Est-elle italienne ?
6. Est-il italien ?
7. Est-elle allemande ?
8. Est-il allemand ?
9. Est-il en retard ?

Exercices

A. Traduisez en anglais

1. Il est heureux.
2. Elle est heureuse.
3. Il est en retard.
4. Il est désolé.
5. Elle est désolée.

B. Mettez ces mêmes phrases à la forme interrogative

C 2 CORRIGÉ

A.
1. He is happy.
2. She is happy.
3. He is late.
4. He is sorry.
5. She is sorry.

B.
1. Is he happy?
2. Is she happy?
3. Is he late?
4. Is he sorry?
5. Is she sorry?

Sons doubles (diphtongues)

[èe]	careful	[kèefoul]
[éï]	late	[léït]
[ôou]	cold	[kôould]

Contractions

He's ten	[hi:z tèn]
He isn't ten	[hi:izent tèn]
She's sorry	[chi:z sori]
She isn't sorry	[chi: izent sori]

h "expiré" : **he's happy** [hi:z hapi]

CIVILISATION

Il en va de la langue comme des citoyens : il n'existe pas un, mais des américains. Les tournures et les accents varient avec la géographie, et l'habitant du Nord-Est ne parle pas tout à fait comme celui du Sud. A cela s'ajoute l'existence de dialectes régionaux, qui trouvent leur source dans l'origine des immigrants (noirs africains, allemands, etc.).

La langue écrite telle qu'elle apparaît dans les journaux atteste cependant la réalité d'une langue américaine plus ou moins standard, et différente dans une certaine mesure de l'anglais britannique. Mais il est artificiel aujourd'hui d'opposer les deux « langues ». Si la langue populaire n'est pas la même, s'il peut y avoir certaines difficultés de compréhension entre un anglais de Manchester et un américain de Houston, c'est de moins en moins valable pour les jeunes générations, vu l'influence des télévisions, des radios, de la musique et des voyages.

Bien entendu, des différences existent cependant, ne serait-ce que parce que l'américain est plus détendu, familier et informel que l'anglais britannique, et que l'Amérique est plus tolérante pour la façon de s'exprimer des immigrants et des étrangers.

L'américain se distingue principalement par :

l'accent – notamment avec la prononciation accusée du -r final – ainsi que par des variations de prononciation ou d'accentuation pour certains mots.

l'orthographe

Exemples : GB	centre	colour	cheque	traveller
US	center	color	check	traveler

des expressions idiomatiques (dont certaines – mais pas toutes – finissent par passer en anglais britannique) ;

une terminologie spécifique liée à certains aspects des institutions, de la vie politique, des systèmes judiciaires, sociaux et éducatifs.

Les autres différences lexicales, si l'on excepte les régionalismes, ne dépassent pas la centaine de mots pour la langue courante.

Quant aux différences grammaticales, elles sont très peu nombreuses, si l'on s'en tient à la grammaire « officielle », celle qu'on enseigne dans les écoles.

DIALOGUES ET VIE PRATIQUE

John : Are you invited ?
Peter : No. I am not.
John : I'm sorry.
Peter : Is Linda invited ?
John : Yes, she is.
Peter : I'm glad she is invited. She is nice.
Peter : Is she American ?
John : No. She is English. She is an English doctor.
Peter : Are Linda's children[2] invited ?
John : Yes, they are.
Peter : I'm pleased I'm not invited. They are bad and noisy.

1. prononcez [invitéïchenz] mais on dira **invited** [invaitid].
2. **children** se prononce [tchildren] ; c'est le pluriel de **child** [tchaïld].

LES PRÉSENTATIONS

Présenter se dit **to introduce** [intredious]

Lors d'une première rencontre, vous entendrez :

how do you do ? [haou dou you dou]

qui correspond au français *enchanté (de vous connaître)*, à quoi vous répondrez par **how do you do** (= *moi de même*).

Les Britanniques ne *serrent la main* (**shake hands**) que lors d'une première rencontre.

Selon le moment de la journée, vous pourrez, pour saluer et dire *bonjour*, employer :
– **good morning**, dans la matinée,
– **good afternoon**, dans l'après-midi,
– **good evening**, dans la soirée,

DIALOGUES ET VIE PRATIQUE

John : Es-tu (Êtes-vous) invité ?

Peter : Non, je ne le suis pas.

John : Je suis désolé.

Peter : Est-ce que Linda est invitée ?

John : Oui (elle l'est).

Peter : Je suis heureux qu'elle soit invitée. Elle est sympathique.

Peter : Est-elle américaine ?

John : Non, elle est anglaise. C'est un médecin anglais.

Peter : Est-ce que les enfants de Linda sont invités ?

John : Oui (ils le sont).

Peter : Je suis content de ne pas être invité. Ils sont mal élevés[3] et bruyants.

3. mot à mot : *méchant, mauvais.*

– **good night**, le soir et la nuit.

Plus familièrement, vous pourrez dire :

Hello !

Hi !

qui correspondent au français : *salut !*

 CONNAISSEZ-VOUS L'ORIGINE DU MOT **DOLLAR** ?

⇨ *RÉPONSE PAGE 149.*

I want...

I want	[wont]	*Je veux*
a bicycle	[baïsikel]	*une bicyclette*
a boat	[bôout]	*un bateau*
a cake	[kéïk]	*un gâteau*
a car	[ka:]	*une voiture*
a drink	[drink]	*une boisson ; un verre*
a key	[ki:]	*une clé*
1, one	[wœn]	*un, une*
2, two	[tou:]	*deux*
black	[blak]	*noir(e)*
green	[gri:n]	*vert(e)*
red	[rèd]	*rouge*
white	[waït]	*blanc (blanche)*
too	[tou:]	*également, aussi* (et *trop*)

Rappel : l'adjectif précède toujours <u>le nom</u>.

1. I want a boat.
2. I want a dog.
3. I want a black dog.
4. I want a red car.
5. I want a bicycle.
6. I want a white bicycle.
7. I want a drink.
8. I want a key.
9. I want a book.
10. I want two dogs.

Je veux...

Prononciation : [w] [œ] [a:]

[w] Le son de **w** dans **want, white,** est celui qu'on entend au début du mot *oui* en français ; c'est un peu comme un *ou* très bref et lié à la voyelle qui suit. Il est figuré par [w]. On le retrouve dans **one** [wœn].

[œ] C'est le son de la voyelle dans l'adjectif numéral **one** [wœn], *un, une.*

[a:] C'est le son du groupe **ar** de **car** [ka:]. Il ressemble au *â* long de *hâte* ; notez que le **r** final n'est pas prononcé.

Attention : le **a** de **want** se prononce [o] ; de plus, les consonnes **n** et **t** sont prononcées : [wont].

Le groupe **ey** de **key** se prononce comme un **i** long [i:].

Grammaire

I want : c'est la 1re personne du singulier du présent du verbe **to want,** *vouloir.*

One car, two cars [tou: ka:z]
une voiture, deux voitures : **s** est la marque normale du pluriel.

Rappel : l'article indéfini **a, an,** disparaît au pluriel :

a car, *une voiture*   **cars,** *des voitures*

1. Je veux un bateau.
2. Je veux un chien.
3. Je veux un chien noir.
4. Je veux une voiture rouge.
5. Je veux une bicyclette.
6. Je veux une bicyclette blanche.
7. Je veux boire un verre (m. à m. : une boisson).
8. Je veux une clé.
9. Je veux un livre.
10. Je veux deux chiens.

I want (+ verbe)

I want to be [wont tou bi:] *Je veux être...*

to be*	[tou bi:]	*être*
to eat*	[tou i:t]	*manger*
to leave*	[tou li:v]	*laisser, partir*
to sleep*	[tou sli:p]	*dormir*
to find*	[tou faïnd]	*trouver*
to drive*	[tou draïv]	*conduire*
to travel	[tou travel]	*voyager*
abroad	[ebro:d]	*à l'étranger*
early	[e:li]	*tôt, de bonne heure*

Les adverbes **abroad** et **early** se placent après le verbe.

* Voir mémento pp. 368-370.

1. I want to be happy.
2. I want to be a pilot.
3. I want to leave.
4. I want to eat.
5. I want to sleep.
6. I want to drive.
7. I want to find a good job.
8. I want to travel.
9. I want to leave early.
10. I want to travel abroad.

Je veux (+ verbe)

: [i] [aï] [e:] [o:]

[i:] Le groupe de lettre **ee** a toujours le son d'un *i* très allongé (cf. français *mie*).
Le groupe **ea** est souvent prononcé [i:].

[aï] C'est le son double de **pilot** [païlet], **to drive** [draïv], **to find** [faïnd] ; pour ce dernier verbe, bien prononcer toutes les consonnes.

[e:] C'est le son **e** allongé de **early** [e:li]. Notez que le **r** n'est pas prononcé.

[o:] C'est le son allongé du groupe **oa** de **abroad** (accentué sur la deuxième syllabe). C'est un son ouvert et long.

Grammaire : **l'infinitif**

To be, *être*. Les verbes à l'infinitif sont normalement précédés de la particule **to** [tou] ; ex. **To be**, *être*. **To want**, *vouloir*.

I want to eat, *je veux manger*. Les verbes suivant un autre verbe sont généralement à l'infinitif avec **to** (exceptions, Mémento § 23, p. 357).

1. Je veux être heureux.
2. Je veux être pilote.
3. Je veux partir.
4. Je veux manger.
5. Je veux dormir.
6. Je veux conduire.
7. Je veux trouver un bon travail.
8. Je veux voyager.
9. Je veux partir tôt.
10. Je veux voyager à l'étranger.

Exercices

A. Traduisez en anglais

1. Je veux des gâteaux.
2. Je veux deux gâteaux.
3. Je veux manger un gâteau.
4. Nous voulons quitter Paris.
5. Elles veulent être invitées.
6. Je veux un nouveau vélo.

B. Mettez au pluriel

1. I want to find a good job.
2. I want a new book.
3. You want an Italian car.
4. I want a cool drink.

A.
1. I want cakes.
2. I want two cakes.
3. I want to eat a cake.
4. We want to leave Paris.
5. They want to be invited.
6. I want a new bike.

B.
1. We want to find good jobs.
2. We want new books.
3. You want Italian cars.
4. We want cool drinks.

Entraînez-vous à prononcer

[dj]	I want a job	[aï **wo**nte djob]
[a:]	I want a car	[aï **wo**nte ka:]
[éï]	I want a cake	[aï **wo**nte kéïk]
[i:]	I eat, I sleep, I leave	[aï i:t, aï sli:p, aï li:v]

CIVILISATION

Etats	abrév.	prononciation	capitales	prononciation
Alabama	Al.	[alebame]	Montgomery	[mentgœmeri]
Alaska	Ak.	[elaske]	Juneau	[djou:ne]
Arizona	Az.	[arizôoune]	Phœnix	[fi:niks]
Arkansas	Ar.	[a:rkenso:]	Little Rock	[litel rok]
California	Ca.	[kalifo:rnie]	Sacramento	[sakremèntôou]
Colorado	Co.	[kolera:dôou]	Denver	[dènver]
Connecticut	Ct.	[kenètiket]	Hartford	[ha:rtferd]
Delaware	De.	[dèlewèer]	Dover	[dôouver]
Florida	Fl.	[floride]	Tallahassee	[teleha:si]
Georgia	Ga.	[djo:rdjie]	Atlanta	[etlante]
Hawaii	Hi.	[ha:waïi]	Honolulu	[honelou:lou:]
Idaho	Id.	[aïdehôou]	Boise	[boïzi]
Illinois	Il.	[ilinoï]	Springfield	[sprinfi:ld]
Indiana	In.	[indiane]	Indianapolis	[indienapelis]
Iowa	Ia.	[aïewe]	Des Moines	[dimoïnz]
Kansas	Ks.	[kanzes]	Topeka	[tôoupi:ke]
Kentucky	Ky.	[kèntœki]	Frankfort	[frankfert]
Louisiana	La.	[louiziane]	Baton Rouge	[batenrou:j]
Maine	Me.	[méïn]	Augusta	[o:gœste]
Maryland	Md.	[mèeriland]	Annapolis	[enapolis]
Massachusetts	Ma.	[masechou:sits]	Boston	[bosten]
Michigan	Mi.	[michigen]	Lansing	[lansin]
Minnesota	Mn.	[minisôoute]	St-Paul	[sentpo:l]
Mississippi	Ms.	[misisipi]	Jackson	[djaksen]
Missouri	Mo.	[mizoueri]	Jefferson City	[djèfersen siti]
Montana	Mt.	[mentane]	Helena	[hèline]
Nebraska	Ne.	[nibraske]	Lincoln	[linken]
Nevada	Nv.	[nevade]	Carson City	[ka:rsen siti]
New Hampshire	Nh.	[hampcher]	Concord	[konko:rd]
New Jersey	NJ	[nou: dje:rzi]	Trenton	[trènten]
New Mexico	NM	[mèksikôou]	Santa Fe	[sante féi]
New York	NY	[nou: yo:rk]	Albany	[o:lbeni]
North Carolina	NC	[karelaïne]	Raleigh	[ra:li]
North Dakota	ND	[dekôoute]	Bismark	[bizma:rk]
Ohio	Oh.	[ôouhaïôou]	Columbus	[kelœmbes]
Oklahoma	Ok.	[ôouklehôoume]	Oklahoma City	[ôouklehôoume]
Oregon	Or.	[origen]	Salem	[séïlem]
Pennsylvania	Pa.	[pènsilvéïnie]	Harrisburg	[harisbe:rg]
Rhode Island	RI	[rôoudaïlend]	Providence	[providens]
South Carolina	SC	[karelaïne]	Columbia	[kelœmbie]
South Dakota	SD	[saousdekôoute]	Pierre	[pier]
Tennessee	Tn.	[tènesï:]	Nashville	[nachvil]
Texas	Tx.	[tèkses]	Austin	[ostin]
Utah	Ut.	[iou:ta:]	Salt Lake City	[so:lt léïk siti]
Vermont	Vt.	[ve:rmont]	Montpelier	[montpi:lie]
Virginia	Va.	[verdjinie]	Richmond	[ritchmend]
Washington	Wa.	[wochinten]	Olympia	[ôoulimpie]
West Virginia	WV	[wèstve:rdjinie]	Charleston	[tcha:rlsten]
Wisconsin	Wi.	[wiskonsin]	Madison	[madisen]
Wyoming	Wy.	[waïôoumin]	Cheyenne	[chaïèn]

DIALOGUES ET VIE PRATIQUE

John : I want to be a pilot and to travel, and you ?
Jane : I want to be a doctor and to drive a car.
John : A German car ?
Jane : No, an Italian car. Bob's car is Italian.
John : Yes and Linda's bike too. My bike is French.
Jane : Is it a black bike ?
John : No, it's a big red one.
Peter : Well, I want to be a cook and to travel abroad.
John : You are different. You are lucky.
Peter : Now I want a cool drink.

JOBS, PROFESSIONS (suite p. 214)

accountant	[ekaountent]	*comptable*
baker	[béike]	*boulanger*
bookseller	[bouksèle*r*]	*libraire*
butcher	[boutche*r*]	*boucher*
civil servant	[sivil se:*r*vent]	*fonctionnaire*
clerk	[kla:k]	*employé*
chemist	[kèmist]	*pharmacien*
craftsman	[kra*f*stmen]	*artisan*
milkman	[milkmen]	*laitier*
electrician	[ilèktrichen]	*électricien*
engineer	[èndjini:e*r*]	*ingénieur*
executive	[igzèkioutiv]	*cadre*
farmer	[fa:*r*me*r*]	*fermier*
fishmonger	[fichmonge*r*]	*poissonnier*
grocer	[grôouse*r*]	*épicier*

(à suivre)

DIALOGUES ET VIE PRATIQUE

John : Je veux être pilote et voyager, et toi ?

Jane : Je veux être médecin et conduire une voiture.

John : Une voiture allemande ?

Jane : Non, une voiture italienne. La voiture de Bob est italienne.

John : Oui et le vélo de Linda aussi. Mon vélo est français.

Jane : Est-ce un vélo noir ?

John : Non, c'est un grand (vélo) rouge.

Peter : Eh bien, (moi) je veux être cuisinier et je veux voyager à l'étranger.

John : Toi, tu es différent. Tu as de la chance.

Peter : Maintenant je veux une boisson fraîche.

LES COULEURS • COLOURS

black	[blak]	*noir(e)*
blue	[blou:]	*bleu(e)*
brown	[braoun]	*brun(e), marron*
green	[gri:n]	*vert(e)*
grey	[greï]	*gris(e)*
purple	[pe:pel]	*violet(te)*
red	[rèd]	*rouge*
white	[waït]	*blanc(he)*
yellow	[yèlôou]	*jaune*

QUELLES LANGUES PARLENT LES BRITANNIQUES EN DEHORS DE L'ANGLAIS ?

➪ *RÉPONSE PAGE 141.*

She (he) wants...

She/he wants : les verbes ordinaires prennent un **s** à la
3e personne du singulier du présent.

cigarette	[sigerèt]	*cigarette*
camera	[kamre]	*appareil photo*
beer	[bie]	*bière*
a room	[roum]	*une chambre*
shirt	[che:t]	*chemise*
3 three	[šri:]	*trois*
4 four	[fo:]	*quatre*
5 five	[faïv]	*cinq*
6 six	[siks]	*six*
7 seven	[sèven]	*sept*
8 eight	[éït]	*huit*
9 nine	[naïn]	*neuf*
10 ten	[tèn]	*dix*
20 twenty	[twènti]	*vingt*

1. She wants a camera.
2. He wants three beers.
3. She wants four rooms.
4. He wants five shirts.
5. She wants ten cigarettes.
6. He wants one beer and twenty cigarettes.

Elle (il) veut...

<u>Prononciation</u> : [e:] [ś] [e]

[e:] Le groupe **ir** de **shirt** se prononce un peu comme l'interjection *euh...* ou *eu* de *peur*, en plus long. Il est figuré par [e:].

[ś] Le **th** de **three** ressemble à un *s* prononcé avec la langue entre les dents, ou zézayé. Il est figuré par [ś].

[e] Le **e** muet est la prononciation habituelle de **a** en fin de mot : **camera** [kamre], **cinema** [sineme].
C'est aussi celle du **a** de **and** [end], *et*, et de **cigarette** [sigerèt].

accent tonique : sur la 3ᵉ syllabe pour **cigarette** [sigerèt], sur la 1ʳᵉ pour **camera** [kamre].

<u>Grammaire</u>

conjugaison du verbe **to want** au présent de l'indicatif :

I want	*je veux*
he, she, it wants	*il, elle veut*
we want	*nous voulons*
you want	*vous voulez, tu veux*
they want	*ils, elles veulent*

1. Elle veut un appareil photo.
2. Il veut trois bières.
3. Elle veut quatre chambres.
4. Il veut cinq chemises.
5. Elle veut dix cigarettes.
6. Il veut une bière et vingt cigarettes.

She wants to... - He wants to...

She wants	*elle veut*		**He wants**	*il veut*
to buy*	[baï]		*acheter*	
to drink*			*boire*	
to learn*	[le:n]		*apprendre*	
to meet*	[mi:t]		*rencontrer*	
to park	[pa:k]		*garer*	
to see*	[si:]		*voir*	
to smoke	[smôouk]		*fumer*	
to visit	[vizit]		*visiter*	
England	[inglend]		*l'Angleterre*	
Italy	[iteli]		*l'Italie*	
often	[ofen]		*souvent*	

Les noms de pays ne prennent pas d'article :

England,	**Canada,**	**Italy**	**Belgium**
l'Angleterre	*le Canada*	*l'Italie*	*la Belgique*

* Voir mémento pp. 368-370.

1. She wants to buy a car.
2. He wants to drink a beer.
3. She wants to learn English.
4. He wants to meet Linda.
5. She wants to see Dan.
6. He wants to smoke a cigarette.
7. She wants to visit England.
8. He smokes English cigarettes.
9. She often sees Dan.
10. He often visits Italy.

Elle veut... - Il veut...

<u>Prononciation</u>

[aï]   **to buy** [baï] : le **u** n'est pas prononcé
[e:]   le groupe **ear** de **to learn** se prononce [e:]
[a:]   le groupe **ar** de **to park** se prononce [a:]
[ôou] le **o** de **to smoke** a un son double [ôou]

<u>Grammaire</u> : rappels :

Toujours un **s** à la 3ᵉ personne du singulier du présent :

    He wants to drink   *Il veut boire*

To want est suivi de l'infinitif complet :

    He wants to see Dan   *Il veut voir Dan*

Les noms de pays ne prennent pas d'article en anglais.

Notez la place de l'adverbe **often** :

    She often sees Dan   *Elle voit souvent Dan*

1. Elle veut acheter une voiture.
2. Il veut boire une bière.
3. Elle veut apprendre l'anglais.
4. Il veut rencontrer Linda.
5. Elle veut voir Dan.
6. Il veut fumer une cigarette.
7. Elle veut visiter l'Angleterre.
8. Il fume des cigarettes anglaises.
9. Elle voit souvent Dan.
10. Il visite souvent l'Italie.

Exercices

A. Traduisez en anglais

1. Elle veut acheter des cigarettes.
2. Il veut apprendre l'anglais.
3. Il veut boire.
4. Il veut rencontrer Dan.

B. Traduisez en français

1. He learns English, not French.
2. He drinks beer.
3. She wants to smoke.
4. She visits England.

A. 1. She wants to buy cigarettes.
2. He wants to learn English.
3. He wants to drink.
4. He wants to meet Dan.

B. 1. Il apprend l'anglais, pas le français.
2. Il boit de la bière.
3. Elle veut fumer.
4. Elle visite l'Angleterre.

Placez l'accent tonique

cigarette	[siger**è**t]
camera	[**ka**mre]
bicycle	[**ba**ïsikel]
pilot	[**pa**ïlet]

CIVILISATION

PAYS	COUNTRIES	HABITANTS	INHABITANTS
Allemagne f	Germany	*Allemand*	German *(n/adj)*
Etats-Unis	United States	*Américains*	American *(adj)* / American *(n)*
Angleterre f	England	*Anglais*	English *adj* / the English *n*
Autriche f	Austria	*Autrichien*	Austrian *(n/adj)*
Belgique f	Belgium	*Belge*	Belgian *(n/adj)*
Canada m	Canada	*Canadien*	Canadian *(n/adj)*
Chine f	China	*Chinois*	Chinese *(adj)* the Chinese *(n pl inv)*
Corée f	Korea	*Coréen*	Korean *(n/adj)*
Danemark m	Denmark	*Danois*	Danish *(adj)* / Dane *(n)*
Espagne f	Spain	*Espagnol*	Spanish *(adj)* / Spaniard *(n)*
Finlande f	Finland	*Finlandais*	Finnish *(adj)* / Finn *(n)*
France f	France	*Français*	French *(adj)* the French *(n pl inv)*
Grande-Bretagne f	Great Britain	*Britannique*	British *(adj)* / Briton *(n)*
Grèce f	Greece	*Grec*	Greek *(n/adj)*
Hollande f	Holland	*Hollandais*	Dutch *(adj)* / the Dutch *(n)*
Hongrie f	Hungary	*Hongrois*	Hungarian *(n/adj)*
Inde f	India	*Indien*	Indian *(n/adj)*
Irlande f	Ireland	*Irlandais*	Irish *(adj)* / the Irish *(n)*
Italie f	Italy	*Italien*	Italian *(n/adj)*
Japon m	Japan	*Japonais*	Japanese *(adj)* the Japanese *(pl inv)*
Mexique m	Mexico	*Mexicain*	Mexican *(n/adj)*
Norvège f	Norway *(f)*	*Norvégien*	Norwegian *(n/adj)*
Pologne f	Poland	*Polonais*	Polish *(adj)* / Pole *(n)*
Portugal m	Portugal	*Portugais*	Portuguese *(adj)* the Portuguese *(n pl inv)*
Russie f	Russia	*Russe*	Russian *(n/adj)*
Suède f	Sweden	*Suédois*	Swedish *(adj)* / Swede *(n)*
Suisse f	Switzerland	*Suisse*	Swiss *(adj.)* / the Swiss *(n pl inv)*
Turquie f	Turkey	*Turc*	Turkish *(adj)* / Turk *(n)*

m = masculin ; f = féminin ; n = nom ; adj = adjectif ; pl = pluriel.

DIALOGUES ET VIE PRATIQUE

He wants to visit Europe.

Patricia : Alan wants to travel. He wants to leave and to travel abroad.

John : Good, he wants to visit Italy and Germany and England.

Patricia : Yes, he wants to see London and Berlin and to meet Italians, Germans and Belgians.

John : Good I want to travel too.

Peter and Jane want to buy ...

Jane : Peter, I want to smoke. I want to buy cigarettes. I want to smoke French cigarettes.

Peter : Good, Jane. I want to drink. I want to buy a beer. I want to drink a German beer.

Children : You want to smoke and drink, well we want to eat. We want to eat a cake, a good English cake.

LES NOMBRES (1 – 20)

1	one	11	eleven	[ilèven]
2	two	12	twelve	[twèlv]
3	three	13	thirteen	[śe:ti:n]
4	four	14	fourteen	[fo:ti:n]
5	five	15	fifteen	[fifti:n]
6	six	16	sixteen	[siksti:n]
7	seven	17	seventeen	[sèventi:n]
8	eight	18	eighteen	[eïti:n]
9	nine	19	nineteen	[naïnti:n]
10	ten	20	twenty	[twènti]

DIALOGUES ET VIE PRATIQUE

IL VEUT VISITER L'EUROPE.

Patricia : Alan veut voyager. Il veut partir et voyager à l'étranger.

John : Bien, il veut visiter l'Italie, l'Allemagne et l'Angleterre

Patricia : Oui, il veut voir Londres et Berlin et rencontrer des Italiens, des Allemands et des Belges.

John : Bien, moi aussi je veux voyager.

PETER ET JANE VEULENT ACHETER ...

Jane : Peter, je veux fumer. Je veux acheter des cigarettes. Je veux fumer des cigarettes françaises.

Peter : Bien Jane. (Moi) je veux boire. Je veux acheter une bière. Je veux boire une bière allemande.

Enfants : Vous voulez fumer et boire, eh bien nous, nous voulons manger. Nous voulons manger un gâteau, un bon gâteau anglais.

QUELQUES MOTS ET EXPRESSIONS À CONNAÎTRE DANS UN TAXI

meter   [mi:te*r*]   *compteur*
receipt   [risi:t]   *reçu*
tip   [tip]   *pourboire* (également *tuyau*)

Can I have a receipt ?
Puis-je avoir un reçu ?

Keep the change [tchéïndj].
Gardez la monnaie.

 QUE SIGNIFIENT LES INITIALES **G.O.P.** ?

⇨ *RÉPONSE PAGE 213.*

Do you want...? Does he want...?

do you want...?	*voulez-vous...?*
does he/she want...?	*veut-il/elle...?*
do they want...?	*veulent-ils/elles...?*

Avec tous les verbes ordinaires la forme interrogative s'obtient avec l'auxiliaire **to do** [dou]

an orange	[orindj]	*une orange*
a banana	[benane]	*une banane*
an apple	[apel]	*une pomme*
an aspirin	[asperin]	*une aspirine (un cachet d')*
a watch	[wotch]	*une montre*
a cab	[kab]	*un taxi* (US)
a cup of tea	[kœp ev ti:]	*une tasse de thé*
an explanation	[èksplenéïchen]	*une explication*
to like	[laïk]	*aimer*

1. Do you want an orange?
2. Do you want a banana?
3. Do you like apples?
4. Does she want an aspirin?
5. Does he want a cab?
6. Do you want a cup of tea?
7. Does she want a new watch?
8. Does he like tea?
9. Do they want an explanation?
10. Do they want explanations?

Voulez-vous...? Veut-il...?

does [dœz] : **oe** dans **does** se prononce comme **a** de fond de gorge ressemblant un peu au *eu* de *neuf*.
De même pour le **u** de **cup** [kœp].

explanation [èksplenéïchen] : dans les mots d'origine française se terminant par **-tion**
— l'accent tonique tombe sur la syllabe précédant la finale **-tion**
— **-tion** se prononce [chen], ex. : **creation** [kriéïchen]

Grammaire

Pour l'ensemble des verbes non auxiliaires, l'interrogation se construit à l'aide du verbe **to do** selon le schéma suivant :

Do + sujet + verbe (à l'infinitif sans **to**)

Do you like oranges?   *Aimez-vous les oranges ?*

À la 3e personne du singulier du présent, **do** devient **does** :

Does he want a cab?   *Veut-il un taxi?*
Does Pam like oranges?   *Pam aime-t-elle les oranges ?*

1. Voulez-vous une orange ?
2. Voulez-vous une banane ?
3. Aimez-vous les pommes ?
4. Veut-elle une aspirine (un cachet d') ?
5. Veut-il un taxi ?
6. Voulez-vous une tasse de thé ?
7. Veut-elle une montre neuve (*ou :* une nouvelle montre) ?
8. Aime-t-il le thé ?
9. Veulent-ils/elles une explication ?
10. Veulent-ils/elles des explications ?

Do you want to go?

do you want...?		*voulez-vous...? veux-tu...?*
does she (he) want...?		*veut-elle/il...?*
do they want...?		*veulent-ils/elles ?*

to go*	[gôou]	*aller, partir*
to read*	[ri:d]	*lire*
to come*	[kœm]	*venir*
to ask		*demander*
to help	[hèlp]	*aider*
to drive*	[draïv]	*conduire*
to take*	[téïk]	*prendre*

with		*avec*
me	[mi]	*moi*
a question	[kwèstchen]	*une question*
to London		*à (vers) Londres*
now	[naou]	*maintenant*

Rappel : pas d'article indéfini (comme *des* en français) au pluriel.

Ex. : **Do they want explanations?**
Veulent-ils des explications ?

* Voir mémento pp. 368-370.

1. Do you want to go?
2. Do you want to come?
3. Do you want to ask a question?
4. Do you want to help me?
5. Does he want to drive me?
6. Do you want to take an aspirin?
7. Does she want to help Bob?
8. Do you want to read Peter's book?
9. Do they want to go to London?
10. Do they want to ask Ted a question?

Voulez-vous partir ?

Prononciation

to go [gôou], le **o** a un son double : *o* (ou *eu*) + *ou*, symbolisé par [ôou]

to help [hèlp] : le **h** est expiré.

Grammaire

Do you want to come?   *Veux-tu venir ?*

De même qu'en français, un verbe peut être complément d'un autre verbe : il se met à l'infinitif complet avec **to**

(voir exceptions p. 355 forme en **-ing**, et p. 357 infinitif **sans to**).

Do you want to help me?   *Voulez-vous m'aider ?*

Le complément **me** est toujours placé après le verbe en anglais.

to ask Ted a question : *poser une question à Ted*

le verbe anglais est construit avec deux compléments directs.

one watch, two watches [wotchiz] :
une montre,   deux montres

on ajoute **-es** pour former le pluriel des noms qui se terminent par **-ch** (ou **-sh**).

me, *moi*, pronom personnel complément correspondant au pronom sujet **I**, *je* (voir p. 137).

1. Voulez-vous partir ?
2. Voulez-vous venir ?
3. Voulez-vous poser une question ?
4. Voulez-vous m'aider ?
5. Veut-il me conduire ?
6. Voulez-vous prendre une aspirine (un cachet d')
7. Veut-elle aider Bob ?
8. Voulez-vous lire le livre de Pierre ?
9. Veulent-ils aller à Londres ?
10. Veulent-elles poser une question à Ted ?

Exercices

A. Mettre à la forme interrogative

1. You want an apple.
2. She wants an aspirin.
3. They want an explanation.
4. He wants to come.

B. Traduire en anglais

1. Voulez-vous me conduire à Londres ?
2. Voulez-vous une explication ?
3. Veut-elle venir avec moi ?
4. Aimez-vous les oranges ?
5. Veulent-ils partir maintenant ?

A.
1. Do you want an apple?
2. Does she want an aspirin?
3. Do they want an explanation?
4. Does he want to come?

B.
1. Do you want to drive me to London?
2. Do you want an explanation?
3. Does she want to come with me?
4. Do you like oranges?
5. Do they want to go now?

Prononcez

an orange	[en **o**rindj]
two oranges	[tou **o**rindjiz]
a watch	[e w**o**:tch]
two watches	[tou w**o**tchiz]
a cup of tea	[e kœp ev ti:]
an explanation	[en èksplen**éï**chen]
explanations	[èksplen**éï**chenz]
a question	[e kw**è**stchen]
questions	[kw**è**stchenz]
a banana	[e ben**a**ne]
bananas	[ben**a**nez]
an apple	[en **a**pel]
apples	[**a**pelz]

CIVILISATION

Le *thé* (**tea**) serait la boisson la plus vieille du monde : il aurait cinq mille ans... C'est une boisson universelle, qui s'est adaptée aux pays froids comme aux pays chauds, de même qu'aux rites sociaux les plus divers. Le thé tient une place très importante dans la *vie quotidienne* (**daily life**) des Britanniques qui en boivent à toute heure. Dans la langue populaire, la formule *une bonne tasse de thé*, **a nice cup of tea**, est même devenue "**a (nice) cuppa**" (prononcer [kœpe]).

Le *thé du petit matin* (**early morning tea**) précède le *petit déjeuner* (**breakfast**) ; puis le thé accompagne aussi bien le *déjeuner* (**lunch** ou **luncheon**), que le *dîner* (**dinner**) ou le *souper* (**supper**). Il est encore à la base d'un *repas du soir léger* (**high tea**). Dans certains *foyers* (**homes**), la *bouilloire à thé* (**tea-kettle**) est branchée en permanence et la *théière* (**tea-pot**) trône sur le coin de la table.

Le thé est convivial, et s'offre tout au long de la journée, notamment l'après-midi (**four o'clock tea**) assorti de *biscuits* (**biscuits** [**biskits**]) ou de *gâteaux* (**cakes**) divers : **scones, crumpets** ou encore **muffins**.

On respectera des règles strictes pour sa préparation (**brewing**) :

l'eau doit être très pure ; on utilisera dans certains cas une eau minérale ;

elle ne doit pas *bouillir* (**boil**), mais *frémir* (**simmer**) ;

la théière, de préférence en *terre* (**earthenware**) ou en *porcelaine* (**china**) aura été préalablement ébouillantée ;

on compte une cuillèrè (2 à 2,5 g.) de thé par personne, et une pour la théière ;

le thé doit infuser entre 2 et 5 minutes selon qu'il est vert, brun, noir ou fumé ;

Le thé, longtemps denrée précieuse, est souvent conservé dans une *boîte à thé* (**tea-caddy**).

William Gladstone (1808-1898), homme politique britannique célèbre du XIXᵉ siècle, plusieurs fois premier ministre (**Prime Minister**) a écrit cette louange de la boisson nationale :

« **If you are cold, tea will warm you** *(Si tu as froid, un thé te réchauffera)* ;
If you are too heated, it will cool you *(Si tu as trop chaud, il te rafraîchira)* ;
If you are depressed, it will cheer you *(Si tu es déprimé, il te réjouira)* ;
If you are exhausted, it will calm you *(Si tu es épuisé, il te calmera).* »

DIALOGUES ET VIE PRATIQUE

Jane : Do you like tea ?

Henry : Yes, tea is good.

Jane : Do you want a cup of tea, a nice cup of tea ?

Henry : Yes. I want to drink a cup of tea and to eat an orange. And you ?

Jane : Yes. I want to eat an orange and an apple.

Henry : Does John want an apple or a banana ?

Jane : No, he's sick. He wants an aspirin. He wants to go and see a doctor.

℗ *Henry :* Hullo Doctor, are you busy ?

℗ *Patricia :* No, I'm free now.

℗ *Henry :* Good. John wants to see you.

LA SANTÉ, HEALTH

Quelques mots à connaître chez le médecin

appointment	[epoïntment]	*rendez-vous*
drug	[drœg]	*médicament*
headache	[hèdèk]	*mal de tête*
heart attack	[ha:ʀt etak]	*crise cardiaque*
pill	[pil]	*pilule*
prescription	[prèskripchen]	*ordonnance*
sore throat	[so: ṡrôout]	*mal de gorge*

Quelques mots à connaître chez le dentiste

to hurt	[he:ʀt]	*faire mal*
painkiller	[péïnkileʀ]	*calmant*
toothache	[touṡeïk]	*mal (rage) de dent*

DIALOGUES ET VIE PRATIQUE

Jane : Aimez-vous le thé ?

Henry : Le thé, c'est bon.

Jane : Voulez-vous une tasse de thé, une bonne tasse de thé ?

Henry : Oui, je veux boire une tasse de thé et manger une orange. Et vous ?

Jane : Oui, je veux manger une orange et une pomme.

Henry : John, veut-il une pomme ou une banane?

Jane : Non, il est malade.Il veut une aspirine. Il veut aller voir le docteur.

℗ *Henry :* Allô docteur, êtes-vous occupé ?

℗ *Patricia :* Non, je suis libre en ce moment.

℗ *Henry :* Bien. John veut vous voir.

LES MOIS DE L'ANNÉE

January	[djanoueri]	*janvier*
February	[fèbroueri]	*février*
March	[ma:tch]	*mars*
April	[éïpril]	*avril*
May	[méï]	*mai*
June	[djou:n]	*juin*
July	[djou:laï]	*juillet*
August	[o:gest]	*août*
September	[sèptembe]	*septembre*
October	[oktôoube]	*octobre*
November	[nôouvèmbe]	*novembre*
December	[di:sèmbe]	*décembre*

 QUE SIGNIFIENT LES INITIALES **N.H.S.** ?

⇨ *RÉPONSE PAGE 263.*

I do not want...

I do not want	*je ne veux pas*
you do not want	⎡ *tu ne veux pas* ⎣ *vous ne voulez pas*
we do not want	*nous ne voulons pas*
they do not want	*ils/elles ne veulent pas*

La contraction de **do not** en **don't** [dôount] est fréquente surtout dans la langue parlée :

They do not want → They don't want

to give*	[giv]	*donner*
to live	[liv]	*vivre, habiter*
to show*	[chôou]	*montrer*
to work	[we:k]	*travailler*

me	[mi:]	*me, moi*
my	[maï]	*mon, ma, mes*
in	[in]	*à, en, dans*
France	[fra:ns]	*la France*

* Voir mémento pp. 368-370.

1. I do not want to go.
2. You do not want to work.
3. I don't want to show my car.
4. They don't want to live in Paris.
5. I don't want to give my book.
6. They don't want to work in England.
7. They don't want to give me a book.
8. I do not live in Italy.
9. They do not work in France.
10. You do not want to leave early.

Je ne veux pas...

[ôou] **to go, to show**
[e:] **to work**
[i] **to give, to live, in**

Grammaire : **la forme négative**

I do not want, *je ne veux pas*

Comme pour l'interrogation (cf. Leçon 9, A 4), la négation des verbes ordinaires se construit avec **to do** selon le schéma suivant :

sujet + **do not** + verbe à l'infinitif sans **to**

Nous ne travaillons pas   **We do not work**
Ils ne vivent pas à Paris   **They do not live in Paris**

Rappel : le complément se place toujours après le verbe, même quand il s'agit d'un pronom :

They don't want to give me a book
Ils ne veulent pas me donner un livre

1. Je ne veux pas partir.
2. Vous ne voulez pas (tu ne veux pas) travailler.
3. Je ne veux pas montrer ma voiture.
4. Ils ne veulent pas vivre (habiter) à Paris.
5. Je ne veux pas donner mon livre.
6. Ils (elles) ne veulent pas travailler en Angleterre.
7. Ils (elles) ne veulent pas me donner un livre.
8. Je ne vis pas en Italie.
9. Ils ne travaillent pas en France.
10. Vous ne voulez pas partir tôt.

She/he does not want

she/he does not want   *elle/il ne veut pas*

À la 3ᵉ personne du singulier, **do** devient **does** [dœz]

Does not se contracte en **doesn't** [dœzent]

She does not come → She doesn't come
Elle ne vient pas

to answer	[a:nse]	*répondre*
to call	[ko:l]	*appeler*
to play	[pléï]	*jouer*
to tell*	[tèl]	*dire*
age	[éïdj]	*âge*
surname	[se:néïm]	*nom (de famille)*

Remarque : **to answer**, *répondre à,* est construit avec un complément direct en anglais :

He answers my questions
Il répond à mes questions

* Voir mémento pp. 368-370.

1. He doesn't want to tell me Susan's age.
2. She doesn't want to tell me John's surname.
3. He doesn't want to call a doctor.
4. She doesn't want to play with Betty.
5. He doesn't want to answer Jeff's questions.

Elle/il ne veut pas

Prononciation : rappels :

[œ] : c'est un peu le son du français *bœuf* ou *neuf* prononcé du fond de la gorge : **doesn't** [dœzent] ; **lucky** [lœky] ; **funny** [fœni]

[o:] : c'est en plus long le son du français *colle* prononcé dans le fond de la gorge : **call** [ko:l]

-tion : ce groupe qu'on trouve en fin de mot est prononcé [tchen], et l'accent tonique est toujours sur la syllabe précédente : **question** [kwèstchen]

Grammaire : **le cas possessif** (rappel)

Pour indiquer la possession, l'appartenance ou un degré de parenté, on emploie la construction suivante (cf. Leçon 5, B 3) :

> possesseur + **'s** + ce qui est possédé (ou parent)

Ex. : **John's surname**   *le nom de famille de Jean*
      Betty's book   *le livre de Betty*

Remarquez l'absence d'article devant ce qui est possédé.

1. Il ne veut pas me dire l'âge de Suzanne.
2. Elle ne veut pas me dire le nom (de famille) de Jean.
3. Il ne veut pas appeler un médecin.
4. Elle ne veut pas jouer avec Betty.
5. Il ne veut pas répondre aux questions de Jeff.

Exercices

A. Mettez à la forme négative

1. I want to work.
2. She wants to go.
3. They want to play.
4. We want a car.

B. Mettez à la forme contractée

1. I do not live in Paris.
2. He does not come.
3. They do not answer.
4. She does not work.

C. Traduisez en employant la forme possessive

1. Dites-moi le nom de famille de Jeff.
2. Il ne veut pas me dire l'âge de Suzanne.
3. Jean ne veut pas me donner la bicyclette de Bill.
4. Ils ne veulent pas répondre à la question de Vic.

A.
1. I do not want to work.
2. She does not want to go.
3. They do not want to play.
4. We do not want a car.

B.
1. I don't live in Paris.
2. He doesn't come.
3. They don't answer.
4. She doesn't work.

C.
1. Tell me Jeff's surname.
2. He doesn't want to tell me Susan's age.
3. John doesn't want to give me Bill's bike.
4. They do not want to answer Vic's question.

<u>Prononcez</u>

I go	[aï gôou]
I don't want to go	[aï dôount wont tou gôou]
He wants to work	[hi: wonts tou we:k]
Answer me	[**a**:nse mi:]
Answer my question	[**a**:nse maï kw**è**stchen]

CIVILISATION

Avec près de sept millions d'habitants, la capitale du *Royaume-Uni* (**United Kingdom**) figure au neuvième rang des villes les plus peuplées du monde, juste derrière New York. C'est aussi la plus grande ville d'*Europe* (**Europe**) après *Moscou* (**Moscow**), ce qui est étonnant pour un pays de moins de cinquante-huit millions d'habitants. C'est aussi une capitale culturelle, avec une vie artistique et culturelle intense (très nombreux théâtres, musées et opéra de **Covent Garden**), et un haut lieu de l'économie et de la finance, avec notamment la **City**, troisième des places boursières du monde.

Londres tire son nom du celte *Lyn-Din*, « *la forteresse bâtie sur l'eau* ». Elle fut rebaptisée *Londinium* par les Romains au premier siècle avant J-C., qui y construisirent le premier pont de pierre pour traverser la Tamise (**Thames**). En 1066, la bataille de Hastings qui vit la victoire de *Guillaume le Conquérant* (**William the Conqueror**) sur la dynastie saxonne marque le début de Londres comme *capitale* (**capital city**) du royaume. Une grande partie des monuments appréciés des touristes a été construite ou commencée à l'époque normande : l'*abbaye de Westminster* (**Westminster Abbey**), la *Tour blanche* (**White Tower**), partie centrale de la *tour de Londres* (**the Tower of London**) qui abrite les *joyaux de la couronne* (**Crown Jewels**) entre autres. Au XVIIème siècle le *grand incendie* (**Great Fire**) détruisit la quasi totalité des maisons, alors construites en bois. La ville fut reconstruite et Christopher Wren en particulier y bâtit une cinquantaine d'églises dont la *cathédrale Saint-Paul* (**St Paul's Cathedral**). Au cours de la seconde guerre mondiale, Londres fut très gravement endommagée par les bombardements allemands (**the Blitz**), qui amenèrent une reconstruction qui se poursuit de nos jours dans l'est londonien (**the Dockland**, voir p. 90).

Londres s'enorgueillit aussi de ses quartiers, anciens villages qui ont gardé leur nom et leur charme (**Chelsea, Kensington, Knightsbridge, Mayfair, Soho** etc.) et de ses parcs et jardins (**Green Park, Greenwich Park, Hampton Court, Hyde Park, Kensington Gardens, Kew Gardens, Regent's Park, St James's Park…**) et de très nombreux autres, moins étendus, qu'on découvre au coin d'une rue ou derrière une place. La visite de la ville est ainsi ponctuée de haltes sur des pelouses (**lawns**) où il est souvent possible de marcher ou de s'allonger.

DIALOGUES ET VIE PRATIQUE

Linda : I call John but he doesn't answer. Is he busy ? I want to ask a question.

Patrick : Sorry, John is in London. He's in London with Susan.

Linda : Do they live in London ?

Patrick : She does. She works in London and John often goes to visit her. He likes Susan. She is a nice woman.

Linda : Does he drive to London ?

Patrick : Yes, he takes Bob's car, Bob's Italian car.

Linda : Do you go to London too ?

Patrick : No, I don't. I don't like to drive to London in my car.

DOCKLAND

Sur la rive nord de la *Tamise*, **Thames** [tèmz] se trouve un vaste quartier en pleine réhabilitation (depuis 1975) fait de *bassins* (**docks**), d'*entrepôts* (**warehouses** [wèehaousiz] et d'*appontements* (**wharves** [wa:vz], nommé **Dockland** : c'est le Londres de l'an 2000.

Un nouveau quartier, ultra moderne, est en train de naître dans une zone qui fut celle de la dynamique commerciale de l'Angleterre au XIXème siècle. Vous y trouverez l'immeuble du journal **The Times**, un complexe de divertissement, un centre commercial, un aéroport, un marché aux poissons et un petit train automatique (**Dockland Light Train**).

DIALOGUES ET VIE PRATIQUE

Linda : J'appelle John mais il ne répond pas. Est-il occupé ? Je veux lui poser une question.

Patrick : Désolé, John est à Londres. Il est à Londres avec Susan.

Linda : Est-ce qu'ils vivent à Londres ?

Patrick : Elle, oui. Elle travaille à Londres et John va souvent lui rendre visite. Il aime bien Susan. C'est une femme sympathique.

Linda : Est-ce qu'il se rend à Londres en voiture ?

Patrick : Oui, il prend la voiture de Bob, la voiture italienne de Bob.

Linda : Est-ce que vous allez à Londres, vous aussi ?

Patrick : Non. Je n'aime pas me rendre à Londres avec ma voiture.

HYDE PARK CORNER

La *liberté d'expression* (**freedom of expression** [fri:dem ev iksprèchen], fondement de la liberté individuelle chère aux Britanniques est, entre autres, symbolisée par la coutume pittoresque des *orateurs* (**speakers**) de **Hyde Park Corner**.

Ce coin, au nord-est du parc, est réservé officiellement depuis 1872, à tous ceux qui veulent s'exprimer publiquement. Debout sur une *caisse à savon* (**soapbox** [sôoupboks]), d'où le nom de **soap-box orators**, ou une chaise, ces orateurs s'adressent aux *passants* (**passers-by** [pasez baï]) sur n'importe quel sujet, sérieux ou fantaisiste, moral, religieux, politique, etc.

 QUE SIGNIFIE LE MOT **BUCK** EN AMÉRICAIN FAMILIER ?

⇨ *RÉPONSE PAGE 147.*

Complétez avec a, b, c ou d :
(il y a une seule bonne réponse par question)

1. I —— glad.
    a) am
    b) a
    c) am a
    d) 'm a

2. I'm —— cook.
    a) bad not
    b) a bad
    c) not bad
    d) bad a

3. It's —— a good job.
    a) not is
    b) isn't
    c) not
    d) is my

4. You are ——
    a) invite
    b) invited
    c) not invite
    d) invited not

5. Please, —— doctor ?
    a) are you a
    b) you are
    c) are you
    d) you are not

(Voir corrigé p. 373)

6. Is —— ?
   a) German he
   b) he German
   c) she german
   d) not German

7. I want —— early.
   a) leave
   b) to leave
   c) I leave
   d) she

8. He —— Italy.
   a) often visit
   b) visit often
   c) often visits
   d) visits often

9. Do you —— book ?
   a) want to read Peter
   b) want I read Peter's
   c) me read Peter's
   d) want to read Peter's

10. Do you want —— my question ?
    a) answer
    b) to answer
    c) answer to
    d) answer me

(Voir corrigé p. 373)

I have...

I have	*j'ai*		peuvent	**I've**	[aïv]
you have	*tu as/vous avez*		se	**you've**	[youv]
we have	*nous avons*		contracter	**we've**	[wi:v]
they have	*ils ont*		en	**they've**	[żèv]

no	[nôou]	*pas de, aucun* (adjectif indéfini)
a lot of	[e lot ev]	*beaucoup de* (locution adverbiale)
but	[bœt]	*mais*

computer	[kem**piou**te]	*ordinateur*
time	[taïm]	*temps*
friend	[frènd]	*ami(e)*
money	[mœni]	*argent*
idea	[aïdiːe]	*idée*

intelligent	[intèlidjent]	*intelligent(e)*
interesting	[**i**ntristiŋ]	*intéressant(e)*

(Le **g** du groupe **ing** n'est pas prononcé.)

1. I have a new computer.
2. I have an intelligent friend.
3. I have two intelligent friends.
4. I have money.
5. I have no money.
6. I have no time.
7. You have friends.
8. We have no money.
9. They have an idea.
10. They have an interesting idea.
11. You have a lot of ideas.
12. We have a lot of ideas but no money.

J'ai...

Prononciation

Le groupe **ing** à la fin de **interesting** a le son de *ding* dans « *ding din don* ». Le **g** n'est pas prononcé ; le son de **ng** est figuré par [ŋ].

Le **h** de **have** est « expiré ».

Le **o** de **money** et le **u** de **but** sont prononcés [œ].

Le **o** de **no** est double [nôou].

Attention :

1. deux sons doubles dans **idea** [aïdi:e]
2. accent sur la 2ᵉ syllabe dans **intelligent** [intèlidjent]
3. accent sur la 1ʳᵉ syllabe dans **interesting** [instristiŋ]

Grammaire

To have est un verbe auxiliaire (cf. Leçon 26, p. 216) qui indique également la possession :

    J'ai une voiture   **I have a car**

To have peut également exprimer l'idée de *prendre* (cf. Leçon 11, B 1, B 2, B 3).

Attention : quand il exprime la possession, **to have** est souvent suivi du participe passé **got** (qui sert à renforcer l'idée de possession) ; **to have** est alors souvent contracté :

    They have got (They've got) a lot of friends
    Ils ont beaucoup d'amis

1. J'ai un ordinateur neuf (ou : un nouvel ordinateur).
2. J'ai un ami intelligent.
3. J'ai deux amis intelligents.
4. J'ai de l'argent.
5. Je n'ai pas d'argent.
6. Je n'ai pas le (de) temps.
7. Vous avez des amis.
8. Nous n'avons pas d'argent.
9. Ils ont une idée.
10. Ils ont une idée intéressante.
11. Vous avez beaucoup d'idées.
12. Nous avons beaucoup d'idées mais pas d'argent.

He has... She has...

he/she has	*il/elle a*	
it has	*il/elle a* (neutre)	

<u>Contractions</u> : **he has** = **he's** [hi:z]
                  she has = **she's** [shi:z]

at		*à, dans,* etc.
before	[bifo:]	*avant, devant*
problem	[problem]	*problème, ennui*
hair	[hèe]	*cheveux, chevelure*
brother	[broeže]	*frère*
sister	[siste]	*sœur*
dinner	[dine]	*dîner*
breakfast	[brèkfest]	*petit déjeuner*
lunch	[loen(t)ch]	*déjeuner*
bath	[ba:š]	*bain*
Mary	[mèeri]	*Marie*
eye	[aï]	*œil*
8 a.m.	[éït èï èm]	*8 h du matin*
1 p.m.	[woen pi:èm]	*13 h (1 h de l'après-midi)*
to have a bath	*prendre un bain*	
to have a walk	*faire une promenade, se promener*	
him	[him]	*lui*

1. She has blue eyes.
2. He has black hair.
3. He has two sisters.
4. She has three brothers.
5. He has got a problem (He's got a problem).
6. She has breakfast at 8 (a.m.).
7. She has lunch with him at 1 (p.m.).
8. She has a bath before dinner.
9. Mary has a walk before breakfast.
10. They have a walk before dinner.

Il a... Elle a...

Le **ai** de **hair** est son double [èe].

Le **o** de **brother** est celui du **o** de **money** [œ] (cf. **does** Leçon 9, A 3 et 11, A 3).

Dans **bath**, le **a** est allongé [a:] et le **th** ressemble à un *s* zozotté [ś].

Attention :

he has et **he is** ont la même forme contractée : **he's** [hi:z]

she has et s**he is** ont la même forme contractée : s**he's** [chi:z].

Grammaire

Has est la 3ᵉ personne du singulier du présent de **to have**

En dehors de la fonction d'auxiliaire ou de l'idée de possession, **to have** exprime aussi l'idée de *consommer, prendre, manger, boire*, etc.

Rappel : pas d'article indéfini aupluriel

I have a friend	**I have friends**
J'ai un ami	*J'ai des amis*

1. Elle a des yeux bleus.
2. Il a des cheveux noirs.
3. Il a deux sœurs.
4. Elle a trois frères.
5. Il a un ennui.
6. Elle prend son petit déjeuner à 8 h (du matin).
7. Elle déjeune avec lui à 13 h.
8. Elle prend un (son) bain avant le dîner.
9. Marie fait une promenade avant le petit déjeuner.
10. Ils font une promenade avant le dîner.

Exercices

A. Traduisez en anglais

1. Tu as un ami.
2. Tu as deux amis.
3. Vous avez beaucoup d'amis.
4. Elle n'a pas d'argent.
5. Ils ont beaucoup d'ennuis.
6. Il a deux ordinateurs.

B. Traduisez en français

1. They have breakfast at 8 a.m.
2. She has one brother and two sisters.
3. I have a bath before dinner.
4. He has a walk before lunch.

A.
1. You have a friend.
2. You have two friends.
3. You have a lot of friends.
4. She has no money.
5. They have a lot of problems.
6. He has two computers.

B.
1. Ils prennent le petit déjeuner à 8 heures du matin.
2. Elle a un frère et deux sœurs.
3. Je prends un (mon) bain avant le dîner.
4. Il fait une promenade avant le déjeuner.

to have fun	*s'amuser*
to have a good time	*prendre du bon temps*
to have a look	*jeter un coup d'œil*
to have coffee, tea	*prendre le café, le thé*
to have a drink	*prendre un verre*
to have a cold	*avoir un rhume*

CIVILISATION

L'enseignement, **education**, est obligatoire de 5 à 16 ans. *Les écoles publiques*, **state schools**, qui accueillent 90 % des élèves sont gérées par l'Etat et financées par une *administration locale*, **Local Education Authority (LEA)**.

Après la *maternelle* (**nursery school**), école privée, *l'école primaire* (**primary school**) commence par l'**infant school** où les enfants de 5 à 7 ans apprennent à lire et compter (**the three R's : reading, writing and arithmetics**), et continue avec la **junior school**, de 7 à 10 ans.

A 11 ans, les élèves entrent dans les **comprehensive schools**, *établissements secondaires* qui vont de la **first form** (notre *6ème*) à la **sixth form** (notre *1ère*) et à la **upper sixth**, (notre *terminale*).

A la fin de la **fifth form** (notre *seconde*) les élèves peuvent passer le **GCSE, General Certificate of Secondary Education**, qui leur permettra d'entrer dans un **Technical College** ou continuer dans la **sixth form**.

Mais c'est à la fin de la **Upper 6th** que se passent les **A levels** (**advanced levels**) permettant l'accès à l'enseignement supérieur.

L'enseignement supérieur, **Higher Education**, comporte les anciennes et prestigieuses universités d'**Oxford** et de **Cambridge** ; les universités modernes créées au XXème siècle et surtout après 1945 (environ 45 aujourd'hui) ; les centres autrefois appelés **polytechnics**, qui enseignent des disciplines scientifiques spécialisées (technologies nouvelles, informatique, ingéniérie…), sont au nombre d'une quarantaine et sont devenues des universités de plein droit.

Particularités de l'enseignement britannique :

Port de l'uniforme dans le primaire et le secondaire.

Existence de **Public schools**, *écoles secondaires privées* très élitistes. Leur noms (trompeur) vient de leur origine : créées pour des enfants doués de familles pauvres, la qualité de leur enseignement en fit rapidement des écoles réservées à une clientèle riche et préparant aux fonctions publiques.

L'**Open University** : organisme d'enseignement à distance (radio, télévision, ouvrages spécifiques en librairie), avec réseau de tuteurs et organisation de *stages*, **training periods**.

DIALOGUES ET VIE PRATIQUE

Patricia : Do you know my friend John ?
Peter : Yes ; John is my friend too.
Patricia : John has a good job now.
Peter : He does not work a lot, but he has a lot of money.
Patricia : He is not very busy but he is very happy.
Peter : He has a lot of fun.
Patricia : He has no problems and he has a lot of friends.
Peter : I often have lunch with him, and I like him a lot.
Patricia : John's sister lives abroad, but she often comes to London.
Peter : She's nice too. I like to meet John's sister.

OXFORD

Situé au nord-ouest de Londres, au bord de la *Tamise*, **Thames** [tèmz], ce chef-lieu de l'**Oxfordshire** tire son nom des mots **ox**, *bœuf*, et **ford**, *gué*.

La ville abrite la célèbre université d'**Oxford**, fondée en 1133 par un théologien et des étudiants chassés de l'Université de Paris.

Elle comporte plus de trente-cinq *facultés*, **colleges** (voir p. 108). On y entre sur *concours* (**competitive exam** [kempètitiv igzam]).

Les *habitants d'Oxford* s'appellent des **Oxfordians**, tandis que les étudiants sont nommés **Oxonians**. Comme chez sa rivale Cambridge, la moitié de ces derniers est issue des **public schools**.

DIALOGUES ET VIE PRATIQUE

Patricia : Connais-tu mon ami John ?

Peter : Oui ; John est aussi mon ami.

Patricia : À présent, John a un bon travail.

Peter : Il ne travaille pas beaucoup, mais il a beaucoup d'argent.

Patricia : Il n'est pas très occupé mais il est très heureux.

Peter : Il s'amuse beaucoup.

Patricia : Il n'a pas de problèmes et il a beaucoup d'amis.

Peter : Je déjeune souvent avec lui, et je l'aime bien.

Patricia : La sœur de John vit à l'étranger, mais elle vient souvent à Londres.

Peter : Elle est charmante elle aussi. J'aime bien rencontrer la sœur de John.

CAMBRIDGE

Située sur la rivière **Cam** (d'où elle tire son nom, associé à **bridge**, *pont*) la ville de **Cambridge**, au nord-est de Londres, abrite l'autre célèbre université anglaise.

Fondée en 1209 par des enseignants et étudiants dissidents d'Oxford, l'université de Cambridge, qui comporte 25 **colleges**, est renommée comme centre avancé de recherche en physique, économie et mathématique.

LONDON UNIVERSITY

L'Université de Londres est la plus grande et appartient à la catégorie dénommée **Red brick universities** (*universités en brique rouge*) créées au XIXème siècle.

 QUELLE EST L'ORIGINE DU MOT BLUE JEAN ?

⇨ *RÉPONSE PAGE 140.*

Do you have...?

do you have?	*as-tu / avez-vous ?*
do we have?	*avons-nous ?*
do they have?	*ont-ils/elles ?*
have you got?	*as-tu / avez-vous ?*
have we got?	*avons-nous ?*
have they got?	*ont-ils/elles ?*

house	[haous]	*maison*
flat		*appartement*
lounge	[laoundj]	*salon*
garden	[ga:den]	*jardin*
bathroom	[ba:ŝroum]	*salle de bains*
bedroom	[bèdroum]	*chambre à coucher*
dining-room	[daïniŋroum]	*salle à manger*
radio (-set)	[réidiôou]	*radio (poste de)*
television (-set)	[tèlivijen]	*télévision (poste de)*
TV (-set)	[ti: vi:]	
walkman	[wo:kmen]	*walkman, baladeur*
record	[rèked]	*disque*
tape-recorder	[téïp-riko:de]	*magnétophone*
C.D. (compact-disc)	[si: di:]	*C.D., disque-compact*

1. **Do you have a house?** (U.S.)
2. **Have you got a flat?**
3. **Have you got a lounge?**
4. **Do they have a garden?** (U.S.)
5. **Do they have a lot of bedrooms?** (U.S.)
6. **Have they got a dining-room?**
7. **Do you have a radio(-set)?** (U.S.)
8. **Have they got a television(-set)?**
9. **Do you have a walkman?**
10. **Have you got a new CD?**
11. **Do you have a tape-recorder?** (U.S.)
12. **Do you still have your father's old records?** (U.S.)

Avez-vous...?

Attention aux sons doubles (diphtongues)
[aou] :   **house** [haous]   **lounge** [laoundj]
[éï] [ôou] :   **radio** [réïdiôou]   **tape**   [téïp]

Attention à la place de l'accent (qui peut varier dans un mot selon qu'il est nom ou verbe)
a record [rèked]   *un disque*
to record [riko:d]   *enregistrer*
a recorder [riko:de]   *un enregistreur (un magnétophone)*

Grammaire

L'interrogation avec **to have** peut s'obtenir par simple inversion :

have + sujet + complément

Mais sous l'influence de l'américain on emploiera souvent l'auxiliaire **do** comme pour les autres verbes (cf. Leçon 9) lorsque **to have** signifie *avoir, posséder* :

Do you have a house?   *Avez-vous une maison ?*

Très souvent, et particulièrement à la forme interrogative, **have** est renforcé en anglais britannique par le participe passé **got** qui suivra le sujet (cf. Leçon 11, A 3) :

Have you got a house?   *Avez-vous une maison ?*
Have they got a garden?   *Ont-ils/elles un jardin ?*

1. Avez-vous (as-tu) une maison ?
2. Avez-vous (as-tu) un appartement ?
3. Avez-vous (as-tu) un salon ?
4. Ont-ils/elles un jardin ?
5. Ont-ils/elles beaucoup de chambres à coucher ?
6. Ont-ils/elles une salle à manger ?
7. Avez-vous une radio (un poste de) ?
8. Ont-ils/elles une télévision (un poste de) ?
9. Avez-vous un baladeur ?
10. Avez-vous un nouveau CD ?
11. Avez-vous un magnétophone ?
12. Avez-vous encore les vieux disques de votre père ?

Does she have...?

does she/he have?	a-t-elle/il ? (ou : est-ce qu'elle/il a ?)	
has she/he got?	a-t-elle/il ? (ou : est-ce qu'elle/il a ?)	
he/she does not have	il/elle n'a pas	
he/she hasn't got	il/elle n'a pas	

guest	[gèst]	invité
stamp		timbre
son	[sœn]	fils
daughter	[do:te]	fille
umbrella	[œmbrèle]	parapluie
tape	[téïp]	bande (magnétique)
cassette	[kesèt]	cassette
phone-number	[fôoun nœmbe]	numéro de téléphone
phone-book, directory	[dirèkteri]	annuaire de téléphone
coffee	[kofi]	café
foreign	[forin]	étranger(ère)
often	[ofen]	souvent

Rappel : **to have,** *avoir,* signifie également *prendre* (le thé, le café, le déjeuner, etc.)

1. **Does she often have guests for dinner?** (U.S.)
2. **Has he got foreign stamps?**
3. **Does he have a daughter?** (U.S.)
4. **Has she got a son?**
5. **Does he have an umbrella?** (U.S.)
6. **Has she got new tapes?**
7. **Has he got my cassettes?**
8. **She does not have a directory.** (U.S.)
9. **He hasn't got Pat's phone-number.**
10. **Peter doesn't have tea.**
11. **Betty hasn't got a car.**
12. **He hasn't got time to see you.**

A-t-elle...?

Prononciation

[œ] rappel : le **œ** de **does**, a le son du **u** de **but** (entre *eu* de *neuf* et un *a* de fond de gorge).

[o:] : le groupe **augh** de **daughter** se prononce [o:] (son *o* allongé).

Attention à la position de l'accent : **cassette**   [kesèt]
umbrella [œmbrèle]

Grammaire

Rappel : à la 3ᵉ personne du singulier du présent, on emploie **does** pour marquer l'interrogation :
Does he have a phone-number?
A-t-il un numéro de téléphone ?

Comme on l'a vu en A 3, **have** est souvent renforcé, en particulier à la forme interrogative, par le participe passé **got**.
Has he got an umbrella? *A-t-il un parapluie ?*

La construction de la forme négative suit le schéma vu en Leçon 10, B 1 :
She does not have a car   *Elle n'a pas de voiture.*
He hasn't got television   *Il n'a pas de télévision.*

Notez la place de l'adverbe **often**, *souvent* :
Does she often have guests for dinner?

1. A-t-elle souvent des invités pour le dîner ?
2. A-t-il des timbres étrangers ?
3. A-t-il une fille ?
4. A-t-elle un fils ?
5. A-t-il un parapluie ?
6. A-t-elle de nouvelles bandes ?
7. A-t-il mes cassettes ?
8. Elle n'a pas d'annuaire.
9. Il n'a pas le numéro de téléphone de Pat.
10. Pierre ne prend pas de thé.
11. Betty n'a pas de voiture.
12. Il n'a pas le temps de vous voir.

Exercices

A. Traduire en utilisant la forme possessive

1. As-tu le numéro de téléphone de Pat ?
2. Avez-vous les disques de Bud ?
3. Est-ce qu'elle a le parapluie de Betty ?
4. Ont-ils la montre de Pam ?

B. Mettre à la forme négative

1. Dan has got a new bicycle.
2. Susan has Jeff's umbrella.
3. They have a big car.
4. We have a foreign camera.

A. 1. Do you have Pat's telephone-number?
2. Do you have Bud's records?
3. Has she got Betty's umbrella?
4. Have they got Pam's watch?

B. 1. Dan hasn't got a new bicycle.
2. Susan doesn't have Jeff's umbrella.
3. They don't have a big car.
4. We don't have a foreign camera.

Prononcez

[aou]	a big house	[e big haous]
	a new lounge	[a nyou laoundj]
[ôou]	an old radio	[en ôould réïdiôou]
	Tony's phone-number	[tôouniz fôoun nœmbe]

Attention à la position de l'accent :

my records	[maï rèkedz]
Bob's recorder	[bobz reko:de]
Pat's cassettes	[pats kesèts]

CIVILISATION

Obligatoire de 6 à 16 ans, il incombe aux collectivités locales et sa qualité est liée à leurs revenus (d'où le succès des **private schools**, *écoles privées*, dans certaines zones). Les **local school boards**, *commissions locales d'enseignement*, où siègent les représentants des parents, ont un grand degré d'autonomie pour l'embauche des enseignants et les programmes. Le but du primaire et du secondaire est de donner des connaissances pratiques plutôt que d'enseigner un savoir théorique.

La notation suit le code **ABCDEF**, de **A** = *excellent* à **F** = *échec*.

Les écoles maternelles, **nursery schools** (pour enfants de 2 à 4 ans) sont en général privées et gérées par des églises.

L'école primaire, **elementary school** ou **grammar school**, comprend : le **kindergarten** (= *jardin d'enfants*) pour enfants de 5 ans ; les classes de **first grades à sixth grade** pour les 6 à 11ans.

L'école secondaire comprend la **Junior High School** (**seventh and eighth grade**, 12 et 13 ans) ; la **High School** (**ninth to twelfth grade**, de 14 à 18 ans).

LES UNIVERSITÉS

Les **High School diplomas** étant très inégaux, les universités évaluent les candidats par des tests (QCM), notamment le **SAT** (**Scholastic Aptitude Test**).

Pour acccéder aux universités les plus prestigieuses (**Harvard, MIT**, etc.) il faut de plus constituer de véritables dossiers, y joindre les résultats du secondaire, des recommandations, et passer un entretien.

L'enseignement supérieur (**University education**) : les quatre premières années (**Freshman, Sophomore, Junior, Senior years**) constituent les **undergraduate studies** et s'effectuent dans un **college** (voir p. 108). Elles mènent au B.A. (**Bachelor's degree in Arts**, *licence de lettres*) ou au B.Sc. (**Bachelor's degree in Science**, *licence de sciences*).

Deux années supplémentaires de **graduate studies** mènent au **Master's degree** : M.A., M.Sc., M.B.A. (**Master's degree in Arts, Science, Business Administration**) = *maîtrise*.

Des études ultérieures conduisent au **Ph.D.** (**Philosophiae Doctor**), *doctorat*.

107

DIALOGUES ET VIE PRATIQUE

Henry : Have you got Patrick's phone number ?
Patricia : Is it not in the phone-book ?
Henry : No, I want his new number in London.
Patricia : Oh yes, it's 01 71 28 121 76.
Henry : Thank you. I also want to call Peter. Do you have Peter and Jane's number too ?
Patricia : Sorry. I don't, but Patrick has it.
Henry : Oh yes. Good idea.

℗

Henry : Patrick, it's Henry. Have you got Peter's phone number ?
Patrick : Yes Henry, Peter and Jane's number is 081 65 212 84. My new house in London is nice. Do you want to visit it ?
Henry : Oh yes please.

☞ Attention au mot **College** [kolidj] !
En américain, **college** désigne les deux premières des quatre années d'université, en vue de l'obtention d'un **bachelor's degree** (voir C4 p. 107).

En anglais britannique, **college** peut signifier :
a) un institut d'enseignement supérieur qui n'a pas le statut d'université ;
b) une faculté ou une unité d'enseignement avec son corps enseignant, ses étudiants et ses bâtiments, constituant une subdivision des université d'**Oxford, Cambridge, Londres** ;
c) une **Public School** comme Eton (College).

☞ Attention à ce terme de **Public School** qui, en Grande-Bretagne, désigne des écoles privées prestigieuses, alors qu'aux Etats-Unis ce sont d'authentiques établissements publics. Dans le même ordre d'idée, ne pas traduire le français *Grande Ecole* par **High School**, qui désigne un établissement secondaire aux Etats-Unis !

DIALOGUES ET VIE PRATIQUE

Henry : As-tu le numéro de téléphone de Pat ?

Patricia : N'est-il pas dans l'annuaire ?

Henry : Non, je veux son nouveau numéro à Londres.

Patricia : Ah oui, c'est le 01 71 28 121 76.

Henry : Merci, je veux aussi appeler Peter. Est-ce que tu as également le numéro de Peter et Jane ?

Patricia : Désolée, je ne l'ai pas mais Patrick l'a.

Henry : Ah oui, bonne idée.

©

Henry : Patrick, c'est Henry. As-tu le numéro de téléphone de Peter ?

Patrick : Oui Henry, le numéro de Peter et Jane est 081 65 212 84. Ma nouvelle maison à Londres est belle. Tu veux la visiter ?

Henry : Oh oui, s'il te plaît.

Parmi les milliers d'universités américaines, en voici quelques-unes parmi les plus célèbres :

COLUMBIA, à New York, au nord de Central Park.

HARVARD, à Cambridge, à côté de Boston (fondée en 1636 ; bibliothèque privée la plus importante du monde.

YALE, à New Haven, dans le Connecticut (un mélange d'architecture néo-gothique et contemporaine).

UNIVERSITÉ DE CALIFORNIE À BERKELEY, à Berkeley, à côté de San Francisco, en Californie.

STANFORD, à Palo Alto, au sud de San Francisco.

 QUE SIGNIFIE L'EXPRESSION DUTCH TREAT ?

⇨ *RÉPONSE PAGE 164.*

I am working

infinitif + **ing** donne le participe présent : **work → working**

to be + participe présent donne la « forme progressive »

I am working *je travaille*

the [że]   *le, la, les* (article défini invariable)

to leave*	[li:v]	*quitter, laisser*
to leave for		*partir pour*
to drink*		*boire*
to spend*	[spènd]	*passer (du temps)*
to stay	[stéï]	*rester*
morning	[mo:niŋ]	*matin*
whisky	[wiski]	*whisky*
wine	[waïn]	*vin*
holiday	[holidi]	*vacance*
week	[wi:k]	*semaine*
hotel	[hôoutèl]	*hôtel*
Germany	[dje:meni]	*Allemagne*
Greece	[gri:s]	*Grèce*
Athens	[aśi:ns]	*Athènes*
today	[toudéï]	*aujourd'hui*
tonight	[tounaït]	*ce soir*
tomorrow	[toumorôou]	*demain*
every	[èvri]	*chaque (tous les...)*
soon	[sou:n]	*bientôt*

* Voir mémento pp. 368-370.

1. I am working today.
2. He leaves every morning at 8 (eight).
3. She is leaving soon.
4. We are leaving tomorrow.
5. They are leaving for London tonight.
6. I am drinking a beer.
7. You are drinking a whisky.
8. We drink wine in France.
9. They drink beer in Germany.
10. I often spend my holidays in Greece.
11. They are spending a week in Athens.
12. She is staying at the Bristol Hotel.

Je travaille

La forme « progressive » : **leaving, drinking, spending, staying,** etc. sont des participes présents, formés en ajoutant **ing** aux verbes à l'infinitif (**to leave, to drink, to spend, to stay,** etc.).

La construction verbe *être,* **to be** + participe présent en **ing,** donne ce que l'on appelle la forme progressive (ou continue). Elle est utilisée pour décrire des actions qui sont en train de se faire, de se dérouler, et qui ont une certaine durée.
La forme progressive est très employée en anglais et s'oppose à la forme simple, en principe réservée à la description de faits généraux plus stables ou définitifs. Exemples :
>**I often spend my holidays in Britain**
>*Je passe souvent mes vacances en Grande-Bretagne*

fait général qui s'oppose à :
>**I am spending my holidays in London**
>*Je passe ces vacances à Londres* (en ce moment).

La forme progressive s'emploie à tous les temps.

The [že] : *le, la, les,* article défini, invariable en genre et en nombre.
il s'emploie devant des noms bien définis : **the Bristol Hotel**
il est omis devant :
— les noms pris dans leur généralité :
holidays are always nice, *les vacances sont toujours agréables*
— les noms de pays : *la Grèce,* **Greece**
— les noms de fonction : *le docteur Brown,* **Doctor Brown**
il est prononcé [ži:] devant une voyelle : **the ideas of...**

1. Je travaille aujourd'hui.
2. Il part chaque matin à 8 heures.
3. Elle part bientôt.
4. Nous partons demain.
5. Ils partent pour Londres ce soir.
6. Je bois une bière.
7. Vous buvez un whisky.
8. Nous buvons du vin en France (on boit, cf. Leçon 25).
9. Ils boivent de la bière en Allemagne.
10. Je passe souvent mes vacances en Grèce.
11. Ils passent une semaine à Athènes.
12. Elle séjourne à l'hôtel Bristol.

Are you working?

À la forme progressive, les constructions interrogative et négative suivent celles de **to be**.

Are you working?   *Travaillez-vous ?*

You are not working!   *Vous ne travaillez pas !*

to wait	[wéït]	*attendre*	**to wait for someone**
to eat*	[i:t]	*manger*	*attendre quelqu'un*
to rain	[réïn]	*pleuvoir*	
to work	[we:k]	*travailler*	
to feel*	[fi:l]	*sentir, se sentir, éprouver*	
to sing*	[siŋ]	*chanter* (**a song**, *une chanson*)	
Charles	[tcha:lz]	*Charles*	
station	[stéïchen]	*gare*	
oyster	[oïste]	*huître*	
Britain	[briten]	*Grande-Bretagne*	
firm	[fe:m]	*entreprise*	
Tuesday	[tyou:zdi]	*mardi*	
because	[biko:z]	*parce que*	
well	[wèl]	*bien*	

* Voir mémento pp. 368-370.

1. Are you working with Betty tonight?
2. Is he leaving for New York soon?
3. Are you waiting?
4. Are you waiting for Charles?
5. Are they eating now?
6. Do they eat oysters in Britain?
7. Is it raining today?
8. Does he work for a British firm?
9. Is he working today?
10. We are not working today.
11. They do not work on Tuesdays.
12. She is not singing tonight because she is not feeling well.

Travaillez-vous ?

Forme progressive (suite)

Les constructions interrogative et négative suivent celles de **to be**.
You are eating.   Are you eating?   You are not eating.
Vous mangez.   Mangez-vous ?   Vous ne mangez pas.

Le présent progressif peut avoir un sens proche du futur : reportez-
vous aux exemples 3, 4, 5, de A 2
   I am leaving tomorrow,   *Je pars demain.*

En principe la forme progressive ne s'emploie pas : avec des verbes
qui évoquent quelque chose de bien établi et non une action qui
se déroule, tels que :
to like, to love, *aimer* ; **to know,** *savoir* ; **to own,** *posséder* ;
to remember, *se rappeler* ; **to seem,** *paraître* ; **to understand,**
comprendre.

Are you waiting for Charles?   *Attendez-vous Charles ?*
Le complément qui suit le verbe **to wait** est introduit par la préposition **for** : **Wait for me,**   *Attends-moi.*

On Tuesdays, *le mardi* — trois remarques :
majuscule pour les noms de jour
pas d'article défini mais emploi de la préposition **on**
le pluriel indique une répétition régulière : *(tous) les mardis.*

1. Travaillez-vous (travailles-tu) avec Betty ce soir ?
2. Part-il bientôt pour New York ?
3. Attendez-vous (est-ce que tu es en train d'attendre) ?
4. Est-ce que vous attendez Charles ?
5. Est-ce qu'ils mangent maintenant (sont-ils en train de manger) ?
6. Est-ce qu'ils mangent des huîtres en Grande-Bretagne (est-ce qu'on mange...) ?
7. Est-ce qu'il pleut aujourd'hui ?
8. Travaille-t-il pour une entreprise britannique ?
9. Travaille-t-il aujourd'hui ?
10. Nous ne travaillons pas aujourd'hui.
11. Ils ne travaillent pas le mardi.
12. Elle ne chante pas ce soir parce qu'elle ne se sent pas bien.

Exercices

A. Mettre à la forme progressive

1. We drink wine.
2. I spend my holidays in London.
3. They play football.
4. You leave with Linda.
5. She works in Britain.

B. Traduire en anglais en employant la forme progressive
(quand justifiée)

1. Nous mangeons beaucoup en France.
2. J'attends Betty à la gare.
3. Il pleut souvent en Grande-Bretagne.
4. Il pleut beaucoup aujourd'hui.
5. Je passe souvent mes vacances en Grèce.
6. Elle passe une semaine à Londres.

A.
1. We are drinking wine.
2. I am spending my holidays in London.
3. They are playing football.
4. You are leaving with Linda.
5. She is working in Britain.

B.
1. We eat a lot in France.
2. I am waiting for Betty at the station.
3. It often rains in Britain.
4. It is raining a lot today.
5. I often spend my holidays in Greece.
6. She is spending a week in London.

Prononcez

I'm leaving for Greece soon [aïm li:viŋ fe gri:s sou:n]
He's living in Athens [he's liviŋ in aṡi:ns]
We're leaving tonight [wi:e li:viŋ tounaït]
You're working in a big firm [you:e we:kiŋ in e big fe:m]

[ôou] **hotel** [hôoutèl]
      tomorrow [toumorôou]

Rappel : le groupe **ing** a le son de « *ding din don* » : le **g** n'est pas prononcé, le son de **ng** est figuré par [ŋ].

114

CIVILISATION

Ne cherchez pas à savoir si l'origine du **whisky** (ou **whiskey**, mais c'est la même prononciation) est en Ecosse ou en Irlande. Dans l'un et l'autre pays, on fait remonter aux temps les plus reculés l'habitude de boire cette " eau de vie " : *usquebaugh* en vieux celtique, alors parlé aussi bien en Écosse qu'en Irlande, puis *uisce beatha* en gaélique moderne. La forme moderne du mot est **whisky** en Écosse et en Angleterre, **whiskey** en Irlande et aux États-Unis.

l'Écosse fournit l'essentiel de la production de **blended** ou **scotch whisky**, assemblage d'alcools de grains obtenus à partir de céréales diverses. Mais on assiste depuis plusieurs années au retour du produit authentique, plus raffiné, et bien sûr, plus coûteux, que le **blended** ; il s'agit du **pure, straight** ou encore **single malt**. Il résulte de la distillation d'une *céréale* (**cereal**) unique, l'*orge* (**barley**), dont on aura fait germer une partie pour donner le **malt**, dans des alambics à distillation lente, parfois double, les **pot stills**, avec utilisation d'eaux de source très pures. La qualité s'explique par un dicton écossais qui décrit bien le processus de fabrication : **water, fire and time** : *de l'eau, du feu, du temps*. Les distilleries, qui se comptent par centaines, se trouvent principalement dans les Highlands et dans certaines vallées et îles d'Écosse.

Le **whiskey** irlandais est toujours distillé à partir du malt ; c'est donc par définition toujours un **pure** ou **single malt**.

Aux États-Unis, on distingue :

– le **straight whiskey**, produit à partir d'une seule céréale qui peut être le *seigle* (**rye**), le *maïs* (**corn**) ou le malt ;

– le **rye whiskey** (100% de seigle) ;

– le **bourbon** (**whiskey**), fabriqué avec au moins 51% de maïs (**corn**) et vieilli dans des fûts de chêne brûlés à l'intérieur ; pour avoir droit à l'appellation, il doit provenir du seul comté de **Bourbon**, dans le **Kentucky** ;

– le **blended whiskey**, mélange de deux ou plusieurs **straight whiskeys**.

DIALOGUES ET VIE PRATIQUE

Peter : Hi Henry ! How are you ?

Henry : Fine, thank you.

Peter : Are you still working in Scotland for that whisky firm ?

Henry : No, I'm working for a firm in Greece. I go to Athens every Tuesday morning. I'm leaving tomorrow.

Peter : Good. I often visit Greece but, in a week, I'm going to stay in a hotel in Germany.

Henry : Are you going with a friend ?

Peter : No I'm going with my son and daughter.

Henry : Nice. It is good to go abroad.

Certaines expressions verbales qui indiquent une attitude, une position, sont en anglais à la forme progressive :

être assis	**to be sitting**	mais : **to sit (down)**,	*s'asseoir.*
être debout	**to be standing**	**to stand (up)**,	*se lever.*
être allongé	**to be lying**	**to lie (down)**,	*s'étendre.*
être suspendu	**to be hanging**	**to hang**,	*accrocher, pendre.*
être agenouillé	**to be kneeling**	**to kneel (down)**,	*s'agenouiller.*

Quelques mots à connaître dans un aéroport :

autocollant (bagages)	**sticker**	[**sti**ke]
billet d'avion	**flight ticket**	[flaït **ti**kit]
carte d'embarquement	**boarding card**	[**bo**:rdiŋ ka:rd]
embarquement	**boarding**	[**bo**:rdiŋ]

116

DIALOGUES ET VIE PRATIQUE

Peter : Salut, Henri ! Comment allez-vous ?
Henry : Bien, merci.
Peter : Travaillez-vous toujours en Ecosse pour cette entreprise de whisky ?
Henry : Non, je travaille pour une entreprise en Grèce. Je vais à Athènes tous les mardis matins. Je pars demain.
Peter : Bien. Je visite souvent la Grèce mais, dans une semaine, je vais séjourner dans un hôtel en Allemagne.
Henry : Y allez-vous avec un(e) ami(e) ?
Peter : Non, j'y vais avec mon fils et ma fille.
Henry : Bien. C'est bon d'aller à l'étranger.

enregistrement	**check-in**	[tchèk in]
liste d'attente	**stand-by**	[stand baï]
porte n°	**gate n°**	[géit **nœmbe**r]
supplément (bagage)	**excess luggage**	[iksess lœgidj]
tarifs réduits	**reduced fares**	[ridioust fé-erz]
toilettes dames	**Ladies**	[léïdiz]
toilettes hommes	**Gents**	[djénts]
toilettes H / F	**toilets**	[toïlits]
	restroom (US)	[rèstrou:m]

 QUE SIGNIFIE LE MOT **SOCCER** ?

⇨ *RÉPONSE PAGE 319 ET 327.*

I booked...

ed : ajouté à l'infinitif des verbes ordinaires (dits « <u>faibles</u> » ou « <u>réguliers</u> »), donne la forme du temps passé (prétérit).
to book [bouk] : **I (you, he, she, we, they) booked** [boukt]

his *son, sa, ses* (possesseur masculin singulier)
her *son, sa, ses* (possesseur féminin singulier)

to decide	[disaïd]	*décider*	**I decided**	[disaïdid]
to study	[stœdi]	*étudier*	**I studied**	[stœdid]
to promise	[promis]	*promettre*	**I promised**	[promist]
to arrive	[eraïv]	*arriver*	**I arrived**	[eraïvd]
to phone	[fôoun]	*téléphoner*	**I phoned**	[fôound]
year	[yi:e]	*an, année*		
month	[mœnŝ]	*mois*		
April	[éïpril]	*avril*		
summer	[sœme]	*l'été*		
home	[hôoum]	*maison, foyer*		
afternoon	[a:ftenou:n]	*après-midi*		
restaurant	[rèstera:nt]	*restaurant*		
table	[téïbel]	*table*		
office	[ofis]	*bureau* (lieu de travail)		
phone call	[fôoun ko:l]	*appel téléphonique*		
last	[la:st]	*dernier, dernière*		
for	[fo:]	*pendant* (également *pour*)		
during	[dyoueriŋ]	*durant, au cours de*		
from... to		*de, depuis, à partir de... jusqu'à*		

1. I decided to study English last year.
2. I stayed (for) two weeks in London last month.
3. I worked in England from 1992 (nineteen ninety two) to 1996 (nineteen ninety six).
4. I studied Italian for a month during the summer.
5. He stayed in England too.
6. They decided to help Bob in March.
7. Last April you promised to visit Jeff and Ann.
8. We reached London in the evening.
9. She arrived home early in the afternoon.
10. He called the restaurant and booked a table for two.
11. She phoned Jeff from her office.
12. He answered Ann's phone call from his office.

J'ai réservé...

Le prétérit simple : c'est l'un des trois temps du **passé** en anglais
(v. LEÇONS 26-31-40). (Il y en a six en français.) Il peut correspon-
dre au **passé simple**, ou **passé composé**, à **l'imparfait**. On
l'obtient très facilement en ajoutant **-ed** à la grande masse des
verbes ordinaires, dits <u>faibles</u> ou <u>réguliers</u> (ou **-d** si le verbe se ter-
mine par **-e** ; **to decide** [disa**ï**d] **I decided** [disa**ï**did], *je
décidai, j'ai décidé, je décidais*).

Cette construction en **-ed** est identique pour toutes les personnes.
Elle ne s'applique pas à l'importante série des verbes « forts » ou
« <u>irréguliers</u> » (voir pages suivantes B 1, B 2, B 3). Ce temps, d'un
emploi très courants (contrairement au passé simple français), correspond à une action terminée et en général datée (p. 353).

   I visited London in 2001   *j'ai visité Londres en 2001*

Last : pas d'article défini quand **last** précède **week, month, year**,
ou bien les jours de la semaine ; sauf si on dit : **the last week of
my holidays** : *la dernière semaine de mes vacances.*

His, her : l'adjectif possessif singulier s'accorde avec le possesseur.
Betty : <u>*sa*</u> *voiture,* <u>*son*</u> *chien,* <u>*ses*</u> *amis :*
        her car, her dog, her friends
John : <u>*sa*</u> *voiture,* <u>*son*</u> *chien,* <u>*ses*</u> *amis :*
        his car, his dog, his friends

1. J'ai décidé d'étudier l'anglais l'an dernier.
2. Je suis resté deux semaines à Londres le mois dernier.
3. J'ai travaillé en Angleterre de 1992 à 1996.
4. J'ai étudié l'italien pendant un mois au cours de l'été.
5. Il a séjourné en Angleterre également.
6. Ils ont décidé d'aider Bob en mars.
7. En avril dernier vous avez promis de rendre visite à Jeff et Anne.
8. Nous avons atteint Londres dans la soirée.
9. Elle est arrivée à la maison tôt dans l'après-midi.
10. Il a appelé le restaurant et a retenu une table pour deux.
11. Elle a téléphoné à Jeff de son bureau (à elle).
12. Il a répondu au coup de téléhone d'Anne de son bureau (à lui).

She told me...

Le **prétérit** des verbes ordinaires dits « <u>forts</u> » ou « <u>irréguliers</u> » a une forme spéciale (identique à toutes les personnes) selon chaque verbe. Voir pp. 368-370.

Ex. :

To tell [tèl] *dire, raconter* **I told** [tôould] *j'ai dit, je dis, je disais*

To sell [sèl] *vendre* **I sold** [sôould] *j'ai vendu, je vendis, je vendais.*

To know [nôou] *savoir, connaître* **I knew** [nyou] *j'ai connu, je connus, je connaissais.*

prétérit de **to be** : 2 formes : **I (he, she, it)** **was** [woz]
We (you, they) **were** [we:]

prétérit de **to have** : 1 forme : **I (he, she, it, we, you, they)** **had**

an answer	[a:nse]	*une réponse*
a story		*une histoire*
as		*alors que*
parents	[pèerents]	*parents*
somebody **someone**	→	*quelqu'un*
very well		*très bien*
Spain		*Espagne*

1. He told Peter to come.
2. They sold me a radio-set.
3. I knew the answer very well.
4. She drove me to the station last night.
5. We met John's parents yesterday.
6. I was very glad to meet you.
7. They were in Spain last year.
8. We drank several whiskies.
9. He told us an interesting story.
10. I saw Charles last month.
11. He phoned as we were leaving.
12. I was reading when he came and invited me to dinner.

120

Elle m'a dit...

She told me. La forme **told** [tôould] est le prétérit du verbe **to tell**. Ce verbe, comme tous ceux indiqués en B 1, est un verbe « <u>fort</u> » ou « <u>irrégulier</u> ». Le passé ne s'obtient plus ici en rajoutant **-ed**, et doit être appris pour chaque verbe (cf. p. 368). La même forme est utilisée à toutes les personnes :

to tell [tèl], *dire* → **I (he, she, we, you, they) told** [tôould]
je dis, j'ai dit, je disais

Comme on l'a vu en A 3, le **prétérit** est très courant.

Attention : dans la langue parlée, il sera le plus souvent rendu en français par un <u>passé composé</u> car le passé simple français ne se rencontre guère que dans les textes écrits.

En général, le passé composé français, quand il décrit un fait passé daté, sera rendu par le prétérit anglais :

J'ai rencontré Paul hier, **I met Paul yesterday**

<u>Prétérit</u> de **to be** : **I (he, she, it) was** [woz]
We (you, they) were [we:]

<u>Prétérit progressif</u> : **was/were** + participe présent en **-ing** correspond souvent à l'imparfait français :

I was sleeping *Je dormais*
I was reading *Je lisais*

1. Il a dit à Pierre de venir.
2. Ils m'ont vendu un poste de radio.
3. Je connaissais très bien la réponse.
4. Elle m'a conduit à la gare la nuit dernière.
5. Nous avons rencontré les parents de Jean hier.
6. J'ai été très heureux de vous rencontrer.
7. Ils étaient en Espagne l'an dernier.
8. Nous avons bu plusieurs whiskys.
9. Il nous a raconté une histoire intéressante.
10. J'ai vu Charles le mois dernier.
11. Il a téléphoné alors que nous partions.
12. Je lisais quand il entra et m'invita à dîner.

Exercices

A. Mettre au prétérit simple
1. She tells me to study.
2. They promise to help me.
3. You sell me a car.
4. We eat at nine p.m.
5. I find an interesting restaurant.

B. Mettre au prétérit progressif
1. He is working in Spain.
2. She is reading a new bock.
3. She is studying.
4. You are waiting for Jane.
5. They are drinking wine.

C. Adjectifs possessifs
1. Il a vendu sa voiture hier.
2. Elle a vendu sa voiture le mois dernier.
3. Elle m'a invité dans son restaurant la semaine dernière.
4. Il m'a donné ses timbres.

A.
1. She told me to study.
2. They promised to help me.
3. You sold me a car.
4. We ate at nine p.m.
5. I found an interesting restaurant

B.
1. He was working in Spain.
2. She was reading a new bock.
3. She was studying.
4. You were waiting for Jane.
5. They were drinking wine.

C.
1. He sold his car yesterday.
2. She sold her car last month.
3. She invited me to her restaurant last week.
4. He gave me his stamps.

Traduction de *il y a* (cf. p. 353/16)

• Quand *il y a* signifie avant, *auparavant*, on le traduit par **ago** [egôou] placé après l'unité de temps. Le verbe est toujours au prétérit :

Il y a une heure j'étais avec Jim : **I was with Jim an hour** *ago.*

Elle a quitté Londres il y a 3 jours : **She left London three days** *ago.*

Il a vendu sa voiture il y a deux semaines : **He sold his car two weeks** *ago.*

Il y a un an ils travaillaient en Angleterre : **A year** *ago* **they were working in Britain.**

CIVILISATION

On dit **New York City** [nou: io*r*k siti], que ses habitants appellent familièrement « *la grosse pomme* » (**the Big Apple**), pour éviter toute confusion avec l'*État de New York* (**New York State**). New York est une des villes les plus peuplées du monde ; elle occupe le huitième rang, devant Londres avec près de huit millions d'habitants. C'est donc aussi la première ville des États-Unis, sans en être la capitale, celle-ci étant Washington D.C. (**District of Columbia**) à ne pas confondre avec l'*État de Washington* (**the State of Washington**). Très souvent aux États-Unis, la capitale d'un État n'en est pas la plus grande ville.

Sa taille et le nombre de ses habitants, surtout si l'on prend en compte l'agglomération, ses gratte-ciel (**skyscraper**) qui ont fait dire que c'est « *une ville tout debout* », la présence de nombreuses institutions internationales, comme l'O.N.U. (**U.N.O.**) qui y a son siège, de musées, de théâtres et d'opéras connus dans le monde entier, explique en grande partie le rôle international de premier plan de New York, tant du point de vue des arts que de l'économie et de la finance (première place boursière au monde). Plus de cinquante nationalités y sont représentées et on y trouve ainsi plus d'Irlandais qu'à Dublin. New York a été le point d'arrivée du plus grand nombre d'immigrants qu'on ait jamais vus passer par un même lieu. L'*île d'Ellis* (**Ellis Island**) a servi pendant très longtemps de centre de regroupement. Si on ne peut pas dire que New York soit la ville la plus représentative du pays, c'est sans aucun doute une des plus attachantes, et en tout cas la plus fascinante.

C'est aussi une des villes les plus anciennes d'Amérique. La région fut découverte par l'Italien Verrazano, dont un pont porte le nom ; le fleuve **Hudson** divise la ville en îles, comme **Manhattan**, et borde des quartiers comme **Brooklyn** et **Harlem**. Comme ces noms l'indiquent, la ville fut d'abord hollandaise et s'appela **New Amsterdam**. Son histoire fut ensuite mouvementée, du fait de la rivalité entre Hollandais et Anglais, ceux-ci l'emportant finalement en 1764.

DIALOGUES ET VIE PRATIQUE

Patricia : Do you know Mike Collins ? He called me yesterday.

Margaret : Yes, I met him two years ago. When we met, he was working for a big firm in Spain.

Patricia : He is now working for a British firm. He came home last month. He's now staying at a hotel, but he wants to find a house for Margaret and the kids. He is a very good friend and we want to help him.

Margaret : Do you have his phone number ? I want to help him too.

Patricia : Yes, here it is. He is at his office from two to five every afternoon. Do you want to see him tonight ? He is coming home for dinner. Are you free ? You're invited too, of course.

CABS (TAXIS)

La "*Grosse Pomme*", surtout à Manhattan, est une des villes où les taxis sont les plus nombreux, et à un *tarif* (**fare**) raisonnable. Ils sont en principe tous, du moins les réguliers, de couleur jaune vif, d'où leur nom (**yellow cabs**). Certains taxis ont un *damier* (**checker**) sur les côtés, ce qui indiquent qu'ils peuvent prendre plus de *voyageurs* (**passengers**). Les *chauffeurs de taxi* (**cab-drivers**, familièrement **cabbies**) s'arrêteront sur un simple *geste du bras* (**arm waving**). Ils sont souvent isolés des places arrières par une *séparation* (**partition**). À l'intérieur, des *auto-collants* (**stickers**) vous signalent que vous devez avoir *l'appoint* (**the correct change**), que vous devrez régler le *péage* (**toll**) pour certains *ponts* (**bridges**) ou *tunnels* (**tunnels**).

DIALOGUES ET VIE PRATIQUE

Patricia : Connaissez-vous Mike Collins ? Il m'a téléphoné hier.

Margaret : Oui, j'ai fait sa connaissance (m. à m. : je l'ai rencontré) voici deux ans. Quand je l'ai connu, il travaillait pour une grande entreprise en Espagne.

Patricia : À présent il travaille pour une société britannique. Il est rentré le mois dernier. Il demeure en ce moment à l'hôtel, mais il veut trouver un logement pour Margaret et les enfants. C'est un très bon ami et nous voulons l'aider.

Margaret : Avez-vous son numéro de téléphone ? Je veux l'aider moi aussi.

Patricia : Oui, le voici. Il est à son bureau de quatorze à dix-sept heures tous les jours (m. à m. : de deux à cinq heures chaque après-midi). Voulez-vous le voir ce soir ? Il vient dîner à la maison. Etes-vous libre ? Vous êtes invitée aussi, bien sûr.

SE DÉPLACER À NEW YORK   HOW TO GO PLACES IN NEW YORK

Il n'est pas pensable d'envisager de se déplacer en voiture privée à New York : le stationnement y est interdit ou extrêmement limité partout, les *parcs à voitures* (**car parks, parking lots**) peu nombreux et toujours *complets* (**full**), du moins dans les principaux centres d'activité de la ville.

Les New-yorkais, qui habitent en fait souvent *en banlieue* (**in the suburbs**) prennent généralement le train pour *faire l'aller-retour au travail* (**to commute** [kemiout] ; **a commuter**, *un banlieusard*).

 QUE SIGNIFIENT LES INITIALES I.T.V. ?

⇨ *RÉPONSE PAGE 223.*

Did they win...?

did + sujet + infinitif : <u>forme interrogative du prétérit</u>
<u>à toutes les personnes</u>

was + sujet au singulier
+ participe présent

were + sujet au pluriel
+ participe présent

forme interrogative
du prétérit progressif

What *ce que, ce qui*

to win *	won	[wœn]	*gagner*
to catch *	caught	[ko:t]	*attraper*
to understand *	understood	[œndestoud]	*comprendre*
to get *	got		*obtenir*
to bring *	brought	[bro:t]	*apporter*
to say *	said	[sèd]	*dire, déclarer*
to accept	accepted	[eksèptid]	*accepter*
match			*match*
train	[tréïn]		*train*
photo(graph)	[fôoutegra:f]		*photo(graphie)*
address	[edrès]		*adresse*
offer	[ofe]		*offre*
husband	[hœzbend]		*mari*
wife (pl. **wives**)	[waïf] [waïvz]		*épouse, femme*
Daisy [déïzi] prénom fém.		**Ken** [kèn] prénom masc.	

* Verbes « forts » ou « irréguliers » : voir liste pp. 368-370.

1. **Did they win the match?**
2. **Did you catch the train?**
3. **Did you understand what he said?**
4. **Did you like my photographs?**
5. **Did she bring her daughter?**
6. **Did he give you George's address?**
7. **Did they accept Mike's offer?**
8. **Did you get what you wanted?**
9. **Did you know Daisy's husband?**
10. **Did you meet Ken's wife?**
11. **Was she working when you arrived?**

Ont-ils gagné... ?

Did you understand...? *Avez-vous compris... ?*

L'interrogation au prétérit simple, s'obtient, pour toutes les personnes, et pour les verbes réguliers ou irréguliers avec l'auxiliaire **did** (lui-même passé de **do** : cf. Leçon 9, A 3).

did + sujet + infinitif ?

Did England win the match last year?
Est-ce que l'Angleterre a gagné le match l'an dernier ?
Did you accept Bob's offer?
Avez-vous accepté l'offre de Bob ?
Rappel : le prétérit décrit une action passée, terminée et souvent datée.

Was she working? *Travaillait-elle ?*

La forme interrogative du prétérit progressif (Leçon 14, B 3) s'obtient en intercalant le sujet entre le prétérit du verbe *être* **(to be), was/were** et le participe présent en **-ing**.

Were you staying in London last year?
Séjourniez-vous à Londres l'an dernier ?

What: *ce que.* Ce pronom peut être :
- complément : **Tell me what you want,**
  Dites-moi ce que vous voulez.
- sujet : **What was said is interesting,**
  Ce qui s'est dit est intéressant.

1. Ont-ils gagné le match ?
2. Avez-vous attrapé le train ?
3. Avez-vous compris ce qu'il disait ?
4. Avez-vous aimé mes photos ?
5. A-t-elle amené sa fille ?
6. Vous a-t-il donné l'adresse de Georges ?
7. Ont-ils accepté l'offre de Mike ?
8. Avez-vous obtenu ce que vous vouliez ?
9. Connaissiez-vous le mari de Daisy ?
10. Avez-vous rencontré la femme de Ken ?
11. Travaillait-elle quand vous êtes arrivés ?

They did not win...

sujet + **did not** + infinitif	forme négative du prétérit simple à toutes les personnes

sujet + **was not** + participe présent	forme négative du
sujet + **were not** + participe présent	prétérit progressif

did not	se contracte en **didn't**	[dident]
was not	se contracte en **wasn't**	[wozent]
were not	se contracte en **weren't**	[we:nt]

to lose*	[lou:z]	prétérit lost	perdre
to think*	[sink]	thought [so:t]	penser

to expect	[ikspèkt]	s'attendre (à), compter (sur), escompter
to happen	[hapen]	se produire
to explain	[ikspléin]	expliquer
to carry	[kari]	porter, transporter
bet	[bèt]	pari
to have a bet		parier

game	[géïm]	partie, jeu
victory	[vikteri]	victoire
usual	[youjouel]	habituel
unusual	[œnyoujouel]	inhabituel
so	[sôou]	tellement, tant, si
race	[réïs]	course
first	[fe:st]	premier
hard	[ha:d]	dur

1. They did not win the game.
2. I did not expect Blackpool's victory.
3. I did not lose, because I did not have a bet.
4. He did not win the first race.
5. He did not accept Barbara's offer.
6. She did not think you were sick.
7. We did not think it was so hard.
8. You did not understand what happened.
9. They explained it to me but I didn't understand.
10. She was not carrying her usual bag.
11. We were not expecting Robert so soon.

Ils n'ont pas gagné...

I dit not understand : *Je n'ai pas compris.*

Au prétérit (ce passé « simple » étudié au chapitre précédent), la négation s'obtient en utilisant, à toutes les personnes :

did not + infinitif

que le verbe soit régulier ou irrégulier.

Ex. : **She did not understand**   *elle n'a pas compris.*
     I did not accept   *je n'ai pas accepté.*
     We did not lose   *nous n'avons pas perdu.*

Notez que le prétérit est souvent rendu par un <u>passé composé français</u>.

She was not carrying :   *elle ne portait pas.*

La forme négative du prétérit progressif (Leçon 14, B 3) s'obtient en intercalant **not** entre **was/were** et le participe présent.
Rappelez-vous que le prétérit progressif décrit une action <u>qui était en train de se passer</u>, et correspond à l'<u>imparfait</u> français.

Prétérit régulier des verbes terminés par -y : deux cas
— **y** précédé d'une voyelle → finale en **-ed** ;
     ex. **to play, played** [pléïd]
— **y** précédé d'une consonne → finale en **-ied** ;
     ex. **to carry, carried** [karid]

Rappel : **what happened**, *ce qui s'est passé* : **what** = sujet.

1. Ils n'ont pas gagné la partie.
2. Je ne m'attendais pas à la victoire de Blackpool.
3. Je n'ai pas perdu parce que je n'ai pas parié.
4. Il n'a pas gagné la première course.
5. Il n'a pas accepté l'offre de Barbara.
6. Elle ne pensait pas que vous étiez malade.
7. Nous ne pensions pas que c'était si difficile.
8. Vous n'avez pas compris ce qui s'est passé.
9. Ils me l'ont expliqué mais je n'ai pas compris.
10. Elle ne portait pas son sac habituel.
11. Nous ne comptions pas sur Robert si tôt.

Exercices

A. Mettre à la forme interrogative

1. You brought a bicycle with you.
2. She caught her train.
3. He lost his watch.
4. They thought the match was interesting.

B. Mettre à la forme négative

1. He knew Susan's surname.
2. England won the first game.
3. She carried her bag.
4. You met Ken's wife at the station.

C. Traduire en anglais

1. Ils n'ont pas compris ce que j'ai expliqué.
2. Ce qui s'est passé hier est inhabituel.
3. Je ne pensais pas que c'était si dur.
4. Avez-vous accepté ce qu'il vous offrait ?

A.
1. Did you bring a bicycle with you?
2. Did she catch her train?
3. Did he lose his watch?
4. Did they think the match was interesting?

B.
1. He didn't know Susan's surname.
2. England did not win the first game.
3. She did not carry her bag.
4. You did not meet Ken's wife at the station.

C.
1. They did not understand what I explained.
2. What happened yesterday is unusual.
3. I did not think it was so hard.
4. Did you accept what he was offering you?

Prononcez

[ɔ:]	**I brought it with me**	[aï brɔ:t it wiż mi:]
	I caught it	[aï kɔ:t it]
[o]	**I accepted the offer**	[aï eksèptid ži ofe]
	she explained what she wanted	[chi: iksplɛ́ind wot chi: wontid]

CIVILISATION

Le *jeu* (**gambling**) et les *paris* (**betting**) sont un passe-temps que les Britanniques et les Américains apprécient tout particulièrement.

En Grande-Bretagne, le goût du pari fait presque partie du quotidien. On peut ainsi parier non seulement sur les courses de chevaux, mais également sur n'importe quel événement : l'élection d'un homme politique anglais ou étranger, le résultat d'une compétition sportive, le temps qu'il fera, etc.

Aussi existe-t-il plus de 8000 *bureaux de paris* (**betting shop**) en Grande-Bretagne. Ce sont des officines privées, mais les personnes qui recueillent les paris (**turf accountant** [ekaountent]) ou les **bookmakers** [boukméïkez], doivent être titulaires d'une licence officielle *accordée* (**granted** [grantid]) par l'Etat. Plus de 90 % des paris se font sur les *courses* (**races** [réïsiz]) et une *taxe sur les paris* (**betting tax**) est payée sur la *mise* (**stake** [stéïk]) ou sur les *gains* (**winnings**).

Les gens font également des *pronostics de football* (**football pools**) le samedi, le *but* (**aim** [éïm]) étant de prévoir le plus grand nombre de résultats de matchs nuls avec but. Enfin, certains jouent aux *machines à sous* (**slot machine** [mechi:n]) dans les pubs ou *les salles de jeu d'arcade* (**amusement arcades** [emiou**z**ment a:kéïdz]).(voir aussi **Bingo** D 4 p.133).

Aux Etats-Unis, malgré un certain puritanisme, la plupart des Américains peuvent s'adonner à la passion du jeu.

A l'origine, seul l'état du **Nevada** reçut l'autorisation, en 1931, de proposer tous les jeux de hasard, douze mois sur douze, *vingt-quatre heures sur vingt-quatre* (**round-the-clock**).

C'est ainsi que la ville de **Las Vegas** est devenue la capitale mondiale du jeu. Les hôtels et restaurants y offrent des prix relativement bas pour attirer les client dans les casinos et salles de jeux (parfois intégrées dans d'immenses hôtels avec plusieurs milliers de chambres). Des milliards de dollars sont ainsi joués et perdus dans les loteries (**lotteries** ou **keno**), roulettes et machine à sous, surnommées *bandits manchots* (**one-armed bandits**).

DIALOGUES ET VIE PRATIQUE

Steve : Did you see the match on TV yesterday ?

Tom : Yes. I didn't expect Manchester to win the game.

Steve : I was surprised too. I think it was an interesting game, but I don't understand what happened. It's hard to explain Manchester's victory. I don't think they played very well.

Steve : Did you go to the races last Saturday ?

Tom : No. I was sick. I had a cold and stayed at home.

Steve : But didn't you have a bet[1] ?

Tom : Yes I did, but I lost.

Steve : So you weren't as lucky as last week.

Tom : Last week was very unusual. You see, I don't win very often. And you know, I didn't get a lot of money.

---

1. a bet : *un pari* ; to have a bet, to bet, *parier* ; to bet on, *miser sur.*
   Notez l'expression familière : **You bet !** *Tu parles !*

♣ club	[klœb]	*trèfle*
♦ diamond	[daïmend]	*carreau*
♥ heart	[ha:t]	*cœur*
♠ spade	[spéïd]	*pique*
the ace	[éïs]	*l'as*
the king		*le roi*
the queen	[kwi:n]	*la dame / reine*
the jack	[djak]	*le valet*
a trump	[trœmp]	*un atout*
to cheat	[tchi:t]	*tricher*
to cut*	[kœt]	*couper*
to deal*	[di:l]	*donner, distribuer*
to lose*	[lou:z]	*perdre*
to win*	[wi-n]	*gagner*

132

DIALOGUES ET VIE PRATIQUE

Steve : As-tu vu le match à la télé hier soir ?

Tom : Oui. Je ne m'attendais pas à ce que Manchester gagne le match.

Steve : J'ai été surpris moi aussi. Je pense que c'était une partie intéressante, mais je ne comprends pas ce qui s'est passé. Il est difficile d'expliquer la victoire de Manchester. Je ne crois pas qu'ils aient très bien joué.

Steve : Es-tu allé aux courses samedi dernier ?

Tom : Non, j'étais malade. J'avais un rhume et je suis resté à la maison.

Steve : Mais tu n'as pas parié ?

Tom : Si, mais j'ai perdu.

Steve : Alors tu n'as pas eu autant de chance que la semaine dernière (m. à m. : tu n'as pas été aussi chanceux que…).

Tom : La semaine dernière, c'était très exceptionnel. Vois-tu, je ne gagne pas très souvent. Et tu sais, je n'ai pas gagné gros (m. à m. : beaucoup d'argent).

LE BINGO

Le **bingo** est un jeu très populaire en Grande-Bretagne, en particulier chez les femmes.

Chaque joueur reçoit une carte sur laquelle est inscrite une série de nombres. L'animateur tire ensuite des numéros au hasard et les lit à haute voix. Quand on a barré tous les nombres de sa carte on a gagné ! Les gains peuvent ainsi être importants avec des mises très faibles.

 QUE SIGNIFIENT LES INITIALES **BYOB** ?

⇨ *RÉPONSE PAGE 165.*

Will you be there?

<u>Futur affirmatif</u> : sujet + **will/shall** ou **'ll** + infinitif

    I'll [aïl] **come**, *je viendrai*

<u>Futur interrogatif</u> : **will/shall** + sujet + infinitif ?

    will you come? *viendras-tu ?*

<u>Contractions au futur</u> :

I shall, I will	**I'll**	[aïl]	we shall, we will	**we'll**	[wi:l]
he will	**he'll**	[hi:l]	you will	**you'll**	[you:l]
she will	**she'll**	[chi:l]	they will	**they'll**	[żè:l]
it will	**it'll**	[itel]			

mine : *le mien, la mienne, à moi, les miens, les miennes* ;
pronom possessif de la 1re personne du singulier.

to be better		*aller mieux*
to send*	[sènd]	*envoyer*
to lend*	[lènd]	*prêter*
to borrow	[borôou]	*emprunter*
to do*	[dou:]	*faire*
to listen (to)	[lisen]	*écouter*
to open	[ôoupen]	*ouvrir*
to close	[klôouz]	*fermer*
shopping	[chopiŋ]	*courses (achat)*
exhibition	[èksibichen]	*exposition*
window	[windôou]	*fenêtre*
door	[do:]	*porte*
there	[żèe]	*là*

1. You'll be better tomorrow.
2. He'll send it to Janet.
3. I'll lend you mine.
4. She'll get a good job.
5. I'll borrow John's car.
6. He'll visit the exhibition.
7. We'll listen to Jim's CDs.
8. Will you do it for me?
9. Will you open the window, please?
10. Will you close the door, please?
11. Will you be there?
12. Shall I do it now?

Serez-vous là ?

Le futur s'obtient avec les auxiliaires **shall** et **will** + infinitif sans **to**.
En principe on emploie :

    shall pour les 1res personnes (singulier et pluriel)

    I shall come, *je viendrai* **we shall come,** *nous viendrons*

    will pour les 2e et 3e personnes (singulier et pluriel)

    you will come, *tu viendras* **she will come,** *elle viendra*
    they will come, *ils viendront.*

Mais en fait **will** tend à être plus employé, même aux 1res personnes : **I will come,** *je viendrai* ; et de toute façon, dans la langue parlée la contraction **'ll** est la même pour **shall** et **will** :

    I'll [aïl] **come, she'll come, we'll come,** etc.

    Shall I do it now? (A 2, 12), *dois-je le faire maintenant ?*
À la forme interrogative **shall** exprime l'idée d'obligation.

    Will you open the window? *Voulez-vous ouvrir la fenêtre ?*
À la forme interrogative **will** peut servir à formuler une demande (polie).

    mine : *le mien, la mienne, les miens, les miennes, à moi* (voir tableau p. 345).

Les pronoms possessifs sont invariables en genre (sauf à la 3e personne du singulier) et en nombre. (À l'inverse du français ils ne sont jamais précédés de l'article défini.)

Employé comme attribut du verbe *être*, **mine** = à moi
    this book is mine *ce livre est à moi*

1. Vous irez mieux demain.
2. Il l'enverra à Jeannette.
3. Je vous prêterai le mien.
4. Elle obtiendra un bon emploi.
5. J'emprunterai la voiture de Jean.
6. Il visitera l'exposition.
7. Nous écouterons les disques-compacts de Jim.
8. Le ferez-vous pour moi (*ou* : voulez-vous le faire pour moi) ?
9. Voulez-vous ouvrir la fenêtre, s'il vous plaît ?
10. Voulez-vous fermer la porte, s'il vous plaît ?
11. Serez-vous là ?
12. Dois-je le faire maintenant ?

You won't wait too long

<u>Futur négatif :</u> sujet + **will not** / ou **won't** [wôount]
                         shall not / ou **shan't** [cha:nt]

he won't come   *il ne viendra pas*
we shan't come *nous ne viendrons pas*

<u>Futur interro-négatif :</u>   **won't** ou **shan't** + sujet + verbe ?

won't you come?   *ne viendrez-vous pas ?*

us : *nous* ; pronom personnel complément de la 1re pers. du pluriel.

him : *le, lui* ; pronom personnel complément de la 3e personne du masculin singulier.

to start	[sta:t]	*partir, démarrer*
to join	[djoïn]	*joindre, se joindre à*
to agree	[egri:]	*être d'accord*
to hope	[hôoup]	*espérer*
to believe	[beli:v]	*croire*
to cooperate	[kôou-operéït]	*coopérer*
to attend	[etènd]	*assister à*
Christmas, Xmas	[krismes]	*Noël*
meeting	[mi:tiŋ]	*réunion*
in time		*à l'heure*
for a while	[fo:re waïl]	*pendant un moment*
never	[nève]	*jamais*
again	[egéïn]	*encore*
too	[tou:]	*trop*

1. You won't catch your train if you don't start in time.
2. Won't you join us?
3. I know you won't agree.
4. I shan't see him for a while.
5. They won't be with us for Christmas.
6. I hope it will never happen again.
7. They will not believe you.
8. Won't they cooperate?
9. She shan't attend the meeting.
10. She won't attend the meeting.
11. You won't wait too long.
12. They won't agree with us.

136

Vous n'attendrez pas trop longtemps

Le <u>futur négatif</u> s'obtient en ajoutant **not** aux auxiliaires **shall** ou **will** + l'infinitif sans **to.**

      shall not devient **shan't** [cha:nt]
      will not devient **won't** [wôount]

Won't peut s'employer à toutes les personnes.
I won't come tonight, *je ne viendrai pas ce soir*
you won't wait too long, *vous n'attendrez pas trop longtemps*

Shan't employé aux 2e et 3e personnes peut exprimer une décision prise à l'égard de la personne dont on parle.

Ainsi, lorsque l'on dit d'une personne :
she shan't attend the meeting, *elle n'assistera pas à la réunion,*
cela signifie que l'on s'oppose à sa présence à cette réunion.

Par contre, dans la phrase :
she won't attend the meeting, *elle n'assistera pas à la réunion,*
cela peut signifier que la personne n'a pas l'intention de se déplacer.

Dans le cas de l'interro-négation c'est la forme **won't** que l'on rencontre le plus souvent : **won't you come?** *n'allez-vous pas venir ?*

<u>Pronoms personnels compléments</u> :

me	*me, moi*	**us**	*nous*
him	*le, lui*	**you**	*vous, toi, te*
her	*elle, la, lui*	**them**	*eux, elles, les, leur*
it	*elle, le, lui, la* (neutre)		

1. Vous n'attraperez pas votre train si vous ne partez pas à l'heure.
2. Ne voulez-vous pas vous joindre à nous ?
3. Je sais que vous ne serez pas d'accord.
4. Je ne le verrai pas pendant un moment.
5. Ils ne seront pas avec nous pour Noël.
6. J'espère que cela ne se produira plus jamais.
7. Ils ne vous croiront pas.
8. Ne voudront-ils pas coopérer ?
9. Elle n'assistera pas à la réunion (je ne le veux pas).
10. Elle n'assistera pas à la réunion (elle ne le souhaite pas).
11. Vous n'attendrez pas trop longtemps.
12. Ils ne seront pas d'accord avec nous.

Exercices

A. Mettre au futur
1. I visit the exhibition.
2. She is there.
3. We are in Britain.
4. They believe you.

B. Mettre à la forme contractée
1. I shall arrive at 10 p.m.
2. I will join you.
3. He will stay with us.
4. She shall study her lesson.
5. We shall lend you a car.
6. You will get a new job.

C. Mettre à la forme contractée
1. I shall not arrive in time. — 2. He will not bring his car. — 3. We shall not win this match. — 4. I will not answer that question. — 5. You will not stay in England. — 6. They will not accept this offer.

A. 1. I shall (*ou* I will) visit the exhibition. — 2. She will be there. — 3. We shall (*ou* we will) be in Britain. — 4. They will believe you.

B. 1. I'll arrive at 10 p.m.
2. I'll join you.
3. He'll stay with us.
4. She'll study her lesson.
5. We'll lend you a car.
6. You'll get a new job.

C. 1. I shan't arrive in time.
2. He won't bring his car.
3. We shan't win this match.
4. I won't answer that question.
5. You won't stay in England.
6. They won't accept this offer.

Futur proche

En français pour décrire un futur proche on utilise souvent le présent du verbe *aller* ; ex. : *le train va partir, il va pleuvoir*, etc.

En anglais on pourra employer :

to be about to (action imminente)

the train is about to leave, *le train va partir*

to be going to (futur proche, intention)

it's going to rain, *il va pleuvoir*
she is going to buy a flat, *elle va acheter un appartement*

CIVILISATION

L'unité monétaire anglaise est la *livre sterling*, **pound sterling**. Sterling, qui signifie *de confiance, fin, solide* (**sterling silver**, *argent fin*), désignait une monnaie en argent ayant cours au XIIIème siècle.

La livre est symbolisée par le signe £ (de *libra*, *livre* en latin), qui précède toujours le nombre correspondant à la somme indiquée : £ 10 ; ten pounds, *10 livres*.

Depuis que la Grande-Bretagne a adopté le système décimal pour sa monnaie, la *livre sterling* se divise en **100 pence**.

Il existe des pièces de **1 penny** (appelé souvent **one p** [wœn pi:]), **2 pence** (**two p** [tou: pi:]), **5 pence** (**five p** [faïv pi:]), **10 pence** (**ten p** [tèn pi:]), **20 pence** et **50 pence**.

En anglais familier, *une livre* pourra se dire **a quid** [kwid].

MESURES

Longueur

1 inch (1 in, 1") = 2,54 *centimètres* (*un pouce*).
1 foot (1 ft, 1') = 12 inches = 30,48 cm (*un pied*).
1 yard (1 yd) = 3 ft = 0,914 *mètre*.
1 mile = 1 760 yards = 5 280 feet = 1 609 *mètres* (*un mille*).

Surface

square inch (sq.in) = 6,45 cm^2.
square foot (sq.ft.) = 929 cm^2.
square yard (sq.yd.) = 0,83 m^2.
acre [ëïke] (ac.) = 40,47ares (*un arpent*).

Capacité	*Attention :*
1 pint = 0,568 litre.	*(US)* = 0,473 l.
1 quart = 2 pints = 1,14 litre.	*(US)* = 0,946 l.
1 gallon = 4 quarts = 4,54 litres.	*(US)* = 3,785 l.

Poids

1 dram (dr) = 1,77 *gramme*.
1 ounce (oz) = 16 drams = *28,35 g.*
1 pound (lb) = 16 ounces = *0,454 kg.*
1stone (st) = 14 pounds = *6,35 kg.*

DIALOGUES ET VIE PRATIQUE

Susan : Are you going to attend the meeting tomorrow ?
Charles : Yes, I think I will[1]. Will you be there ?
Susan : Yes, I promised to[2]. I only hope it's not going to be too long. I have to catch a train at 6.
Charles : I'll leave early too. I want to drive to France for the week-end.
Susan : Are you going to Paris ?
Charles : No, we won't have time to[2]. We'll stay in Calais at a small hotel I know. My wife wants to do her Christmas shopping, so we want to be there on Saturday.
Susan : I hope you'll have a good time.

1. notez la présence de l'auxiliaire du futur dans la réponse courte (cf. p 334).
2. notez la présence de **to** qui rappelle les verbes **to be** et **to go**, sous-entendus, à l'infinitif.

L'ORIGINE DU BLUE-JEAN

Le nom **blue-jean** [blou: dji:n] vient du type de tissus servant à confectionner ce genre de vêtement : une *toile* (**canvas** [kanves]) grossière de fil de coton, la *futaine de Gênes*, mot anglicisé en **jeans**. Les **jeans** sont aussi appelés **denim** car on utilisait également un tissu français la *serge de Nîmes*...

C'est lors de la ruée vers l'or en Californie (1848) qu'un jeune émigrant d'Europe de l'Est, Oscar Levi Strauss, eut l'idée de faire venir du Vieux Continent de la toile robuste pour confectionner des vêtements simples et solides pour ceux qui se lançaient à la conquête de l'Ouest.

Piqués d'une double couture de fil jaune, renforcés avec des rivets de cuivre, les **jeans**, *décontractés* (**casual** [kajiouel]), *délavés* (**stone-washed** [stôoun wacht], *prérétrécis* (**pre-shrunk** [prichrœnk], *griffés* (**designer jeans** [dizaïne dji:nz]) ont conquis le monde depuis les années 60.

DIALOGUES ET VIE PRATIQUE

Susan : Est-ce que tu vas assister à la réunion demain ?

Charles : Oui, je pense que oui. Tu y seras ?

Susan : Oui, j(e l)'ai promis. J'espère seulement que ce ne sera pas trop long. Je dois prendre un train à 18 heures.

Charles : Je partirai tôt moi aussi. Je veux aller en France en voiture pour le week-end.

Susan : Tu vas à Paris ?

Charles : Non, nous n'aurons pas le temps. Nous resterons à Calais dans un petit hôtel que je connais. Ma femme veut faire ses courses de Noël, aussi nous voulons y être samedi.

Susan : J'espère que vous vous amuserez bien.

LES LANGUES PARLÉES DANS LES ÎLES BRITANNIQUES

En dehors de l'anglais, langue officielle, huit langues sont utilisées dans les Iles Britanniques :

le **gallois**	langue celtique du Pays de Galles ;
le **gaélique**	d'Ecosse (langue celtique) ;
le **gaélique**	d'Irlande (langue celtique) ;
le **manxois**	dans l'île de Man.
le **cornique**	en Cornouailles (langue morte celtique) ;
le **scots**	dans certaines parties de l'Ecosse (langue germanique) ;

le **français** et le **jersiais** à Jersey (langue romane).

 QU'EST-CE QU'UN **DOUBLE-DECKER** ?

⇨ *RÉPONSE PAGE 155.*

I can... I could...

I can		*je peux, j'ai la possibilité, le moyen de*
I cannot,		
I can't [ka:nt]		*je ne peux pas*
can I?		*puis-je ?*
I could [koud]		*je pouvais, j'ai pu*
I could not,		
I couldn't [**kou**dent]		*je ne pouvais pas, je n'ai pas pu*
could I? [kou**daï**]		*pouvais-je ?*

your [yo:]   *vos, votre* ; adjectif possessif 2ᵉ personne.

to spell*	[spèl]	*épeler, orthographier*
to hear*	[hi:e]	*entendre*
to miss		*manquer*
to repeat	[ripi:t]	*répéter*
to walk	[wo:k]	*marcher*
to pass		*passer* ; (également *doubler, dépasser*)

way	[wéï]	*chemin*
name	[néïm]	*nom*
water	[**wo**:te]	*eau*
hour	[aoue]	*heure* (le **h** de **hour** est muet)
far	[fa:]	*loin*
for	[fe, fo:]	*pendant* (également : *pour*)

* Voir pp. 368-370 (Verbes irréguliers).

1. He can come tomorrow.
2. Can you show me the way to Park Avenue?
3. Can you spell your name, please?
4. You can't miss it.
5. She cannot remember David's address.
6. Can you repeat, please?
7. Can you pass me the water, please?
8. Could he hear you? — No, he couldn't.
9. We could not help him, it was too far.
10. He could walk for hours when he was young.

Je peux... Je pouvais...

I can spell my name : *je peux (je sais) épeler mon nom.*
can exprime la possibilité, la capacité, dépendant de celui qui parle.

can n'a pas d'infinitif, pas de participe présent, pas de participe passé, et donc pas de temps composés (futur, passé composé, plus-que-parfait). Aussi on l'appelle « verbe défectif » puisque beaucoup de formes lui « font défaut ».

can ne prend pas de *s* à la 3e personne du singulier et les verbes qui le suivent sont à l'infinitif sans **to.**
       he can come   *il peut venir.*

à l'interrogation, simple inversion **can** + sujet :
       can you come?   *pouvez-vous venir ?*

à la négation on a **cannot** en un seul mot, ou la contraction **can't** [ka:nt] : **she can't come**   *elle ne peut pas venir*
       we cannot come   *nous ne pouvons pas venir.*

I could [koud] : *je pouvais, j'ai pu, j'étais capable*
could est la forme passée unique de **can**
    à l'interrogation, simple inversion : **could** + sujet
    à la négation : **I could not** ou **I couldn't** [koudent]

Les adjectifs possessifs

my [maï] *mon, ma, mes,*		**our** [aoue] *notre, nos*	
his *son, sa, ses* (à lui)		**your** [yo:] *votre, vos, ton, ta, tes*	
her *son, sa, ses* (à elle)		**their** [żèe] *leur(s)*	
its *son, sa, ses* (neutre)			

1. Il peut venir demain.
2. Pouvez-vous m'indiquer le chemin de Park Avenue ?
3. Pouvez-vous épeler votre nom, s'il vous plaît ?
4. Vous ne pouvez pas le manquer.
5. Elle ne peut pas se rappeler l'adresse de David.
6. Pouvez-vous répéter, s'il vous plaît ?
7. Pouvez-vous me passer l'eau, s'il vous plaît ?
8. Pouvait-il vous entendre ? — Non, il ne pouvait pas.
9. Nous n'avons pas pu l'aider, c'était trop loin.
10. Il pouvait marcher pendant des heures quand il était jeune.

I am able... I was able...

To be able [éïbel] *être capable de, pouvoir*, équivalent de **can**, se conjugue comme **to be**. Ex. :

Présent	I am able	am I able?	I am not able
	he is able	is she able?	he is not able
	we are able	are you able?	they are not able
Prétérit	I was able	was she able?	he was not able
	we were able	were you able?	they were not able
Futur	I/we'll be able	shall I/we be able?	
	you will be able	will you be able?	

that [żat] 1) pronom démonstratif : *cela, ça, ce, c'*
2) adjectif démonstratif : *ce, cet, cette... (là)*

this [żis] 1) pronom démonstratif : *ceci, ce, c'*
2) adjectif démonstratif : *ce, cet, cette... (ci)*

them [zèm] *eux, les, leur* ; pronom personnel de la 3ᵉ personne du pluriel (masc., fém., neutre).

to speak*	[spi:k]	*parler*
to manage	[manidj]	*se débrouiller, s'arranger*
to change	[tchéïndj]	*changer*
really		*réellement*
already	[olrèdi]	*déjà*
exam(ination)	[igzam]	*examen*
sure	[choue]	*sûr(e)*
habit	[habit]	*habitude*
difference	[difrens]	*différence*

1. I am able to help you.
2. Is she able to do that?
3. He isn't really able to drive this car.
4. She was able to meet them in time.
5. She was already able to speak English.
6. He won't be able to pass this exam.
7. Were you able to answer that question?
8. I'm sure he'll be able to manage very well.
9. We shan't be able to change their habits.
10. You won't be able to tell the difference.

Je suis capable... J'étais capable...

to be able to, *pouvoir, être capable de, être en mesure de, ...*
Cette expression — qui suit la conjugaison de **to be** — a un sens équivalent à celui de **can** et remplace ce verbe aux temps qui lui font défaut (cf. A 3) et notamment au futur :

> **he'll be able to help you**   *il pourra vous aider*
> **I won't be able to come**   *je ne pourrai pas venir*

Rappel : **pronoms personnels compléments :**

me	*me, moi*	**us**	*nous*
him	*lui, le*	**you**	*vous*
her	*elle, le, la, lui*	**them**	*eux, elles, les, leur*
it	*elle, le, la, lui* (neutre)		

this (pluriel : **these** [żi:z]) introduit la notion de proximité, ou ce qui va être dit ou fait.
Adjectif démonstratif : *ce, cet, cette*
> **this wine is good**   *ce vin est bon*
> **this beer is strong**   *cette bière est forte*

Pronom démonstratif ; *ceci, ce, c'*
> **this is a difficult question**   *c'est une question difficile*

that (pluriel : **those** [żôou:z]) introduit la notion d'éloignement, ou de ce qui a été dit ou fait :
adjectif démonstratif : *ce, cette, cet*
> **that film was interesting**   *ce film était intéressant*

pronom démonstratif : *cela, ça, ce, c'*
> **that was very nice of you**   *cela a été très gentil de votre part.*

1. Je peux vous aider.
2. Peut-elle (est-elle capable) de faire cela ?
3. Il n'est pas réellement capable de conduire cette voiture.
4. Elle a pu les rencontrer à temps.
5. Elle était déjà capable de parler anglais.
6. Il ne sera pas capable de passer cet examen.
7. Avez-vous pu répondre à cette question ?
8. Je suis sûr qu'il sera capable de se débrouiller très bien.
9. Nous ne pourrons pas changer leurs habitudes.
10. Vous ne pourrez pas distinguer (m. à m. : dire) la différence.

Exercices • Expressions avec *can*

A. Traduire
1. Elle sait chanter. — 2. Il sait conduire. — 3. Pouvez-vous me dire l'heure s'il vous plaît ? — 4. Pouvez-vous répondre à cette question ? — 5. Peut-il vous prêter son magnétophone ?

B. Mettre au futur (emploi de **to be able**)
1. Can you show me the way? — 2. Can they help him? — 3. We can change our habits. — 4. Can you tell the difference? — 5. Can we join you?

C. Mettre au prétérit (deux traductions)
1. I cannot help them. — 2. They cannot come. — 3. He can't hear you. — 4. He can understand what you say.

A. 1. She can sing. — 2. He can drive. — 3. Can you tell me the time, please? — 4. Can you answer this question? — 5. Can he lend you his tape-recorder?

B. 1. Will you be able to show me the way? — 2. Will they be able to help him? — 3. We shall be able to change our habits. — 4. Will you be able to tell the difference? — 5. Shall we be able to join you?

C. 1. I could not help them — I was not able to help them.
2. They could not come — They were not able to come.
3. He couldn't hear you — He was not able to hear you.
4. He could understand what you said — He was able to understand what you said (*ou* were saying).

How can you tell?	*comment le savez-vous ?*
It can't be done	*cela n'est pas possible*
That cannot be	*cela ne se peut pas*
How could you...?	*comment avez-vous pu...?*

Can est souvent employé — et non traduit en français — avec les verbes de perception :

I can see nothing	*je ne vois rien*
I could hear them singing	*je les entendais chanter*

CIVILISATION

La *devise légale* (**legal tender**) des États-Unis est le dollar. Chaque billet porte au recto la mention « **this note is legal tender for all debts, public or private** », « *ce billet a cours légal pour (régler) toute dette, publique ou privée* », et au verso « **In God we trust** », « *Nous plaçons notre foi en Dieu* ». Il est souvent représenté par un symbole connu : **$**, ou **US $**. L'abréviation officielle internationale est **USD**. Attention ! Le mot dollar est également le nom de la monnaie officielle d'un certain nombre de pays (cf. *le franc suisse...*) comme le Canada, l'Australie, Hong Kong, etc.

Le dollar est divisé en 100 *cents*, abrégé en *c*. Il existe des *pièces de cuivre* (**copper coins**) de 1 cent, dites parfois **penny** (au pluriel, **pennies**), des pièces en métal argenté, de 5, 10, 25 et 50 cents, qui ont chacune une appellation propre, à savoir, respectivement : 5c: **nickel** (référence au métal), 10c: **dime** (notion de *dixième*), 25c: **quarter** (*quart*) et 50c: **half-dollar** (*demi-dollar*). On trouve enfin une *pièce d'argent* (**silver coin**) de 1 dollar.

Les billets sont tous uniformément de couleur verte, d'où leur nom familier de **greenback** (voir plus loin). Il existe des *billets* (**bills**) ou *coupures* (**denominations**) de 1, 2, 5, 10, 20, 50, 100, 500 et même 1000 dollars ; chaque billet porte sur une face la portrait d'un ancien président des États-unis.

Familièrement, le dollar est appelé **greenback**, en raison de sa couleur verte reconnue dans le monde entier. Ce mot, à la différence du mot **buck** qui est lui très familier, voire argotique, est employé aussi bien par les médias que par le grand public. Pour désigner le billet (ou la somme) de *mille dollars*, on utilise aussi le terme **grand** (invariable).

La valeur du dollar n'était plus soumise, depuis 1971, à sa convertibilité en *or* (**gold**), son *taux de change* (**rate of exchange**) peut *fluctuer* (**to fluctuate**) dans des proportions considérables depuis 1971, il est ainsi passé de 3,80 FF (années 90) à environ 1,30 € en 2005, c'est-à-dire d'un extrême à un autre ! Le **Federal Reserve Board** ou **the Fed** joue le rôle d'organisme régulateur, à défaut de *banque centrale* (**Central Bank**) et décide de la politique monétaire du pays.

DIALOGUES ET VIE PRATIQUE

Ms Terry : Sit down, please. Can you spell your name in English ?

Roger : Well, I hope I can manage. My name is MAR-TIN, M - A - R - T -I - N.

Ms Terry : Is that your surname or your first name ?

Roger : It's my surname. My first name is Roger.

Ms Terry : Thank you. How can we reach you ?

Roger : Sorry, could you repeat please ? I do not understand English very well.

Ms Terry : Have you got a phone number ?

Roger : Oh ! Yes. My phone number is 01 62 65 437 98.

Ms Terry : 01 62 65 437 98 ?

Roger : That's right.

TELEPHONE ALPHABET (voir aussi p. 297)

A	[eï]	for Alfred	N	[èn]	for Nellie
B	[bi:]	for Benjamin	O	[e-ou]	for Oliver
C	[si:]	for Charlie	P	[pi:]	for Peter
D	[di:]	for David	Q	[kiou:]	for Queen
E	[i:]	for Edward	R	[a:]	for Robert
F	[èf]	for Frederick	S	[s]	for Samuel
G	[dji:]	for George	T	[ti:]	for Tommy
H	[eïtch]	for Harry	U	[you:]	for Uncle
I	[aï]	for Isaac	V	[vi:]	for Victor
J	[djéï]	for Jack	W	[dœbel you]	for William
K	[ké]	for King	X	[èks]	for X ray[1]
L	[èl]	for London	Y	[waï]	for Yellow
M	[èm]	for Mary	Z	[zèd]	for Zebra[2]

[1] X ray : *rayon X* – [2] Zebra : *zèbre.*

DIALOGUES ET VIE PRATIQUE

Ms Terry : Asseyez-vous, je vous prie. Pouvez-vous m'épeler votre nom en anglais ?

Roger : Eh bien, j'espère que je peux me débrouiller. Mon
nom est MARTIN, M - A - R - T -I - N.

Ms Terry : C'est votre nom de famille ou votre prénom ?

Roger : C'est mon nom. Mon prénom est Roger.

Ms Terry : Merci. Comment pouvons-nous vous contacter ?

Roger : Excusez-moi, pouvez-vous répéter ? Je ne comprends pas très bien l'anglais.

Ms Terry : Avez-vous un numéro de téléphone ?

Roger : Ah, oui. C'est le 01 62 65 437 98.

Ms Terry : 01 62 65 437 98?

Roger : C'est ça.

$ DOLLAR

Le mot **dollar** vient du mot allemand **thaler**, monnaie allemande créée sous *Charles Quint* (1500-1558), et nommée ainsi parce
que fabriquée en Bohème dans une *vallée*, **thal** en allemand.

Les Autrichiens qui contrôlaient alors l'Espagne et l'Amérique
du Sud y firent frapper des **thalers** d'argent : le mot se trans-
forme en **tolar** puis en **pillars-dollars** à cause des deux *piliers*
figurant sur la pièce.

Les deux traits qui figurent sur le symbole du dollar viennent
de l'appellation **Spanish pillar dollar** (*dollar espagnol avec
piliers*).

 QUE SIGNIFIENT LES INITIALES **G.I.** ?

⇨ *RÉPONSE PAGE 191.*

I must go now

I must [mœst]   *je dois, il faut que je...*

must exprime une obligation absolue, ou une nécessité inéluctable, ou une recommandation, ou une forte probabilité.

must est défectif (voir **I can,** p. 143).

to take care		*faire attention, s'occuper de*
to hurry up		*se hâter, se dépêcher*
to slow (down)		*ralentir*
to wear*	[wèe]	*porter*
to knock	[nok]	*frapper, cogner*
to feed*		*nourrir, alimenter*
to be out		*être absent, sorti*
town		*ville*
glasses	[glasiz]	*verres, lunettes*
postman	[pôoustmen]	*postier, facteur*
animals	[animelz]	*animaux*
zoo	[zou:]	*zoo*
matches	[matchiz]	*allumettes*
by now		*à l'heure qu'il est, à présent*
while		*tandis que*
all the time		*tout le temps*
outside		*hors de, (au-) dehors*

1. I must go now.
2. You must take care.
3. They must hurry up.
4. Cars must slow down in town.
5. She must come and see us next week-end.
6. Must you wear glasses all the time?
7. She must be 35 by now.
8. He must be at home, his car is parked outside.
9. It must be the postman knocking at the door.
10. At the zoo : "Visitors must not feed the animals".
11. Children must not play with matches.
12. He must have come while I was out.

Je dois partir maintenant

Must est un verbe défectif : il n'a pas d's à la 3e personne, pas d'infinitif, pas de participes, donc pas de temps composés. Il est suivi d'un verbe à l'infinitif sans **to** : **I must go.**

L'interrogation s'obtient en inversant le sujet et **must** :
Must you wear glasses?   *Devez-vous porter des lunettes ?*

À la forme négative il est suivi de **not**, directement :
Visitors must not feed the animals
Les visiteurs ne doivent pas donner à manger aux animaux.

To hurry up, to slow down : notez le 2e terme qui suit le verbe proprement dit : on l'appelle <u>postposition</u>, et il n'est pas traduit pour lui-même. (Voir Leçon 27.)

In town, *en ville* ; **at home,** *à la maison* : notez l'absence d'article dans ces expressions toutes faites. On a de même :
next week-end,   *le prochain week-end*
mais :   **all the time,**   *tout le temps.*

The postman knocking at the door (A 2, 9) : **knocking** [nokiŋ] est un participe présent *(frappant)*, mais se traduira souvent par *qui frappe.*

He must have come... *Il a dû venir* : remarquez que l'infinitif qui suit **must** n'est pas ici l'infinitif présent, mais l'infinitif passé. Cette forme composée permet de pallier l'absence de temps du passé.

1. Je dois partir maintenant.
2. Vous devez faire attention.
3. Ils/elles doivent se dépêcher.
4. Les voitures doivent ralentir en ville.
5. Il faut qu'elle vienne nous voir le week-end prochain.
6. Devez-vous porter des lunettes tout le temps ?
7. Elle doit avoir 35 ans à présent.
8. Il doit être chez lui, sa voiture est garée dehors.
9. Ça doit être le facteur qui frappe à la porte.
10. Au zoo : « Les visiteurs ne doivent pas nourrir les animaux. »
11. Les enfants ne doivent pas jouer avec les allumettes.
12. Il a dû venir pendant que j'étais sorti.

I had to leave early

To have to se substitue à **must** pour les formes qui lui manquent :
I had to, I'll have to, etc. *j'avais à, j'aurai à,* etc.

I have to, I have got to
ont à peu près le même sens que **I must.**

I don't have to, I needn't *je n'ai pas besoin de, il n'est pas nécessaire que je...*

I should, I ought to *je devrais, il faudrait que je...*

to clean	[kli:n]	*nettoyer*
to cut*	[kœt]	*couper*
to hesitate	[hèzitéït]	*hésiter*
to return	[rite:n]	*retourner*
to give a hand		*aider*
to forget*	[fegèt]	*oublier*
kitchen	[kitchin]	*cuisine*
luggage	[lœgidj]	*bagage*
sooner or later		*tôt ou tard*
alone	[elôoun]	*seul(e)*
midnight	[midnaït]	*minuit*
same	[séïm]	*même, identique*
immediately	[imi:dyetli]	*immédiatement*

1. You have (got) to clean the kitchen.
2. We'll have to tell them sooner or later.
3. She had to travel alone.
4. Have I got to cut it now?
5. Did you really have to be back before midnight?
6. You don't have to hesitate.
7. You needn't return to the same shop.
8. You won't have to carry your luggage : I'll give you a hand with it.
9. You ought to send it back immediately.
10. He should forget about it.

J'ai dû partir de bonne heure

Have to : must étant défectif, il peut être remplacé aux formes qui lui manquent par **to be obliged to,** *être obligé de,* et surtout **to have to,** *avoir à.*

À la forme affirmative, **I have to,** ou **I have got to,** ont à peu près le même sens que **I must.**

À la forme négative, **I don't/didn't have to,** on a plutôt le sens *il n'est (n'était) pas nécessaire que je... je n'ai pas (eu) besoin de...*

I needn't : cette forme, défective dans ce cas, de **to need** s'emploie pour la négation ou l'interrogation :

    You needn't do it   *vous n'avez pas besoin de le faire*

Should et **ought to** correspondent à une obligation atténuée de **must**, et jouent un peu le rôle d'un conditionnel.

Luggage : ce mot est collectif et singulier en anglais :

    My luggage is heavy   *mes bagages sont lourds.*

1. Il faut que tu nettoies la cuisine.
2. Nous devrons (le) leur dire tôt ou tard.
3. Elle a dû voyager seule.
4. Faut-il que je le coupe maintenant ?
5. Deviez-vous vraiment rentrer avant minuit ?
6. Vous n'avez pas besoin d'hésiter.
7. Il n'est pas nécessaire que tu retournes au même magasin.
8. Tu n'auras pas à porter tes bagages : je t'aiderai à le faire.
9. Vous devriez le renvoyer immédiatement.
10. Il devrait oublier ça.

Exercices

A. Traduisez en anglais

1. Il faut que vous ralentissiez.
2. Ils doivent être rentrés à présent.
3. Il ne faut pas qu'il s'arrête.
4. Vous ne devez pas fumer ici.
5. Elle doit être assez surprise.

B. Mettez au temps indiqué entre parenthèses

1. I must leave early *(futur)*.
2. She must take care of the children *(prétérit)*.
3. You must wait for her *(futur et prétérit)*.
4. They must return this to the shop *(conditionnel et futur)*.

C. Traduisez en français

1. She should be here by now.
2. You haven't got to tell him.
3. It had to be done.
4. It should not happen.
5. They won't have to come.

A. 1. You must slow down.
2. They must be back by now.
3. He (it) must not stop.
4. You must not smoke here.
5. She must be quite surprised.

B. 1. I'll have to leave early.
2. She had to take care of the children.
3. You'll have to wait for her. – You had to wait for her.
4. They should return this to the shop. – They'll have to return this to the shop.

C. 1. Elle devrait être ici à l'heure qu'il est.
2. Vous n'avez pas besoin de (le) lui dire.
3. Cela devait être fait.
4. Cela ne devrait pas se produire.
5. Il ne sera pas nécessaire qu'ils viennent.

CIVILISATION

Le Métro de Londres (the London Underground)

Il est très facile de se déplacer à Londres dès lors qu'on évite de circuler en voiture particulière. En effet, le stationnement est extrêmement limité et le contrôle, assuré par des **wardens**, en est très strict. Il est donc recommandé d'utiliser les *transports publics* (**public transport**) qui proposent les célèbres *bus à impériale* (**double-deckers**) en ville, et le métro le plus ancien du monde puisqu'il fut construit en 1863 !

Les bus parcourent la ville en empruntant des *voies réservées* (**bus lanes**) ; le parcours en étage permet de voir les principaux sites (**sightseeing**) sans dépenser autre chose que le prix d'un *billet d'autobus* (**bus ticket**) ou mieux, d'un *abonnement touristique* de un ou quelques jours (**tourist pass**).

Cet abonnement est *valable* (**valid**) sur le *réseau* (**network**) du métro, qui permet de se rendre rapidement d'un bout à l'autre de la capitale, très étendue en raison de sa population et de l'absence presque totale de grands immeubles d'habitation. L'habitat est en effet presque exclusivement fondé sur la maison individuelle ou *jumelle* (**semi-detached house**).

Le métro de Londres possède la particularité d'être très profond, ce qui lui a valu, au cours de la seconde guerre mondiale, d'être l'*abri* (**shelter**) anti-bombardement le plus prisé des Londoniens. Ses tunnels sont étroits, parfois à une seule voie, et arrondis, ce qui explique le nom familier du métro de Londres, le « tube » (**the Tube**). Il se compose de onze lignes interconnectées. Chacune porte un nom, comme **Piccadilly Line, Victoria Line, Bakerloo Line, Circle Line,** ce qui offre l'intérêt de décrire un *circuit* (**circle**) autour du centre de la capitale. Une même ligne peut avoir des destinations différentes : il convient donc de vérifier sur le *quai* (**on the platform**) et à l'avant du train (voir D2 p. 198). On achète ses billets soit à un guichet, soit à un distributeur automatique, mais dans ce cas il faut avoir l'appoint sous forme de *menue monnaie* (**small change**). Il n'y a qu'une seule classe, et le prix est établi en fonction de la distance.

Henry : Patricia ! We're going to miss the train ! The taxi is waiting for us outside. Can you give us a hand with the luggage ? Can't you see it's too heavy for the children ? They can't carry it.

Patricia : They'll have to manage.

Henry : I'm telling you, we must leave immediately. It's already late. The train leaves at five.

Patricia : You needn't be so excited[1]. If we miss this train, we'll catch[2] the next one[3].

Henry : You don't understand. If we miss this train, we'll miss the boat too !

Patricia : I don't want to hurry all the time. I'd rather stay at home, and … I remember now : I forgot to tell Susan to feed the dog during the weekend.

Henry : This time we're really getting late … I'll go alone. You can stay here with the kids and take care of the dog…

1. excited = *impatient, énervé, excité.*
2. to catch, *attraper*
3. the next one, *le prochain* ; one, pronom, reprend train.

QUELQUES MOTS À CONNAÎTRE POUR PRENDRE LE TRAIN

single ticket (GB)	[singel tikit]	*aller simple*
one-way ticket (US)		
return ticket (GB)	[rite:n tikit]	*aller et retour*
round trip ticket (US)	[raound trip tikit]	
platform n°…	[platfo:m]	*quai n°…*

DIALOGUES ET VIE PRATIQUE

Henry : Patricia ! Nous allons manquer le train ! Le taxi nous attend dehors. Peux-tu nous aider à porter les bagages ? Tu ne vois pas qu'ils sont trop lourds pour les enfants ? Ils ne peuvent pas les porter.

Patricia : Il faudra qu'ils se débrouillent.

Henry : Je te dis qu'il faut partir immédiatement. Il se fait tard. Le train part à cinq heures.

Patricia : Tu n'as pas besoin de t'énerver. Si nous manquons ce train, nous prendrons le suivant.

Henry : Tu ne comprends pas. Si nous ratons ce train, nous ratons aussi le bateau !

Patricia : Je n'ai pas envie de (ne veux pas) me presser tout le temps. J'aimerais mieux rester à la maison, et… je me rappelle à présent : j'ai oublié de dire à Suzan de nourrir le chien pendant le week-end.

Henry : Cette fois nous sommes vraiment en retard… J'irai seul. Tu peux rester ici avec les enfants et t'occuper du chien…

TO MISS : le verbe **to miss**, *manquer*, a aussi le sens de *regretter*. Ainsi l'expression *vous me manquez*, est-elle rendue en anglais par une construction équivalente à l'expression *je vous regrette*, ce qui donne :

I miss you	*Vous me manquez.*
You miss me	*Je vous manque.*

QUE SIGNIFIENT LES INITIALES **ABC**, **CBS**, **NBC**, **CNN** ?

⇨ *RÉPONSE PAGE 229.*

Wait for me!

Forme affirmative de l'impératif :

2ᵉ personne   infinitif sans **to**

          wait!   *attends (attendez) !*

1ʳᵉ/3ᵉ personnes :   **let** + complément + infinitif sans **to**

let him wait!	*qu'il attende !*
let her wait!	*qu'elle attende !*
let us wait!	→ *attendons !*
let's wait!	
let them wait!	*qu'ils attendent !*

another	[enœze]	*un(e) autre*
newspaper	[niouzpéïpe]	*journal*
cheese	[tchi:z]	*fromage*
tired	[taïed]	*fatigué(e)*
warning	[wo:niŋ]	*avertissement*
to remind	[rimaïnd]	*rappeler*
to taste	[téïst]	*goûter*
to rest		*se reposer*
to look		*regarder, paraître*

1. Have another beer!
2. Give me your address!
3. Wait for me!
4. Be nice with them!
5. Remind me to call them!
6. Come and have a drink!
7. Go and buy me a newspaper!
8. Do have some more coffee!
9. You go with Pat if you like!
10. Let's go now!
11. Let him taste this cheese!
12. Let them decide what they want!
13. Let her rest! she looks very tired.
14. Let that be a warning for (to) them!

158

Attendez-moi !

L'impératif est un « mode » qui est celui des directives, du commandement, de l'invitation à faire quelque chose.

Il n'a en anglais qu'une seule forme simple, celle de la 2e personne (c'est celle de l'infinitif sans **to**)

      wait!   *attends !* ou *attendez !*

On a donc recours au verbe **to let** pour conjuguer les 1res et 3e personnes :

      let us go!   *partons !*
      let her rest!   *qu'elle se repose !*

to let signifie *laisser, permettre* ; aussi la phrase **let her rest** peut signifier également *laisse-la se reposer*. C'est le contexte qui permet de faire le choix.

6. 7. Deux impératifs peuvent être reliés par **and** : le 2e se traduit par un infinitif en français (avec une idée de but).

8. On peut ajouter **do** pour insister :
      do come with us!   *venez donc avec nous !*

9. Dans la langue parlée familière, on peut, à la 2e personne, utiliser le pronom pour attirer l'attention.

14. Le complément qui suit **let** peut être un démonstratif.

1. Prenez (prends) une autre bière !
2. Donnez-moi (donne) votre (ton) adresse !
3. Attendez-moi !
4. Soyez gentils avec eux !
5. Rappelez-moi de leur téléphoner !
6. Venez boire un verre !
7. Va m'acheter un journal !
8. Prenez donc encore du café !
9. Va donc avec Pat si ça te plaît !
10. Partons maintenant !
11. Qu'il goûte ce fromage !
12. Qu'ils décident ce qu'ils veulent !
13. Qu'elle se repose ! Elle a l'air très fatiguée.
14. Que cela soit un avertissement pour eux !

Don't wait for them!

Impératif négatif :

2ᵉ personne :   **do not (don't)** + infinitif sans **to**

do not (don't) wait!   *n'attendez pas !*

1ʳᵉ et 3ᵉ personnes :

   do not (don't) + **let** + complément + infinitif sans **to**

do not (don't) let me wait!   *que je n'attende pas !*
do not (don't) let him wait!   *qu'il n'attende pas !*
do not (don't) let her wait!   *qu'elle n'attende pas !*
do not (don't) let us wait!   *n'attendons pas !*
do not (don't) let them wait! *qu'ils (elles) n'attendent pas !*

all that : *tout ce que*

Rappel : **what :** *ce que*

to worry	[wœri]	*se tracasser*
to bother	[bœże]	*ennuyer, embêter, gêner*
deal	[di:l]	*affaire, marché*
cold	[kôould]	*rhume*
fast	[fa:st]	*rapide ; vite*
too much		*trop*

1. Don't wait for them!
2. Don't speak so fast please!
3. Don't listen to this!
4. Don't miss that!
5. Don't believe all that he says!
6. Don't expect too much from that deal!
7. Don't catch a cold!
8. Don't you worry about that!
9. Don't let her think that we don't want her to come!
10. Let's not hesitate!
11. Don't let them leave too late!
12. Don't let this bother you!

Ne les attendez pas!

don't se prononce [dôount].

8. Pour insister, on peut faire suivre à la deuxième personne la négation par **you.**

9. **We don't want her to come!**

Dans des phrases comme :
je veux qu'il parte,
elle veut que je reste, etc.
on a en français la construction suivante :

vouloir + *que* + sujet + verbe au mode subjonctif

Ceci est rendu en anglais par une construction dite « proposition infinitive », où l'on a :

to want + complément + verbe à l'infinitif

I want him to leave   *je veux qu'il parte*
she wants me to stay   *elle veut que je reste*
(des verbes comme **to order, to expect,** suivent cette construction).

10. La construction sans **do** (**let me not wait! let him not wait! let us not wait!** etc.) est réservée à la langue littéraire. Cependant on la rencontre souvent à la première personne du pluriel :

let's not hesitate!   *n'hésitons pas !*

1. Ne les attendez (attends) pas !
2. Ne parlez (parle) pas si vite !
3. N'écoutez pas ceci !
4. Ne manquez pas cela !
5. Ne croyez pas tout ce qu'il dit !
6. N'attendez pas trop de cette affaire !
7. N'attrapez pas un rhume !
8. Ne vous tracassez donc pas pour cela !
9. Qu'elle ne pense pas que nous ne voulons pas qu'elle vienne !
10. N'hésitons pas !
11. Qu'ils ne partent pas trop tard !
12. Que ceci ne vous ennuie pas !

Exercices

A. Traduire en anglais

1. Garez votre voiture là !
2. Ne fumez pas pendant la réunion, s'il vous plaît !
3. Aidez-nous !
4. Dites-moi votre nom, s'il vous plaît !
5. Ne vous tracassez pas trop !
6. Dites-leur de se dépêcher !
7. Prenez donc encore du thé !
8. Partez donc avec eux si ça vous plaît !
9. Que cela ne se reproduise plus !
10. Va m'acheter un paquet de cigarettes, s'il te plaît !

B. Donnez les mêmes instructions qu'en A, mais au lieu d'utiliser l'impératif, utilisez la construction : *Je veux que...*

Ex. : *garez votre voiture là — je veux que vous gariez votre voiture là.*

A.

1. Park your car there!
2. Do not smoke during the meeting, please!
3. Help us!
4. Tell me your name, please!
5. Don't (you) worry too much!
6. Tell them to hurry (up)!
7. Do have some more tea!
8. (You) leave with them if you like!
9. Don't let that happen again!
10. Go and buy me a packet of cigarettes, please!

B.

1. I want you to park your car there!
2. I don't want you to smoke during the meeting, please.
3. We want you to help us.
4. I want you to tell me your name, please.
5. I don't want you to worry too much.
6. I want you to tell them to hurry.
7. I want you to take some more tea.
8. I want you to leave with them.
9. I don't want that to happen again.
10. I want you to go and buy me a packet of cigarettes, please.

C'est la boisson la plus populaire des îles britanniques après le thé ! On notera que la bière est au whisky ce que le vin est au cognac ou à l'armagnac : la boisson de consommation plus courante, mais comportant les mêmes éléments de base, à la distillation près.

Les principales marques de bière ont créé des slogans qui sont quasiment devenus des adages populaires :

Guinness : « **Guinness is good for you** » (la Guinness est bonne pour vous = vous fait du bien)

Watney's : « **What we want is Watney's** » (Ce qu'on veut, c'est de la Watney's)

Courage : « **Take Courage** » ([Re]prenez Courage)

Les différents types de bière :

Lager [la:ge*r*] : bière blonde et légère servie fraîche. C'est le nom qu'on donne en anglais aux bières continentales.

Bitter [bite*r*] : bière traditionnelle de couleur rousse, au goût caractéristique de houblon.

Mild [maïld]: bière plus légère, de couleur brun-rouge, plus douce et moins alcoolisée que la précédente.

Stout [staout] ou **brown ale** : bière brune, forte, de couleur presque noire, dont la plus connue est la Guinness irlandaise ; très consommée également dans le nord de l'Angleterre.

Ale [éïl] : bière locale. Ce mot désignait à l'origine toute boisson contenant du malt. La **pale ale** se distingue de la **brown ale** ci-dessus par sa légèreté.

La bière est *brassée* (**brewed**) dans des *brasseries* (**breweries**) selon des procédés traditionnels variés, avec des pourcentages variables de *houblon* (**hops**), éventuellement d'*orge malté* (**malted barley**), en général sans addition de gaz carbonique pour la consommation locale, mais avec si elle est *mise en bouteille* (**bottled**). Au *comptoir* (**at the bar**), la bière se commande généralement *à la pression* (**draught** ou **on tap**). Elle est servie alors en *pinte* (**a pint**), c'est à dire 0,56 litre, ou en *demi* : **half** [a] **pint** (en Irlande, **a glass of beer**).

Traditionnellement, elle est encore servie *chambrée* (**at room temperature**), surtout si elle est **stout** ou **bitter**, mais sous l'influence du tourisme, elle tend à être servie *fraîche* (**cool**).

Peter : Come and have a drink with us.

Helen : No, we must go. Don't listen to him. We must be home by five.

Peter : Wait ! Join us and have a drink ! You look tired. You do need a drink. Let's have some fun !

John : I'm sorry but we promised to be home by five.

Peter : Slow down ! Let Helen go home and stay with us ! Let me buy you a drink.

John : Thanks, but that'll be for another time. We really have to go.

Peter : You don't know what you are missing. We're going to have a great time[1] !

Helen : Listen ! This is too much ! Now let him go before I call for help. He told you he didn't want to have a drink with you. Now go back to your friends and stop bothering us !

---

1. **to have a great time,** *passer un moment magnifique, s'amuser comme des fous.*

DUTCH TREAT [dœtch tri:t]

Lorsqu'au restaurant, au café ou au pub, vous décidez avec ceux qui vous accompagnent, de partager l'addition en parts égales, on emploie l'expression (voir D1 note 1 p. 280) :

Dutch treat (mot-à-mot *sortie hollandaise*) *fifti-fifti.*

On dira également :

to go Dutch

partager les frais, cinquante-cinquante ou *faire fifti-fifti.*

Peter : Venez prendre un verre avec nous !

Helen : Non, il faut qu'on parte. Ne l'écoute pas. Il faut qu'on soit à la maison avant cinq heures.

Peter : Attendez. Venez prendre un verre avec nous (m. à m. : joignez-vous à nous et prenez un verre). Vous avez l'air fatigué. Vous avez besoin de boire un verre. Amusons-nous un peu !

John : Désolé, mais nous avons promis d'être à la maison pour dix-sept heures !

Peter : Doucement ! (m. à m. : ralentis !) Qu'Helen rentre, et toi, reste avec nous ! Laisse-moi t'offrir un verre !

John : Merci, mais ce sera pour une autre fois. On doit vraiment y aller.

Peter : Tu ne sais pas ce que tu manques. Nous allons bien nous amuser.

Helen : Écoute ! C'en est trop ! À présent tu le laisses partir avant que j'appelle à l'aide. Il t'a dit qu'il ne veut pas prendre un verre avec toi. Allez, retourne à tes amis et arrête de nous embêter.

BYOB [bi: waï ôou bi:]

Ces initiales sont l'abrégé de l'expression familière :
Bring your own booze, *apportez votre propre alcool,*
que l'on peut trouver sur des invitations au style décontracté.

➦ **to booze** correspond au français familier *picoler.*

 QUEL EST L'EMBLÈME DU PARTI DÉMOCRATE AMÉRICAIN ?

⇨ *RÉPONSE PAGE 213.*

When do you intend to come?

When ?	[wèn]	*quand ?*
Where ?	[wèe]	*où ?*
How ?	[haou]	*comment ?*
Why ?	[waï]	*pourquoi ?*

Ordre des mots dans la question :

adverbe interrogatif + auxiliaire + sujet + verbe + complément

to intend	[intènd]	*avoir l'intention*
to rent	[rènt]	*louer*
to start	[sta:t]	*commencer*
to put*	[pout]	*poser*
to make an appointment	[epoïntment]	*prendre rendez-vous*
show	[chôou]	*spectacle*
coat	[kôout]	*manteau*
phone-box	[fôoun-boks]	*cabine téléphonique*
upset	[œpsèt]	*ennuyé(e)*
cross		*fâché(e)*

1. When do you intend to come?
2. Where can I rent a car?
3. When will you start your work here?
4. Where did you buy your coat?
5. When do you want us to call?
6. Where do you want me to put it?
7. When can I make an appointment?
8. Where can we find a phone-box?
9. How was the show?
10. How are you?
11. Why don't you try?
12. Why is he so upset?
13. Why does he look so cross?

Quand comptez-vous venir ?

Adverbes interrogatifs : ils sont placés en tête de phrase et suivis d'un auxiliaire : **will, is, are, was, do/does/did,** etc. (ou d'un défectif : **can, may, must**).

When? *quand ?*
When joue le rôle d'un pronom relatif après **day,** *jour* ; **time,** *moment*
   Do yóu remember the day when we met her?
   Vous rappelez-vous le jour où nous l'avons rencontrée ?

Where? *où ?*
La préposition — lorsqu'il y en a une — reste après le verbe contrairement au français
   Where do you come from? *D'où venez-vous ?*

How? *comment ?* (adverbe interrogatif de manière)
(voir **How** adverbe interrogatif de degré, L. 21).

Why? *pourquoi ?*
Avec **why** l'interrogation peut se construire avec l'infinitif sans **to** (pour suggérer quelque chose)
   Why wait so long? *Pourquoi attendre si longtemps ?*
   Why not have another drink?
   Pourquoi ne pas prendre un autre verre ?

1. Quand avez-vous l'intention de venir ?
2. Où puis-je louer une voiture ?
3. Quand commencerez-vous votre travail ici ?
4. Où avez-vous acheté votre manteau ?
5. Quand voulez-vous que nous appelions ?
6. Où voulez-vous que je le mette ?
7. Quand puis-je prendre un rendez-vous ?
8. Où pouvons-nous trouver une cabine téléphonique ?
9. Comment était le spectacle ?
10. Comment allez-vous ?
11. Pourquoi n'essayez-vous pas ?
12. Pourquoi est-il si troublé ?
13. Pourquoi a-t-il l'air si fâché ?

What are you thinking about?

Interrogatifs

Who?	[hou:]	*qui ?* sujet (et complément)
Whom?	[hou:m]	*qui ?* complément
Which?	[witch]	*quel(s) ? quelle(s) ? ; lequel ? laquelle ?* sujet
What?	[wot]	*que ? quoi ? à quoi ?* sujet et complément
Whose?	[hou:z]	*à qui ? de qui ?* sujet et complément, adjectif et pronom interrogatif, indiquant la possession :

whose + ce qui est possédé + verbe interrogatif

to marry	[mari]	*épouser*
to think* about		*penser (à)*
people	[pi:pel]	*gens, personnes*
problem	[problem]	*problème, ennui*
turn	[te:n]	*tour*

1. Who is this man?
2. Who are these people?
3. Who wants to come with us?
4. Who(m) are you going to invite?
5. Who(m) did you speak to?
6. Which of them won the match?
7. Which day will you come, Saturday or Sunday?
8. Which of the two brothers did she marry?
9. What will you do next year?
10. What are you thinking about?
11. What sort of problem do you have?
12. Whose car is this?
13. Whose turn is it?

À quoi pensez-vous ?

<u>Prononciation</u>
Bien « expirer » le **h** dans **who** [hou:] et **whose** [hou:z].

<u>Grammaire : les adjectifs et pronoms interrogatifs</u>
Who? *qui ?* pronom interrogatif pour les personnes, au singulier et au pluriel
– avec **who** on questionne sur l'identité :
      who are you? *qui êtes-vous ?*
- **who** est sujet et complément (et remplace dans ce cas **whom**)

Which? *quel(le) ? lequel ?* etc. pronom ou adjectif interrogatif indiquant un choix entre des personnes ou des choses.

What?
– pronom interrogatif sujet ou complément : *que, quoi, à quoi ?*
– adjectif interrogatif sujet ou complément : *quel(s), quelle(s) ?*
Avec **what** on questionne sur la profession (cf. B 2, 11).

Whose? (B 2, 12, 13) *à qui, de qui ?*

Attention, avec **who, which, what,** les prépositions utilisées sont rejetées après le verbe :
      à qui parlez-vous ? **who are you speaking to?**
      à quoi pensez-vous ? **what are you thinking of?**

1. Qui est cet homme ?
2. Qui sont ces gens ?
3. Qui veut venir avec nous ?
4. Qui allez-vous inviter ?
5. À qui parlais-tu (parliez-vous) ?
6. Lequel d'entre eux a gagné le match ?
7. Quel jour viendrez-vous, samedi ou dimanche ?
8. Lequel des deux frères a-t-elle épousé ?
9. Que ferez-vous (feras-tu) l'année prochaine ?
10. À quoi pensez-vous ?
11. Quel genre d'ennui avez-vous?
12. À qui est cette voiture ?
13. À qui le tour ?

Exercices

A. Posez une question avec <u>when</u> ou <u>where</u>
1. I met Pat in 1985.
2. He had dinner in Brighton.
3. She caught her train in the evening.
4. You left your office at 5 p.m.

B. Traduire (<u>how, why</u>)
1. Pourquoi n'êtes-vous pas venu la semaine dernière ?
2. Pourquoi Suzanne est-elle si fâchée ?
3. Comment était cette réunion ?
4. Comment jouez-vous à ce jeu ?

C. Traduire (<u>who?</u> sujet ou complément ; <u>whose</u>)
1. Qui a téléphoné hier soir ?
2. À qui avez-vous parlé pendant ce déjeuner ?
3. Qui a-t-il attendu mercredi dernier ?
4. À qui est cette montre ?

D. Traduire (<u>what, which</u>)
1. Quel jour ont-ils choisi ?
2. Que fait le frère de Bob (occupation) ?
3. Que s'est-il produit hier matin ?
4. Lequel d'entre eux gagnera ce match ?

A. 1. When did you meet Pat?
    2. Where did he have dinner?
    3. When did she catch her train?
    4. When did you leave your office?

B. 1. Why didn't you come last week?
    2. Why is Susan so cross?
    3. How was that meeting?
    4. How do you play this game?

C. 1. Who called yesterday evening?
    2. Who did you speak to during that lunch?
    3. Who did he wait for last Wednesday?
    4. Whose watch is this?

D. 1. Which day did they choose?
    2. What is Bob's brother doing?
    3. What happened yesterday morning?
    4. Which of them will win this match?

CIVILISATION

On constate qu'il n'existe aucun JOUR DE FÊTE NATIONALE au *Royaume-Uni de Grande Bretagne et d'Irlande du nord* (**the United Kingdom of Great Britain and Northern Ireland**) au contraire de l'Irlande : le 17 mars, (Saint Patrick, qui a christianisé l'île au 5e siècle), et des *États-Unis d'Amérique* (**the United States of America**) : le 4 juillet, *jour de l'indépendance nationale* (**Independence Day**).

LES *JOURS FÉRIÉS* sont dits **bank holidays** en raison de la fermeture officielle non seulement des banques mais de tous les services publics et par extension des lieux de travail. On compte :

New Year's Day, *Jour de l'an* : 1er janvier, plus 2 janvier en Écosse (**Scotland**) ;

St David's Day, 1er mars, au *Pays de Galles* (**Wales**) uniquement ;

Good Friday, *Vendredi Saint* ;

Easter Monday, *lundi de Pâques* ;

May Day, 1er lundi de mai ;

Spring Bank Holiday, dernier lundi de mai ;

Summer Bank Holiday, dernier lundi d'août ;

Christmas Day, *Noël* ;

Boxing Day (jour des « *boites* » = *cadeaux*), 26 décembre.

QUELQUES COMMÉMORATIONS OU FÊTES NON FÉRIÉS

Guy Fawkes' Night (*5 novembre*) : en souvenir de la *Conspiration des Poudres* (**Gunpowder Plot**) contre le Parlement, les enfants brûlent l'effigie (**dummy**) du conspirateur Guy Fawkes, lancent *pétards* (**crackers**) et *feux d'artifice* (**fireworks**).

April Fool's Day : *1er Avril.*

Hallowe'en (ou **Halloween**) : *31 octobre* (voir p. 181).

DIALOGUES ET VIE PRATIQUE

James : Tell me, Susan, how do you intend to go to the exhibition ?

Susan : I'll drive there. Are you coming with me ? I'm leaving right now.

James : Where's your car ?

Susan : It's parked outside. Look! It's there.

James : But that isn't your car! Whose car is it ?

Susan : No, it's not mine. I borrowed it from my sister.

James : Which sister ? Sally or Betty ?

Susan : Sally. Betty is now living in France. She got married there.

James : When did she get married ?

Susan : Two months ago, in April.

James : Why didn't she invite me ?

Susan : You know very well why.

James : Yes I know. She forgot me a long time ago. What does her husband do?

Susan : He's a pilot.

James : He mustn't be home very often…

Susan : Don't you worry[1] about that. It's not your problem.

---

1. **To worry,** *se faire du souci, s'inquiéter,* notez le renforcement de l'impératif avec le pronom **you.**

bride	[braïd]	*fiancée*
honeymoon	[[hœnimou:n]	*lune de miel*
husband	[hœzbend]	*mari*
marriage	[maridj]	*mariage*
wife (pluriel : wives)	[waif / waïvz]	*épouse(s)*

DIALOGUES ET VIE PRATIQUE

James : Dis-moi, Susan, comment comptes-tu te rendre à l'exposition ?

Susan : J'irai en voiture. Tu viens avec moi ? Je pars tout de suite.

James : Où est ta voiture ?

Susan : Elle est garée dehors. Tiens (m. à m. : regarde) ! Elle est là.

James : Mais ce n'est pas ta voiture ! À qui est-elle (m. à m. : la voiture de qui est-ce) ?

Susan : Non, çe n'est pas la mienne. Je l'ai empruntée à ma sœur.

James : Laquelle ? Sally ou Betty ?

Susan : Sally. Betty vit en France maintenant. Elle s'y est mariée.

James : Quand s'est-elle mariée ?

Susan : Il y a deux mois, en avril.

James : Pourquoi ne m'a-t-elle pas invité ?

Susan : Tu le sais très bien.

James : Je sais. Elle m'a oublié depuis longtemps. Que fait son mari ?

Susan : Il est pilote.

James : Il ne doit pas être souvent à la maison…

Susan : Surtout ne t'inquiète pas de ça. Ce n'est pas ton problème.

Marry in haste, repent at leisure.
Qui se marrie à la hâte se repent à loisir.

 QUEL EST L'EMBLÈME DU PARTI RÉPUBLICAIN AMÉRICAIN ?

⇨ *RÉPONSE PAGE 213.*

Complétez avec a, b, c ou d :
(il y a une seule bonne réponse par question)

11. You have _____ ideas !

    a) a lot
    b) lot of
    c) a lot of
    d) lot

12. Do _____ tape-recorder ?

    a) have a
    b) have you
    c) you have a
    d) you have

13. She is _____ Bristol hotel.

    a) stay
    b) staying with the
    c) stays at the
    d) staying at the

14. He _____ interesting story.

    a) tell us
    b) told us
    c) told us an
    d) told us a

15. Did _____ wife ?

    a) meet John
    b) you meet John's
    c) you met John's
    d) you meet John

(Voir corrigé p. 373)

16. I hope —— will happen again !
    a) to
    b) it
    c) me
    d) never it

17. I'm sure —— manage very well.
    a) she will be able to
    b) he be able to
    c) will be able
    d) able

18. He must —— while I was out.
    a) to come
    b) be come
    c) have come
    d) have not come

19. Let —— decide what he wants.
    a) he
    b) him to
    c) him
    d) he to

20. When —— call ?
    a) you want us
    b) do you want us
    c) do you want us to
    d) you want us to

(Voir corrigé p. 373)

How old is your daughter?

how + adjectif + **is** + nom

correspond au français :

> *Combien fait-il (elle) de* (haut, large, long, etc.) ?

ou *Quel(le) est* (la taille, la hauteur, l'âge, etc.) *de...* ?

wall	[wo:l]	*mur*
tower	[taoue]	*tour*
swimming-pool	[swimiŋ pou:l]	*piscine*
trip		*voyage*
jacket	[djakit]	*veste*
daughter	[do:te]	*fille*
long	[loŋ]	*long*
high	[haï]	*haut*
tall	[to:l]	*grand*
wide	[waïd]	*large*
deep	[di:p]	*profond*
large	[la:dj]	*étendu*
expensive	[ikspènsiv]	*cher*
experienced	[ikspi:erienst]	*expérimenté*

1. How long is the wall?
2. How high is the tower?
3. How tall is your brother?
4. How wide is the table?
5. How deep is the swimming-pool?
6. How large is London?
7. How long will the trip be?
8. How far is the station?
9. How fast is your car?
10. How expensive is this jacket?
11. How experienced is he?
12. How old is your daughter?

Quel âge a votre fille ?

How long peut indiquer soit une longueur, soit une durée :

    How long is the table? *Quelle est la longueur de la table ?*
    How long is the film? *Combien de temps le film dure-t-il ?*

Pour la taille d'une personne, on n'emploie pas **high**, mais **tall** :

    Mon frère est très grand **My brother is very tall**

    swimming-pool, *piscine*, est formé à partir du verbe **to swim**, *nager*, et du nom **pool**, *bassin*.

    large ne signifie pas *large* mais, selon le contexte, *étendu, volumineux, gros, grand, important*, etc.

Remarquez l'ordre des mots dans :

    How long will the trip be?

        mot(s) interrogatif(s) + auxiliaire + sujet + verbe ?

    Les tournures **How** + adj./adv. sont souvent difficiles à rendre exactement en français :

    How fast is your car? m. à m. : *combien rapide est votre voiture ?* signifie en fait, *à combien peut rouler votre voiture ?*

    How expensive is this jacket? m. à m. : *combien chère est cette veste ?* n'est qu'approximativement rendu par *combien coûte cette veste ?*

1. Combien le mur fait-il de long ?
2. Combien la tour fait-elle de haut ?
3. Combien votre frère mesure-t-il ?
4. Combien la table fait-elle de large ? (quelle est la largeur...?)
5. Quelle est la profondeur de la piscine ?
6. Quelle est la taille de Londres ?
7. Combien le voyage durera-t-il ?
8. À combien est la gare ?
9. À combien peut rouler votre voiture ?
10. Combien coûte cette veste ?
11. Quelle expérience a-t-il ?
12. Quel âge a votre fille ?

How much do you charge?

How much? et how many? signifient *combien ?*

Much s'emploie quand il s'agit d'un singulier :

How much money do you want? How much do you want?
Combien (d'argent) voulez-vous ?

Many s'emploie quand il s'agit d'un pluriel :

How many steaks do you want? How many do you want?
Combien de steaks voulez-vous ? Combien en voulez-vous ?

How + adverbe s'emploie dans les mêmes conditions que **How** + adjectif

How often does she come?
m. à m. : *combien souvent vient-elle?*
C'est-à-dire : *quelle est la fréquence de ses visites ?*

money	[mœni]	*argent*
time	[taïm]	*temps*
steak	[stéïk]	*steak*
to charge	[tcha:dj]	*faire payer*
to spend*	[spènd]	*dépenser*
to take*	[téïk]	*prendre*

* Verbes irréguliers pp. 368-370.

1. How much money do you want?
2. How much is it? How much do you charge?
3. How much did you spend?
4. How much did it cost?
5. How many steaks will you have?
6. How many times did you see him?
7. How often does she come?
8. How early did they start?
9. How far is it to the station?
10. How long have you been here?
11. How long ago did it happen?

Combien faites-vous payer ?

Notez que **time** peut signifier *temps* (durée) ou *fois* (**five times,** *cinq fois*) — *une fois* se dit **once,** *deux fois,* **twice,** on dit ensuite **three times, four times,** etc.

To have a steak, *prendre un steak*

de même **to have tea,** *prendre le thé,*
to have breakfast, *prendre le petit déjeuner.*

far peut être adjectif (cf. français *éloignée(e)*) :
How far is the station? *À quelle distance est la gare ?*
ou adverbe (français *loin*) :
How far is it to the station? (B 4, 9)

De même **long** peut être adjectif avec le sens de *long* :
How long is the table? How long is the trip ?
ou adverbe avec le sens de *longtemps* :
How long have you been here? (B 4, 10)
How long ago did it happen? (B 4, 11)

Rappel des formes des verbes irréguliers (cf. pp. 368-370) :

to spend	I spent	spent
to take	I took	taken
to see	I saw	seen
to come	I came	come

1. Combien voulez-vous d'argent ?
2. Combien cela fait-il ? Combien faites-vous payer ?
3. Combien avez-vous dépensé ?
4. Combien cela a-t-il coûté ?
5. Combien de steaks prendrez-vous ?
6. Combien de fois l'avez-vous vu ?
7. Elle vient tous les combien ? (avec quelle fréquence ?)
8. À quelle heure sont-ils partis ? (m. à m. : combien tôt)
9. Combien y a-t-il d'ici à la gare ?
10. Depuis combien de temps êtes-vous ici ?
11. C'est arrivé il y a combien de temps ?

Exercices

A. Traduire
1. How far is London?
2. How old is your brother?
3. How much do they charge?
4. How expensive is your car?
5. How far will you go?
6. How long will you stay?

B. Traduire
1. Quel âge a-t-il ?
2. Combien la table fait-elle de long ?
3. Combien d'argent voulez-vous ?
4. Combien de fois est-ce arrivé ?
5. À combien sommes-nous de la gare ?
6. Depuis combien de temps êtes-vous ici ?

C. Complétez avec much ou many
1. How ...... money do you want?
2. How ...... cars do they have?
3. How ...... is it?
4. How ...... are they?
5. How ...... daughters do they have?
6. How ...... bottles do you want?

A.
1. À combien sommes-nous de Londres ?
2. Quel est l'âge de votre frère ?
3. Combien font-ils payer ? (Combien prennent-ils ?)
4. Combien coûte votre voiture ?
5. Jusqu'où irez-vous ?
6. Combien de temps resterez-vous ?

B.
1. How old is he?
2. How long is the table?
3. How much money do you want?
4. How many times did it happen?
5. How far is it to the station?
6. How long have you been here?

C. 1. much   2. many   3. much   4. many   5. many   6. many

CIVILISATION

En théorie, il n'y a pas de jours chômés nationaux aux États-Unis, sauf dans **le District of Columbia (D.C.)**, territoire fédéral où se situe la capitale Washington. En pratique, la plupart des États observent les jours chômés dits « fédéraux ». Comme en Grande-Bretagne, on utilise souvent les lundis pour ces fêtes chômées. Sont célébrés nationalement :

New Year's Day : *1er janvier* ;

Martin Luther King's Day, institué en 1986 : 3e lundi de janvier ;

Washington's Birthday, 3e lundi de février ;

Memorial Day : dernier lundi de mai, correspondant à notre 8 mai ;

Independence Day, 4 juillet (**Fourth of July**) ;

Labor Day : 1er lundi de septembre, quasi équivalent de notre *1er mai* ;

Columbus (ou **Discovers'**, ou **Pioneers'**) **Day** : 2e lundi d'Octobre ;

Veterans' Day : *11 novembre* ;

Thanksgiving Day : 4e jeudi de novembre (accostage des « *Pères Pélerins* ») ;

Christmas Day, 25 décembre.

Par ailleurs, sans être chômés, certains jours donnent lieu à des célébrations et réjouissances populaires, tels :

Halloween (**All Saints' Day** ou **All Hallows' Day**) : le soir du 31 octobre, les jeunes et les enfants sonnent aux portes des maisons pour obtenir des confiseries en disant '**Trick or Treat**' (*farce ou récompense*).

DIALOGUES ET VIE PRATIQUE

Kate : When will you arrive ?

Agatha : We'll arrive on Saturday the first of March.

Kate : And how long do you intend to stay ?

Agatha : We'll stay for a week. We'll leave on Friday of the following week.

Kate : That's six nights. How many rooms will you want ?

Agatha : We need two. One for us and one for the kids.

Kate : How many children do you have ?

Agatha : We have two sons.

Kate : And how old are they ?

Agatha : Six and ten years old. I have another question. Have you got a swimming-pool ?

Kate : Yes, we have one in the park.

Agatha : That's fine. And how much will you charge for the two rooms ?

father	[fa:że]	*père*
mother	[mœże]	*mère*
grandmother	[grandmœże]	*grand-mère*
grandfather	[grandfa:że]	*grand-père*
daughter	[do:te]	*fille*
son	[sœn]	*fils*
brother	[brœże]	*frère*
sister	[siste]	*sœur*
aunt	[a:nt]	*tante*
uncle	[œnkel]	*oncle*
niece	[ni:s]	*nièce*
nephew	[nèviou:]	*neveu*

DIALOGUES ET VIE PRATIQUE

Kate : Quand arriverez-vous ?

Agatha : Nous arriverons samedi premier mars.

Kate : Et combien de temps comptez-vous rester ?

Agatha : Nous séjournerons une semaine. Nous partirons le vendredi suivant.

Kate : Ça fait six nuits. Combien de chambres voulez-vous (m. à m. : voudrez-vous) ?

Agatha : Il nous en faut (m. à m. : nous avons besoin de) deux. Une pour nous et une pour les enfants.

Kate : Combien d'enfants avez-vous ?

Agatha : Nous avons deux fils.

Kate : Et quel âge ont-ils ?

Agatha : Six et dix ans. J'ai encore (m. à m. : une autre) question : Avez-vous une piscine?

Kate : Oui, nous en avons une dans dans le parc.

Agatha : C'est bien. Et combien prenez-vous (m. à m. faites-vous payer) pour les deux chambres ?

You can tell* a child is growing old when he stops asking where he came from and starts refusing to tell where he is going.

On peut se rendre compte qu'un enfant grandit quand il cesse de demander d'où il vient et commence à refuser de dire où il va.

* mot-à-mot : *dire, distinguer ; savoir, indiquer.*

 OÙ SE TROUVE LE VILLAGE QUI A LE NOM LE PLUS LONG AU MONDE ?

⇨ *RÉPONSE PAGE 206.*

She is prettier than her sister

more .... than		plus .... que	
-er .... than		plus .... que	
less .... than		moins .... que	
as .... as		aussi .... que	
not so (as) ..... as		pas aussi .... que	

Le comparatif s'obtient en ajoutant **-er** aux adjectifs d'une ou deux syllabes, ou en mettant **more** devant les adjectifs de plus de deux syllabes.

young	[yœŋ]	*jeune*
cheap	[tchi:p]	*bon marché*
useful	[you:sfoul]	*utile*
sunny	[sœni]	*ensoleillé*
warm	[wo:m]	*chaud*
country	[kœntri]	*pays*
dictionary	[dikchenri]	*dictionnaire*
to get warmer		*faire (devenir) plus chaud*

1. She is prettier than her sister.
2. She is younger than her brother.
3. He is taller than Jim.
4. They are older than us.
5. Wine is cheaper in Spain than in Britain.
6. Beer is as expensive as wine here.
7. Is it less expensive in your country?
8. It's not so expensive as here.
9. Your dictionary is more useful than mine.
10. It's bigger and more expensive, too.
11. It's much sunnier today.
12. It's getting warmer and warmer.

Elle est plus jolie que sa sœur

Comparatif de l'adjectif court : on ajoute **-er** à la fin :
> **younger, taller, older, cheaper.**

Notez que **-er** peut modifier l'orthographe : **pretty → prettier** ;
sunny → sunnier : **y** précédé de consonne(s) devient **i.**

D'autre part, on redouble la consonne de **big** : **bigger.**

more s'emploie devant les adjectifs longs :
> **more comfortable,** *plus confortable*

less... than, *moins que* ; ce comparatif d'infériorité est souvent
remplacé par **not so** (ou **not as**)... **as** :

> **Yours is less expensive than mine**
= **Yours is not so expensive as mine**

much + comparatif = *beaucoup plus* :

> **She is much prettier than her sister**
> *Elle est beaucoup plus jolie que sa sœur*

It's getting warmer and warmer, *il fait de plus en plus chaud.*
Le comparatif répété équivaut à *de plus en plus.*
Autre exemple :

> **Everything is getting more and more expensive**
> *Tout devient de plus en plus cher*

1. Elle est plus jolie que sa sœur.
2. Elle est plus jeune que son frère.
3. Il est plus grand que Jim.
4. Ils sont plus âgés que nous.
5. Le vin est meilleur marché en Espagne qu'en Grande-Bretagne.
6. La bière est aussi chère que le vin ici.
7. Est-ce moins cher dans votre pays ?
8. Ce n'est pas aussi cher qu'ici.
9. Votre dictionnaire est plus utile que le mien.
10. Il est plus gros et plus cher également.
11. Le temps est beaucoup plus ensoleillé aujourd'hui.
12. Il fait de plus en plus chaud.

He is the nicest of them all

the most ... the (-est) ... $\Big]$ → in, of...	*le plus ... de ...*
the least ... of, in...	*le moins ... de ...*
good, better, the best	*bon, meilleur, le meilleur*
bad, worse, the worst	*mauvais, pire, le pire*
the longer of the two	*le plus long des deux*

<u>Le superlatif</u> s'obtient en ajoutant **-est** aux adjectifs d'une ou deux syllabes, ou en mettant **most** devant les adjectifs de plus de deux syllabes.

ever	[ève]	*jamais, un jour* (sens positif)
silly	[sili]	*idiot, bête*
mistake	[mistéïk]	*erreur, faute*
heavy	[hèvi]	*lourd*
knife (pl. knives)	[naïf/vz]	*couteau*
comfortable	[kœmfetebel]	*confortable*
suburbs	[sœbe:bz]	*banlieue, faubourgs*
game	[géïm]	*jeu, match, partie*
film, movie (US)	[mou:vi]	*film, cinéma*
to make a mistake		*se tromper, commettre une erreur*
to make coffee, tea		*faire du café, du thé*

1. He is the nicest of them all.
2. This is the silliest mistake you've ever made.
3. His was the heaviest of the three bags.
4. Mine is the longer of the two knives.
5. He has the most comfortable house in these suburbs.
6. This movie is the saddest we've seen in weeks.
7. They've played their best game in months.
8. Yours is a much better idea!
9. She makes the worst coffee among her friends.
10. It couldn't be worse.
11. That's the most stupid thing to say.
12. It's his least interesting song.

186

C'est le plus gentil de tous

Superlatif : comme pour le comparatif, selon que l'adjectif est court ou long, on lui ajoute **-est** ou on le fait précéder de **most** : dans tous les cas, on emploie l'article **the**, et le complément est introduit par **of, in** ou **among** selon les cas. L'orthographe est modifiée de la même manière :

silly → silliest ; sad → saddest.

Good - bad : ces adjectifs ont un comparatif et un superlatif irréguliers. C'est aussi le cas de **far,** *loin,* qui en a même deux :

farther ou **further — the farthest** ou **the furthest**

The longer of the two : quand il compare deux éléments, l'anglais emploie le comparatif, alors que le français utilise le superlatif : *le plus long des deux.*

Pronoms possessifs :

mine, yours, his, hers, its, ours, theirs : *le mien, le tien,* etc. Notez l'emploi caractéristique du pronom possessif dans les phrases 3, 4, 8 : il vient en tête, et le nom pour lequel il est mis est plus loin ; le français commence en général par le nom :

Yours is a much better idea!
votre idée est bien meilleure !
mot à mot : *la vôtre est une bien meilleure idée !*

Most a aussi le sens de **very :** *ceci est très utile,* se dira : **this is very useful** ou **this is most useful.** Il s'agit du superlatif « absolu ».

1. C'est le plus gentil de (eux) tous.
2. C'est l'erreur la plus idiote que vous ayez jamais commise.
3. Son sac était le plus lourd des trois.
4. Mon couteau est le plus long des deux.
5. Il a la maison la plus confortable de cette banlieue.
6. Ce film est le plus triste que nous ayons vu depuis des semaines.
7. Ils ont fait (joué) leur meilleur match depuis des mois.
8. Votre idée est bien meilleure !
9. Elle fait le plus mauvais café de toutes ses amies.
10. Ça ne pourrait pas être pire.
11. C'est la chose la plus stupide à dire.
12. C'est sa chanson la moins intéressante.

Exercices et *expressions*

A. Traduire

1. Ce pays n'est pas aussi riche que le nôtre.
2. C'est plus facile de trouver une chambre à Paris qu'à Londres.
3. Un ballon de basket est plus gros qu'un ballon de foot.
4. C'est plus lourd que je pensais.
5. Son ordinateur est plus rapide que le mien.
6. Il est le plus âgé de nous tous.
7. Ma voiture n'est pas la plus rapide, mais elle n'est pas très chère.
8. Mon frère est le plus grand des deux.

A.

1. This country is not so rich as ours.
2. It's easier to find a room in Paris than in London.
3. A basket ball is bigger than a football.
4. It's heavier than I thought.
5. His computer is faster than mine.
6. He is the oldest of us all.
7. My car isn't the fastest, but it isn't very expensive.
8. My brother is the bigger of the two.

Le <u>comparatif</u> et le <u>superlatif</u> apparaissent souvent de façon plus ou moins discrète dans les tournures idiomatiques et les expressions toutes faites. Retenez au moins celles-ci :

the lower deck, *le pont inférieur (d'un navire)*
the upper deck, *le pont supérieur (d'un navire)*
the former, *le premier (nommé), l'un (de deux termes)*
the latter, *le deuxième (nommé), l'autre (de deux termes)*
the more, the merrier, *« plus on est de fous, plus on rit »*
the more I try, the less I succeed, *plus j'essaie, moins je réussis*
my elder brother (forme spéciale de **old**), *mon frère aîné*
    (nous sommes deux frères)
our eldest daughter (de **old**), *notre fille aînée*
at last (adverbe), *enfin*
at least (adv.), *du moins, à tout le moins*
at the most (adv.), *au plus, au maximum*
not in the least, *pas le moins du monde*
I did my best, *j'ai fait de mon mieux*
He did his very utmost to..., *il a fait l'impossible pour...*

CIVILISATION

En *Angleterre*, on parle beaucoup de temps. Des formes du genre « **Fine weather isn't it ?** » (« *Beau temps n'est-ce pas* ») sont un moyen de communiquer entre personnes réservées et désireuses d'éviter des sujets plus personnels, ou d'entrer en contact avec des inconnus.

Quand au temps lui-même, il est vrai qu'il est variable et plutôt humide (on n'est jamais très loin de la mer), mais il n'est pas aussi mauvais qu'on le prétend souvent. Il pousse même des palmiers en Cornouailles !

Le célèbre **fog**, *brouillard*, de Londres – devenu **smog** (**smoke + fog**) – avec la pollution industrielle et urbaine a même largement disparu.

Aux *Etats-Unis*, vu l'immensité du territoire, du *Montana* à la *Floride* (sans parler de l'*Alaska*), on ne peut parler d'un climat américain.

Ainsi, *Seattle*, au nord-est,est à peu près à la même latitude que *Nantes*, *La Nouvelle Orléans* à celle du *Caire*. Rien d'étonnant alors que le climat de *Los Angeles* soit différent de celui de *Détroit*. Cette diversité est accrue par la variété du relief : zones côtières, plaines centrales, régions montagneuses.

Le nord de la côte *Est* a un climat humide. La *Nouvelle-Angleterre* et la région de *New York* sont caractérisées par des hivers rigoureux (jusqu'à -20 C, avec neige et blizzard) et des étés très chauds et moites.

Le *Sud-Est* (*Floride, Golfe du Mexique, Vallée du Mississippi*) a un climat subtropical où les températures descendent rarement au-dessous de zéro.

Les plaines centrales au climat continental offrent de violents contrastes saisonniers : étés caniculaires, hivers très froids (fortes chutes de neige). En été, les variations de température entre le jour et la nuit sont considérables.

La côte du *Pacifique* connait, dans sa portion *Nord* (*Oregon*), de moindres variations d'amplitude, avec des hivers assez doux et des étés relativement frais.

Au *Sud-Ouest*, c'est le fameux climat californien, avec son absence d'hiver et ses étés chauds et secs.

Selon les régions, les plus grosses menaces climatiques sont les inondations soudaines après de gros orages (*Mississippi*), les blizzards (*Nord-Est*), et les tornades (*Floride*).

DIALOGUES ET VIE PRATIQUE

Georges : Bad weather, eh ?

Linda : Yes, it's much colder than last week. And it's getting colder and colder.

Georges : This is the worst summer we've had in years. It couldn't be worse.

Linda : Let's hope it will be better next week. I'm going on holiday.

Georges : Where are you going ?

Linda : I'm going to Brighton. The weather can't be as bad as it is here !

Georges : We're going to Italy.

Linda : That'll be nice. It'll be warmer and sunnier there.

Georges : Well, we don't like it when it's too hot[1].

Linda : How expensive is it in Italy ?

Georges : Less expensive than in France, but not as cheap as in Spain.

Linda : I never go on holiday abroad. I feel much more comfortable[2] at home[3].

1. Hot = *chaud (très chaud)*. Hot est plus chaud (et moins agréable) que **warm**.
2. To feel comfortable, m. à m. *se sentir confortable*.
3. at home, *chez soi*, à *la maison*.

DEGRÉS C°	DEGRÉS F	CONVERSION
0	32	degrés C x $\dfrac{9}{5}$ + 32 = degrés F
10	50	
20	68	degrés F - 32 x $\dfrac{5}{9}$ = degrés C

DIALOGUES ET VIE PRATIQUE

Georges : Mauvais temps, hein ?

Linda : Oui, il fait beaucoup plus froid que la semaine dernière. Et ça se refroidit de plus en plus (m. à m. : il fait de plus en plus froid).

Georges : C'est le pire été que nous ayons eu depuis des années. On ne fait pas pire (m. à m. : ça ne pourrait pas être pire).

Linda : Espérons que ça s'arrangera (m. à m. : que ça sera mieux) la semaine prochaine. Je pars en vacances.

Georges : Où allez-vous ?

Linda : Je vais à Brighton. Le temps ne peut pas être aussi mauvais qu'(il est) ici !

Georges : Nous allons en Italie.

Linda : Ca sera agréable. Il y fera plus chaud et (il y aura) plus de soleil.

Georges : Eh bien, nous n'aimons pas qu'il fasse trop chaud.

Linda : Est-ce que c'est cher, en Italie ?

Georges : Moins cher qu'en France, mais pas aussi bon marché qu'en Espagne.

Linda : Je ne vais jamais en vacance à l'étranger. Je me sens beaucoup plus à l'aise chez nous.

L'ORIGINE DU MOT **G.I.** [dji: aï]

Ces initiales sont au départ celles de **Government Issue** (ou **General Issue**), équipement fourni par le Gouvernement américain. Par la suite, elles ont servi à désigner le soldat habillé et équipé par l'Etat fédéral.

 COMBIEN DE PIÈCES SHAKESPEARE A-T-IL ÉCRIT ?

⇨ *RÉPONSE PAGE 237-238.*

May I...?

I may [méï] *je peux, il se peut que je, j'ai l'autorisation de...*

may indique une éventualité, ou une permission et s'utilise pour les actions qui dépendent soit du hasard, de la chance, etc., soit d'autrui.

I may est <u>défectif</u> (voir **I can,** p. 143).

to rain	[réïn]	*pleuvoir*
pen	[pèn]	*stylo*
seat	[si:t]	*siège*
now	[naou]	*maintenant*
to smile at	[smaïl]	*sourire (de)*
to use	[you:z]	*utiliser, se servir de*
to choose*	[tchou:z]	*choisir*
present	[**prè**zent]	*cadeau*

Rappel : **too** signifie *trop* et *aussi*.

* Verbes irréguliers pp. 368-370.

1. It may rain.
2. He may be late.
3. She may come.
4. It may be too late already.
5. He may not like it.
6. May I smoke?
7. May I borrow your pen?
8. May I take a seat?
9. May I choose a present for him?
10. You may leave now.
11. You may use her camera, I'm sure.
12. You may smile at it.

Puis-je...?

I may est défectif (voir **I can**) : pas d'infinitif, pas de **s**, pas de futur, de participes, etc., ni aucun temps composé.

It may rain : remarquez :
1. l'absence d'**s** à la 3ᵉ personne,
2. l'absence de **to** pour introduire le verbe qui suit.

May I smoke?

Remarquez que comme pour **to be,** la forme interrogative s'obtient par simple inversion, sans utilisation de **to do.**

He may not like it

Remarquez la construction de la forme négative en ajoutant simplement **not**, comme pour **to be** ou les auxiliaires **shall, will,** etc.

Attention : *être en retard* se dit : **to be late.**

1. Il se peut qu'il pleuve.
2. Il se peut qu'il soit en retard.
3. Il se peut qu'elle vienne.
4. Il est peut-être déjà trop tard.
5. Il se peut qu'il n'aime pas ça.
6. Puis-je fumer ?
7. Puis-je vous emprunter votre stylo ?
8. Puis-je m'asseoir ?
9. Puis-je choisir son cadeau ?
10. Vous pouvez partir maintenant.
11. Je suis sûr que vous pouvez vous servir de son appareil photo.
12. Vous pouvez en sourire.

I am allowed to...

to allow [elaou]   *permettre, autoriser*
to be allowed   *être autorisé*

I'm allowed to... *je peux, je suis autorisé à, j'ai le droit de*

May étant défectif, on utilisera **to be allowed** pour les formes composées, dans les cas où **may** indique la permission.

I knew	[nyou:]	*je savais* (prétérit de **to know** *)
never	[nève]	*jamais*
how many...?	[haou mèni]	*combien de ?* (pluriel)
to bring *	[briŋ]	*apporter*
more	[mo:]	*plus (de), davantage*
visitors	[vizitez]	*visiteurs, touristes*
passengers	[pasindjez]	*passagers*
beyond	[biyond]	*au-delà*
point	[point]	*point(e), endroit*
to try	[traï]	*essayer*
try (tries)	[traï(z)]	*essai(s)*
perhaps	[pehaps]	*peut-être*

* Verbes irréguliers pp. 368-370.

1. Allow me to...
2. Is it allowed?
3. I knew it wasn't allowed.
4. It will never be allowed.
5. She's been allowed to do it.
6. How many tries do you allow?
7. They didn't allow us to bring more.
8. No dogs allowed.
9. Visitors (passengers) are not allowed beyond this point.
10. You may be allowed to do it.
11. He may not pass his exam,
12. but perhaps he'll be allowed to try again.

194

Je suis autorisé à... — J'ai le droit de...

Remarquez que, dans la plupart des phrases d'application (B 2), il n'est pas possible d'employer **may.**

May est donc remplacé à toutes les formes qui lui manquent, et notamment aux temps composés par **to be allowed.** Toutefois, on ne peut utiliser **to be allowed** que lorsque **may** a le sens de permission ou d'autorisation. Pour le sens d'« éventualité », on utilise parfois l'adverbe **perhaps** [pehaps], *peut-être.*

Notez la place de **never** (B 2, 4).

She's been allowed : ce passé composé (voir L. 26) équivaut à un présent.

How many...? toujours suivi d'un pluriel : *combien de...?*

B 2, 6 : **tries :** pluriel de **try.**

Rappel : pluriel des noms terminés par **y**
— quand le **y** est précédé d'une consonne,on a   **y → ies**
     a try, *un essai,*   **tries,** *des essais*
— quand le **y** est précédé d'une voyelle, on a   **y + s**
     a day, *un jour,*   **days,** *des jours*

1. Permettez-moi de... (Permettez que je...)
2. Est-ce permis ?
3. Je savais que c'était défendu.
4. Ce ne sera jamais autorisé.
5. Elle est autorisée à (on lui permet de) le faire.
6. Combien d'essais (tentatives) accordez-vous ?
7. Ils ne nous ont pas permis d'en apporter plus.
8. Aucun chien n'est admis (Interdit aux chiens).
9. Les voyageurs (visiteurs) ne sont pas admis au-delà de ce point (interdit aux voyageurs, visiteurs).
10. Il se peut que vous soyez autorisé(e) à le faire.
11. Il se peut qu'il ne réussisse pas son examen,
12. mais peut-être pourra-t-il essayer à nouveau.

Exercices • *can* et *may*

A. Traduisez

1. Il se peut qu'elles viennent en voiture.
2. Il se peut que nous rentrions tôt.
3. Il se peut que tu te trompes.
4. Il se peut qu'il emprunte une voiture.
5. Il se peut qu'ils essaient de nouveau.

B. Complétez avec <u>can</u> ou <u>may</u>

1. It ... rain tonight.
2. My train ... be late.
3. I ... drive you to the station if you're late.
4. They ... speak good English.
5. She ... not like it, you know?
6. ... I leave early tonight?
7. You ... use my pen.

A. 1. They may drive here.
2. We may be back early.
3. You may be wrong.
4. He may borrow a car.
5. They may try again.

B. 1. may — 2. may — 3. can — 4. can
5. may — 6. may/can — 7. may/can

Can indique généralement une possibilité ou une capacité propres à un individu :

Can you play the piano?
Pouvez-vous (savez-vous) jouer du piano ?

May souligne plutôt une possibilité qui ne dépend pas de l'individu (éventualité ou permission) :

You may tell him, *Vous pouvez le lui dire*

Comparez :

He can drive your car
Il peut (sait) conduire votre voiture

et **Driving on icy roads may be dangerous**
La conduite sur la route verglacée peut être dangereuse

She can help you with it *Elle peut vous aider à le faire*
et **You may need her help**
Il se peut que vous ayez besoin de son aide

On constate toutefois un certain empiétement de **can** sur **may,** jugé plus formaliste, ainsi : **Can I come too?** au lieu de **May I come too?** **You can smoke if you want,** pour : **You may smoke if you want.**

CIVILISATION

Il faut bien distinguer au départ entre :

England, *l'Angleterre*, à laquelle se joint **Wales**, *le Pays de Galles*, en 1536.

Great Britain, *la Grande Bretagne*, résultat de l'union avec **Scotland**, *l'Ecosse*, en 1707.

The United Kingdom, *le Royaume Uni*, formé de la *Grande-Bretagne* et *de l'Irlande du Nord* (1801, acte d'union avec *l'Irlande* ; 1922, indépendance de *l'Irlande du Sud* qui, en 1949, devient **The Republic of Ireland**).

Le *Royaume-Uni* est une monarchie parlementaire, dans laquelle l'exécutif – le Premier Ministre et son Gouvernement – sont responsables devant le Parlement.

LA COURONNE, **THE CROWN** : il y a eu 40 souverains successifs depuis l'accession au trône de *Guillaume le Conquérant*, **William the Conqueror** en 1066. Cependant, leurs pouvoirs ont été considérablement réduits.

De nos jours, *la Reine*, **the Queen** (ou *le Roi*, **the King**) « *règne mais ne gouverne pas* » : « **the Queen reigns, but she doesn't rule** ». Mais elle est impliquée dans les affaires de l'Etat car :

Elle nomme officiellement le *Premier Ministre*, **the Prime Minister** ; elle choisit toujours pour ce poste le leader du parti majoritaire.

Elle prononce *le discours de la Reine*, **the speech from the throne**, qui ouvre en grande pompe la session parlementaire et donne les grandes lignes des orientations politiques du gouvernement en place.

elle est à la tête de tous les services de l'Etat : *l'armée*, **the army**, *l'administration*, **the Civil Service**, et *l'église*, **the church**. Elle est donc chef de l'Eglise anglicane et doit élever ses enfants dans cette religion.

Elle est à la tête du **Commonwealth**.

Sa seule obligation est d'être totalement impartiale. On a dit que son pouvoir réside non pas en celui qu'elle exerce, mais en ce qu'elle empêche que d'autres s'en emparent.

Malgré les divers scandales privés qui ont entouré la famille royale et une certaine mise en cause de son principe, la monarchie demeure cependant pour le Britanniques un symbole d'unité et de stabilité.

DIALOGUES ET VIE PRATIQUE

Mr Martin : Do sit down[1], please… Would you like a cup of tea ?
Ms Johnson : Yes please. Very nice of you.
Ms Johnson : May I ask a question ?
Mr Martin : Please do.
Ms Johnson : How come visitors are not allowed to park inside ?
Mr Martin : Because there is[2] only room for four cars and there are eight of us working here.
Ms Johnson : I see.
Mr Martin : Now, when do you want to make an appointment[3] ?
Ms Johnson : What about Thursday at nine ? Is it too early ?
Mr Martin : No, that'll be fine.

---

1 **Do sit down**, *asseyez-vous donc* : forme d'insistance polie.
2 **There is, there are** = *il y a* (is devant singulier, are devant pluriel).

DANS LE MÉTRO DE LONDRES (voir p. 155)

☞ Les 11 lignes, portant chacune un nom, sont orientées ainsi :

Northbound (direction nord)

Westbound
(direction ouest)   ←——————→   **Eastbound**
                                              (direction est)

Southbound (direction sud)

➡ Ne vous trompez pas de sens !

DIALOGUES ET VIE PRATIQUE

Mr Martin : Asseyez-vous donc, je vous en prie... Aimeriez-vous une tasse de thé ?

Ms Johnson : Oui, merci. Très aimable à vous.

Ms Johnson : Puis-je vous poser une question ?

Mr Martin : Je vous en prie.

Ms Johnson : Comment se fait-il que les visiteurs n'aient pas le droit de garer à l'intérieur ?

Mr Martin : Parce qu'il n'y a de place que pour quatre voitures et que nous sommes huit à travailler ici.

Ms Johnson : Je vois.

Mr Martin : Bon, pour quand voulez-vous prendre un rendez-vous ?

Ms Johnson : Que diriez-vous de jeudi à neuf heures ? Est-ce trop tôt ?

Mr Martin : Non, ce sera parfait.

3. **Appointment** [epointment] : ici *rendez-vous*, mais également *nomination* ; **to appoint**, *nommer*.

LES JOURS DE LA SEMAINE

Sunday [sœndi]	*dimanche*	**Wednesday** [wènzdi]	*mercredi*
Monday [mœndi]	*lundi*	**Thursday** [še:zdi]	*jeudi*
Tuesday [tyou:zdi]	*mardi*	**Friday** [fraïdi]	*vendredi*
		Saturday [satedi]	*samedi*

Remarquez qu'il y a toujours une majuscule en anglais.

 COMMENT TRADUIT-ON : « UN APPEL EN P.C.V. » ?

⇨ *RÉPONSE PAGE 296.*

I'll meet you at the station

Les <u>prépositions</u> sont de petits mots de liaison qui relient le verbe à son complément (nom ou pronom). Elles peuvent indiquer la position, le mouvement, l'attribution, etc.

En français, *pour, sans, avec, vers, de,* etc. sont des prépositions.

En anglais, il faut les manier avec une grande précision si l'on veut se bien faire comprendre.

Certains verbes, qui en français ont un complément direct : *attends-moi, regarde-le, écoute-la,* se construisent en anglais avec une préposition : **wait for me, look at him, listen to her.**

lost	[lost]	*perdu*
without	[wizaout]	*sans*
by chance	[baï tcha:ns]	*par hasard*
the pictures	[piktchez]	*le cinéma*
I was born	[bo:n]	*je suis né(e)*
to lean*	[li:n]	*se pencher*
town	[taoun]	*ville*

* Verbes irréguliers pp. 368-370.

1. I will be pleased to do it for you.
2. She'll travel with Charlie.
3. He will be lost without her.
4. I met him by chance.
5. He comes from Scotland.
6. I want to go to the pictures. (U.S. : **movies**)
7. I'll meet you at the station.
8. I was born in Paris.
9. Can we drive into town?
10. Don't lean out of the window!
11. Wait for me!
12. Listen to her! Look at him!

Je vous accueillerai à la gare

En anglais, les prépositions sont souvent employées avec une plus grande précision qu'en français.

Alors que, par exemple, on utilise la même préposition *à* dans :

j'irai t'accueillir **à** *la gare, je veux aller* **au** *cinéma, ne te penche pas* **à** *la fenêtre*

l'anglais indique la nature de l'action ou du mouvement de manière plus précise : **at the station, to the pictures, out of** *(hors de, à l'extérieur de)* **the window.**

Pour trouver la bonne préposition à employer en anglais, il est utile de « visualiser » l'action.

in indique l'immobilité dans un lieu

to, le déplacement vers un lieu

into, la pénétration dans un lieu

I live in London — He wants to go to London — He went into the room.

Remarquez que s'ils n'ont pas de complément, les verbes **to wait, to listen, to look,** ne sont pas suivis de préposition.

Ex. : **I shall wait — Can't you listen? — I didn't look.**

Ce n'est que pour introduire le complément que l'on a besoin de la préposition : **I shall wait for you — Can't you listen to your brother? — I didn't look at it.**

1. Je serai heureux de le faire pour vous.
2. Elle voyagera avec Charlie.
3. Il sera perdu sans elle.
4. Je l'ai rencontré par hasard.
5. Il vient d'Écosse.
6. Je veux aller au cinéma.
7. Je vous accueillerai à la gare.
8. Je suis né à Paris.
9. Pouvons-nous pénétrer en ville en voiture?
10. Ne vous penchez pas à la fenêtre !
11. Attends-moi !
12. Écoutez-la ! Regarde-le !

He got off the bus

Le verbe **to get** est susceptible de prendre bien des sens différents selon la préposition avec laquelle il est construit :

He got off the bus	*Il est descendu du bus*
He got on the bus	*Il monta dans l'autobus*
He got out of the room	*Il sortit, etc.*

there is (+ sing.), **there are** (+ plur.) *il y a*

after	*après*
before	*devant*
in front of	*en face de*
behind	*derrière*
on	*sur*
above	*au-dessus de*
over	*au-dessus de*
under	*au-dessous de*
below	*au-dessous de*
against	*contre*
about	*à propos de, au sujet de*
nothing	*rien*
noise	*bruit*
shelf	*étagère*
flat (G.B.), **apartment** (US)	*appartement*
store (US), **shop** (G.B.)	*magasin*
fog	*brouillard*
river	*rivière*

1. I met him after the match.
2. He tried to arrive before us.
3. My car is parked in front of the hotel.
4. I heard a noise behind the wall.
5. There are three books on the shelf.
6. They live in a flat above the store.
7. There is fog over the river.
8. The cat is under the bed.
9. The temperature was well below zero.
10. I have nothing against it.
11. I know nothing about him.
12. He got off the bus.

Il descendit de l'autobus

Le pluriel de **match** est **matches**.
Le pluriel de **shelf** est **shelves**.

Above et **over** signifient tous les deux : *au-dessus de* ; mais **over** signifie aussi :

par-dessus :
> **he jumped over the wall,** *il a sauté par-dessus le mur.*

au cours de, pendant :
> **over the years,** *au fil des ans*

Under et **below** signifient tous les deux : *au-dessous de*

mais **under** indique surtout ce qui se trouve immédiatement en dessous,

alors que **below** implique souvent un système de mesure, de référence :

my coat is under yours, *mon manteau est au-dessous du vôtre*
his results are below the average, *ses résultats sont au-dessous de la moyenne.*

Before signifie à la fois *devant* et *avant*
> **they arrived before us**   *ils sont arrivés avant nous*
> **they stood before me**   *ils se tenaient devant moi.*

There is, there are : notez que le verbe varie selon que le mot qui suit est singulier ou pluriel.

On aura de même **there was, there were,** *il y avait.*

1. Je l'ai rencontré après le match.
2. Il a essayé d'arriver avant nous.
3. Ma voiture est garée en face de l'hôtel.
4. J'ai entendu du bruit derrière le mur.
5. Il y a trois livres sur l'étagère.
6. Ils habitent un appartement au-dessus du magasin.
7. Il y a du brouillard au-dessus de la rivière.
8. Le chat est sous le lit.
9. La température était bien au-dessous de zéro.
10. Je n'ai rien contre.
11. Je ne sais rien à son sujet.
12. Il est descendu de l'autobus.

Exercices • *verbes + prépositions*

A. Traduisez
1. Ne vous penchez pas à la fenêtre.
2. Ne m'attendez pas.
3. Écoutez !
4. Il est arrivé avant moi.
5. Ma voiture est garée en face du magasin.
6. Je suis né à Paris.
7. Le livre est sous le lit.
8. Cela vient d'Écosse.

B. Traduisez
1. Get out of there!
2. The flat is behind the store.
3. I haven't heard about him.
4. I'll meet you at the station.
5. The shelf is against the wall.
6. The bed is under the window.

A.
1. Don't lean out of the window.
2. Don't wait for me.
3. Listen!
4. He arrived before me.
5. My car is parked in front of the store.
6. I was born in Paris.
7. The book is under the bed.
8. It comes from Scotland.

B.
1. Sortez d'ici !
2. L'appartement est derrière le magasin.
3. Je n'ai pas entendu parler de lui.
4. J'irai vous chercher à la gare.
5. L'étagère est contre le mur.
6. Le lit est sous la fenêtre.

Se construisant avec des prépositions en anglais :

to wait for somebody	*attendre quelqu'un*
to listen to somebody	*écouter quelqu'un*
to look at something	*regarder quelque chose*
to look for something	*chercher quelque chose*
to hope for something	*espérer quelque chose*

Se construisant sans préposition en anglais :

to need something	*avoir besoin de quelque chose*
to enter a room	*entrer dans une pièce*
to obey somebody	*obéir à quelqu'un*
to approach a town	*approcher d'une ville*
to resist something	*résister à quelque chose*

Notez aussi :
to ask somebody for something
demander quelque chose à quelqu'un

CIVILISATION

LE PARLEMENT, THE PARLIAMENT, comprend deux chambres :
LA CHAMBRE DES COMMUNES, THE HOUSE OF COMMONS, devant
laquelle *le Gouvernement*, the Government, est responsable :

exerce la réalité du pouvoir législatif en discutant et votant les
lois ; en l'absence de constitution écrite, elle légifère en tenant
compte de la tradition et des précédents ;

ses membres, les M.P.s *[èmpi:z]* , **Members of Parliament**, sont élus
pour 5 ans, lors des *élections législatives*, **general elections**.
les Communes comptent aujourd'hui 651 membres, chacun
représentant une *circonscription* (**constituency**).
LA CHAMBRE DES LORDS, THE HOUSE OF LORDS :

lieu de réflexion, qui conserve une autorité morale mais ne peut
s'opposer au vote d'une loi par les Communes ;

ultime juridiction d'*appel*, **appeal** ;

y siègent des *Pairs héréditaires*, **Hereditary Peers**, princes de sang
royal et aristocrates, des dignitaires de l'Eglise anglicane et de la
Justice et des *Pairs à vie*, **Life Peers**, nommés en reconnaissance de
services rendus à la nation ou de leur notoriété. Plus de 1100 pairs,
dont seulement une centaine participent aux séances.

LE GOUVERNEMENT, THE GOVERNMENT, constitue l'exécutif :
Le Premier Ministre, the **Prime Minister** ou **Premier**, est traditionnellement le leader du parti qui a remporté les élections.
Les ministres les plus importants font partie du Cabinet qui se
réunit une ou deux fois par semaine au **10 Downing Street**, rési-
dence du Premier Ministre.

LES PARTIS
Deux grands partis: *les Conservateurs*, the **Conservatives** ou **Tories**,
et *les Travaillistes*, the **Labour Party**.
Depuis les années 80, un troisième parti, **les Liberal-Democrats**,
est issu de la fusion de l'ancien parti liberal et de dissidents de la
droite du parti travailliste.

☞ Remarque : à noter l'existence officielle d'un chef de l'opposition,
rémunéré pour ce poste, et d'un **Shadow Cabinet**, *Cabinet Fantôme*,
symétrique du Cabinet du gouvernement au pouvoir. Cette pratique
permet à l'opposition de bien connaître les dossiers et de se préparer
au pouvoir si elle gagne les élections.

DIALOGUES ET VIE PRATIQUE

Diana : Why are you slowing down ?
Richard : I'm lost. I think I'll park here and ask somebody where the hotel is.
Diana : I'm sure it's behind us. We drove past it. I think we missed it five minutes ago.
Richard : I don't know. You're lucky if you can see anything in this fog !
Diana : Listen ! We've got to drive back, I'm telling you ! It's on the other side of the river. Let's drive back into town !
Richard : We'll never find it. We've got to ask someone. It's getting late and I'm tired of driving. I really think we'd better ask somebody.
Diana : Look ! Isn't that our hotel ?
Richard : It's not an hotel. Can't you see it's the station ?
Diana : I'm sure the hotel isn't very far.

Péninsule de 250 km de long sur 40 à 70 km de large, le *Pays de Galles* (**Wales** [wéilz]) s'étend à l'ouest de l'Angleterre. C'est un pays *montagneux* (**mountainous** [maountines]), où se trouve le **Snowdon** (1085 m), mont le plus élevé du Pays de Galles et de l'Angleterre.

Incorporé sous Henry VIII (1491-1547) à l'Angleterre, le Pays de Galles a conservé sa culture, ses traditions et sa langue.

En effet, dans l'ouest et le nord du pays, près de 50 % des habitants parlent le *gallois* (**Welsh** [wèlch]) et tous les documents officiels et panneaux doivent être écrits en anglais et en gallois.

Le gallois n'est pas simple à prononcer ; un petit village du Pays de Galles bat sans doute le record du nom le plus long avec 56 lettres :
Llanfairpwllgwyngllgogerychwymdrobwllllantysiliogogogoch
Eglise-Sainte-Marie-dans-le-creux-du-noisetier-blanc-près-du-tourbillon-rapide-de-Llandjsilio-la-grotte-rouge.

DIALOGUES ET VIE PRATIQUE

Diana : Pourquoi ralentis-tu ?

Richard : Je suis perdu. Je crois que je vais me garer ici et demander à quelqu'un où est l'hôtel.

Diana : Je suis sûre qu'il est derrière nous. On est passé devant en voiture. Je pense qu'on l'a raté il y a cinq minutes.

Richard : Je ne sais pas. Tu as de la chance si tu y vois quelque chose dans ce brouillard !

Diana : Écoute ! On doit faire demi-tour, je te le dis ! C'est de l'autre côté du fleuve. Retournons en ville !

Richard : On ne le trouvera jamais. Il faut demander à quelqu'un. Il se fait tard et je suis fatigué de conduire. Je pense vraiment que nous ferions mieux de demander.

Diana : Tiens, regarde ! N'est-ce pas notre hôtel ?

Richard : Ce n'est pas un hôtel, ne vois-tu pas que c'est la gare.

Diana : Je suis certaine que l'hôtel n'est pas loin.

I have reserved [rize:vd] **one room in the name of...**
J'ai réservé une chambre au nom de...

arrhes	**deposit**	[dipozit]
bon d'échange	**voucher**	[vaoutche]
chambre simple	**single room**	[singel rou:m]
chambre double	**double room**	[dœbel rou:m]
chambre à deux lits	**twin bedroom**	
complet	**fully booked**	[fouli boukt]
demi-pension	**half-board** *(GB)*	[ha:f bo:d]
	modified [modifaïd] **American Plan** *(US)*	
pension complète	**full board** *(GB)*	[foul bo:d]
	American [amèriken] **plan** *(US)*	
quitter (et payer)	**to check out**	[tchèk]

 QUEL EST LE JOURNAL DU DIMANCHE QUI A LE PLUS GROS TIRAGE AU MONDE ?

⇨ *RÉPONSE PAGE 221.*

207

I am invited

To be (conjugué à tous les temps) + participe passé = <u>voix passive</u>
I am invited, *je suis invité(e)*

not yet		*pas encore*
to receive	[risi:v]	*recevoir*
to choose*, chose, chosen		*choisir*
to repair	[ri:pè]	*réparer*
to arrest	[erèst]	*arrêter*
to discover	[diskœve]	*découvrir*
to kill		*tuer*
to appoint	[epoïnt]	*nommer*
to dismiss	[dismis]	*congédier*
to hire	[hàïe]	*engager*
director		*directeur*
personnel manager		*chef du personnel*
border		*frontière*
Swiss		*suisse* (adj.)
huge	[hioudj]	*énorme*
body		*corps*
car crash		*accident de voiture*
position		*poste*
candidate		*candidat(e)*

1. I am invited by the Jacksons.
2. He will be received by the director.
3. She was chosen among ten candidates.
4. His car is not yet repaired.
5. He was arrested near the Swiss border.
6. The body was discovered in the street.
7. After the accident the two cars were surrounded by a huge crowd.
8. She got killed in a car crash.
9. He was appointed to this position last month.
10. This house was built before the war.
11. He was dismissed last month.
12. But she thinks he will be hired again.

Je suis invité

La voix passive : lorsque le sujet d'un verbe subit une action, le verbe est mis à la voix passive. Celle-ci se construit comme en français avec le verbe **to be** + le participe passé du verbe.

— voix active : **I invite John**   *j'invite Jean*
— voix passive : **John is invited (by me)**   *Jean est invité.*

1. 2. 7. Le complément, s'il y en a un, est souvent introduit par la préposition **by**, mais on rencontre également **with**, ex. :

The lounge is filled with smoke, *le salon est rempli de fumée.*

4. **Not yet,** *pas encore.* **Yet** signifie 1) *encore*
                                      2) *cependant*

Dans le sens de *encore,* on le rencontre surtout à la forme négative. (On utilisera plutôt **still** pour traduire *encore* à la forme affirmative.)

8. **He got killed,** *il s'est tué* (dans le sens de *il s'est fait tuer*). Il s'agit bien d'un passif. (Dans le cas d'un suicide, on dirait : **he killed himself,** m. à m. *il a tué lui-même,* avec utilisation du pronom réfléchi — voir « Pronoms réfléchis », Précis, p. 346).

To get peut remplacer **to be** quand il y a changement d'état :

ex. : **to be invited** *être invité*   **to get invited** *se faire inviter*
     to be married *être marié*   **to get married** *se marier*
     to be drunk *être ivre*   **to get drunk** *s'enivrer*

1. Je suis invité par les Jackson.
2. Il sera reçu par le directeur.
3. Elle a été choisie parmi dix candidates.
4. Sa voiture n'est pas encore réparée.
5. Il a été arrêté près de la frontière suisse.
6. Le corps a été découvert dans la rue.
7. Après l'accident les deux voitures furent entourées par une foule énorme.
8. Elle s'est tuée dans un accident de voiture.
9. Il a été nommé à ce poste le mois dernier.
10. Cette maison a été construite avant la guerre.
11. Il a été congédié le mois dernier.
12. Mais elle pense qu'il sera engagé à nouveau.

I was told...

Verbes à deux compléments et par suite deux voix passives :

to ask	*demander*
to propose	*proposer*
to show*	*montrer*
to offer	*offrir*
to teach*	*enseigner*

Les verbes se construisant avec une préposition qui introduit un complément indirect peuvent se mettre au passif :

> ex. : **to send for**, *envoyer chercher* ou *faire venir*

to replace	*remplacer*
birthday	*anniversaire*
help	*aide*
increase	*augmentation*
way	*chemin, façon*
salary	*salaire*

£ = abréviation de **pound** : *livre* (unité monétaire), est placé avant un chiffre ; ex. : **£ 5**
mais on prononce **five pounds** [faïv paoundz].

Attention : *on dit que...*   **it is said...**
          on me dit que...   **I am told...**
          on dit de moi que je...   **I am said to...**

* V. verbes irréguliers, pp. 368-370.

1. You'll be asked two questions.
2. We were charged a lot of money for a very small bedroom.
3. She was given a new bicycle for her birthday.
4. They were lent £ 1,000.
5. I was offered a new job.
6. He was promised an important increase in salary.
7. She was proposed to replace him.
8. I hope they will be sent some help.
9. We were shown the way to the station.
10. Richard was taught English and Russian.
11. I was told he was ill.
12. The doctor was sent for.

On m'a dit...

<u>Double passif</u> avec verbes à deux compléments.

Un certain nombre de verbes qui — en anglais comme en français — expriment en général l'idée de transmettre quelque chose à quelqu'un, peuvent avoir deux compléments et ont en anglais deux constructions possibles.

À partir de la phrase :

I sent Peter a letter (= I sent a letter to Peter)
J'ai envoyé une lettre à Pierre

(verbe + compl. d'objet direct + compl. d'attribution)

on aura deux constructions passives :

1) **Peter was sent a letter**
où le complément d'attribution **Peter** est devenu sujet de la voix passive.

2) **A letter was sent to Peter,** *une lettre a été envoyée à Pierre*

La forme 1 est de loin la plus fréquente.

La voix passive est beaucoup plus employée en anglais qu'en français. La forme 1 anglaise sera souvent rendue en français par *on*.

B 2, 12. Le complément introduit par une préposition peut devenir sujet d'une voix passive ; le verbe conserve la préposition.

1. On vous posera deux questions.
2. On nous a fait payer beaucoup d'argent pour une toute petite chambre.
3. On lui a donné une bicyclette neuve pour son anniversaire.
4. On leur a prêté 1 000 livres.
5. On m'a offert un nouveau travail.
6. On lui a promis une importante augmentation de salaire.
7. On lui a proposé de le remplacer.
8. J'espère qu'on leur enverra de l'aide.
9. On nous a montré le chemin de la gare.
10. On a enseigné à Richard le russe et l'anglais.
11. On m'a dit qu'il était malade.
12. On a envoyé chercher le médecin.

Exercices • Traductions de *"on"*

A. Traduire ces phrases au double passif (et soulignez la forme la plus fréquente)
1. J'ai offert un magnétophone à Betty. — 2. Il a envoyé une lettre à ses parents. — 3. Il a promis quelque chose à sa fille. — 4. Nous avons prêté notre appartement à Georges.

B. Employez to get quand il convient
1. Il s'est tué dans un accident. — 2. On dit qu'elle a essayé de se tuer. — 3. Elle n'est pas encore mariée. — 4. Elle s'est mariée il y a un mois.

A. 1. Betty was offered a tape-recorder ; a tape-recorder was offered to Betty.
2. His parents were sent a letter ; a letter was sent to his parents.
3. His daughter was promised something ; something was promised to his daughter.
4. George was lent our flat ; our flat was lent to George.

B. 1. He got killed in an accident. — 2. It is said she tried to kill herself.
3. She is not yet married. — 4. She got married a month ago.

on

1) par le « passif », cf. B 3, B 4.

2) avec **one**, dans les phrases d'allure proverbiale :
   One never knows *on ne sait jamais.*

3) les pronoms personnels **we, you, they**, employés selon la personne qui parle et celle à qui elle s'adresse. Ex. :
   un Anglais parle :
   We drink beer... *on boit de la bière* (en G.-B.)...
   un Anglais parle à un Français :
   You drink wine in France... *on boit du vin en France...*
   en parlant de gens qui ne sont pas là :
   They drink a lot of beer in Germany
   on boit beaucoup de bière en Allemagne.

4) **Somebody,** quand l'identité n'est pas connue :
   Listen! somebody's coming *écoute ! on vient.*

5) **People :**
   People like good food in this country
   on aime la bonne nourriture dans ce pays.

CIVILISATION

Elles reposent sur le fédéralisme et sur la séparation des pouvoirs législatif, éxécutif et judiciaire.

Le document fondateur en est la Constitution de 1789.

L'EXÉCUTIF

Le Président (the President) élu pour quatre ans, est rééligible une seule fois. Il vit à *la Maison Blanche* (the White House). Ses pouvoirs font du système américain un système présidentiel, tempéré par le contrôle effectif exercé par le Congrès et le pouvoir local des différents états.

LE LÉGISLATIF

Il est constitué par *le Congrès* (the Congress) qui siège sur une colline de Washington, Capitol Hill, et comporte deux chambres :

La Chambre des Représentants (the House of Representatives) dont les membres sont élus pour deux ans ; le nombre de représentants par état dépend de la population. Il y a actuellement 435 représentants.

Le Sénat (the Senate [sènet]) qui comprend deux sénateurs par état (soit cent sénateurs) élus pour six ans, renouvelés par tiers tous les deux ans.

LE JUDICIAIRE

La Cour Suprême (the Supreme Court) décide en dernière instance de la Constitutionnalité des lois et des mesures prises par les différents états. C'est elle qui prendra la décision finale sur la peine de mort, l'avortement, etc.

La Cour Suprême comprend neuf juges, nommés à vie par le Congrès sur *proposition* (nomination), du Président.

LES PARTIS

Deux partis principaux :

Les Républicains (the Republicans) souvent désignés par l'abréviation G.O.P. (*Grand Old Party*), avec comme emblème *l'éléphant* (the elephant).

Les Démocrates (the Democrats) avec comme emblème *l'âne* (the donkey).

Ce sont les partis qui lors de leurs conventions, désignent leurs *candidats officiels* (nominees) à la Présidence et à la Vice-présidence, *le « ticket »* (the ticket). *(suite p. 215)*

DIALOGUES ET VIE PRATIQUE

Edward : Do you know who I met last week ?

Sharon : I have no idea.

Edward : Charlie Baldwin. I met him by chance at the pictures[1].

Sharon : How is he doing ? I was told he passed his exam in July.

Edward : Yes he did. And he was immediately offered a new job, with a much better salary. He was chosen among ten candidates. I didn't understand what his new position is. All I know is (that) he was appointed last month.

Sharon : Have you got his phone number ? I want to invite him for the week-end.

Edward : Yes , I have his phone number and his address.

---

1. pictures, *images*, et (ici) *cinéma* ; US movies. A l'origine, moving pictures, *images animées*.

hairdresser	[hè-erdrèser]	*coiffeur*
journalist	[dje:melist]	*journaliste*
lawyer	[lo:i-e]	*juriste*
manager	[manidjer]	*directeur*
mechanic	[mikanik]	*mécanicien*
nurse	[ne:s]	*infirmière*
postman	[pôoustmen]	*postier*
receptionist	[risèptchenist]	*réceptioniste*
secretary	[sèkretri]	*secrétaire*
shopkeeper	[chopki:per]	*commerçant(e)*
teacher	[ti:tcher]	*enseignant(e)*
worker	[we:rker]	*ouvrier*

DIALOGUES ET VIE PRATIQUE

Edward : Sais-tu qui j'ai rencontré la semaine dernière ?

Sharon : Je n'en ai aucune idée.

Edward : Charlie Baldwin. Je l'ai rencontré par hasard au cinéma.

Sharon : Comment va-t-il ? On m'a dit qu'il a réussi son examen en juillet.

Edward : Tout à fait. Et il a immédiatement trouvé (on lui a immédiatement offert) un nouvel emploi, avec un salaire bien meilleur. Il a été sélectionné parmi dix candidats. Je n'ai pas compris quelle est sa nouvelle situation. Tout ce que je sais, c'est qu'il a été nommé le mois dernier.

Sharon : Tu as son numéro de téléphone ? Je veux l'inviter pour le week-end.

Edward : Oui, j'ai son numéro et son adresse.

LE PRÉSIDENT est élu selon un système à deux étages : vote populaire (suffrage universel) et de grand électeurs, qui traditionnellement votent comme la majorité de l'électorat dans chacun des états. Ainsi un candidat qui obtient la majorité des suffrages populaires dans un Etat donné obtient la totalité des voix des grands électeurs de ces Etats.

L'ADMINISTRATION, THE ADMINISTRATION
C'est le nom donné au Gouvernement, c'est à dire les secrétaires d'état et hauts fonctionnaires dont s'entoure le Président.

☞ Remarque : il est fréquent que le Président appartienne à un parti, alors que le Congrès, ou l'une des deux Chambres, est dominé par l'autre parti.

 QU'EST-CE QU'UNE **PUBLIC HOUSE** ?

⇨ *RÉPONSE PAGE 245.*

She has seen many films

Le <u>participe passé</u> (qui est une sorte d'adjectif du verbe) se forme :

<u>pour les verbes réguliers</u> (ou « faibles »), comme le prétérit :

infinitif + ed

<u>pour les verbes irréguliers</u> (ou « forts ») : forme spéciale selon chaque verbe (cf. Mémento p. 368).

Le <u>present perfect</u> est un temps composé du passé
construit avec **to have** + participe passé

Ex. : **I have visited...**   *j'ai visité...*
     she has driven...   *elle a conduit...*

À la forme interrogative :   **have** + sujet + participe passé

Ex. : **have you visited...?**   *avez-vous visité...?*

À la forme négative :   sujet + **have** + **not** + participe passé

Ex. : **she has not driven...**   *elle n'a pas conduit...*

Semblable dans sa forme au « passé composé » français, le <u>present</u> <u>perfect</u> est en fait un temps très relié au présent. Il exprime des actions passées mais non datées, vécues du point de vue de leurs conséquences présentes.

Ex. : *je suis allé en Angleterre (= je connais l'Angleterre)*
    I have been to England

<u>Present perfect progressif</u> :   **to have** + **been** + part. présent

<u>Present perfect passif</u> :   **to have** + **been** + part. passé

1. **I have been to the United States more than once.**
2. **She has seen many films.**
3. **He has bought two bicycles.**
4. **He has been hurt in a car accident.**
5. **What have you been doing lately?**
6. **I have been working all morning.**
7. **We have been allowed to park here.**
8. **She has bought a new dress.**
9. **I have never met this person.**
10. **This year she has been studying English.**
11. **Have you ever been at the Fords'?**

Elle a vu beaucoup de films

1. 2. 3. 4. 7. 8. Le <u>présent perfect</u> indique bien qu'il s'agit d'actions effectuées à un moment non précisé du passé.

1. 11. Remarquez l'emploi idiomatique de **to be** au sens d'*aller* dans un pays, *visiter* un pays ou d'*aller chez quelqu'un, rendre visite à quelqu'un*. Cet emploi n'existe qu'au présent perfect ; au prétérit on dirait :
I went to the United States in 2001.
Je suis allé aux U.S.A. en 2001.

Attention : le <u>passé composé</u> en français se forme à l'aide des auxiliaires *avoir* ou *être*
J'ai mangé un gâteau   Je suis allé aux U.S.A.
Quel que soit le complément le <u>present perfect</u> se construit toujours avec l'auxiliaire **to have**
I have eaten a cake   I have been to the U.S.A.

5. Le <u>present perfect progressif</u> s'emploiera pour une action passée mais très récente.

6. 10. De même on emploiera le <u>present perfect progressif</u> pour décrire une action qui, bien que terminée, fait partie de l'unité de temps où l'on se situe.

9. **Never**, *jamais*, employé avec un verbe affirmatif.

11. **Ever**, *jamais*, au sens positif dans les questions (m. à m. : *avez-vous été une fois chez les Ford ?*) et dans des tournures hypothétiques : **if you ever meet him**, *si jamais tu le rencontres*.

at the Fords' : *chez les Ford*, cas possessif, les mots : **home**, *foyer*, ou **house**, sont sous-entendus.

1. Je suis allé aux États-Unis plus d'une fois.
2. Elle a vu beaucoup de films.
3. Il a acheté deux bicyclettes.
4. Il a été blessé dans un accident de voiture.
5. Qu'as-tu fait récemment ?
6. J'ai travaillé toute la matinée.
7. On nous a autorisés à (nous) garer ici.
8. Elle a acheté une nouvelle robe.
9. Je n'ai ajmais rencontré cette personne.
10. Cette année elle a étudié l'anglais.
11. Êtes-vous jamais allé chez les Ford ?

I have known him for years

En plus des emplois décrits en A 1, le <u>present perfect</u> s'affirme dans une large mesure <u>comme un temps du présent</u> dans les constructions où son utilisation est obligatoire pour décrire des actions <u>commencées dans le passé et se continuant au moment présent</u>.

Ex. : *Je suis avec vous <u>depuis</u> 10 minutes*
I have been with you <u>for</u> 10 minutes
Il est avec nous <u>depuis</u> hier
He has been with us <u>since</u> yesterday

Le present perfect progressif sera souvent employé dans ce cas (pour bien marquer l'idée de durée)

Elle attend depuis plusieurs heures
She has been waiting for several hours

Traduction de : *je viens de* + verbe à l'infinitif

I have + just + participe passé

C'est le passé proche ou passé immédiat
Je viens de rencontrer Pierre   **I have just met Peter**

an hour and a half		*une heure et demie*
to complete	[kempli:t]	*achever*
to finish		*terminer, finir*
a report	[ripo:t]	*rapport*
for	*depuis, cela fait … que* (également *pour, pendant*)	
since	*depuis* (à partir d'un point de départ)	

1. I have been working here for seven years.
2. I have been working here since 1994.
3. How long have you been working here?
4. We have been here for ten minutes.
5. We have been waiting for an hour and a half.
6. How long have you known Peter?
7. I have known him for years.
8. She has been studying English for five years.
9. He has been studying English since last year.
10. I have just completed my report.
11. She has just left her office.
12. We have just finished our work.

Je le connais depuis des années

1. 5. 7. 8. **For,** *depuis* (ou *il y a, cela fait... que*), indique une durée. La forme progressive met justement l'accent sur cette durée.

Attention : **for** signifie également *pendant,* mais dans ce cas on emploiera le prétérit qui indique que l'action est terminée. Reportez-vous aux Leçons 14 (A 2) et 40 (A 1; A 2, A 3).

since, *depuis* à partir d'un point de départ qui peut être soit :
un siècle précis :
    depuis le 19ᵉ siècle,   **since the 19th century**
    depuis le siècle dernier,   **since last century**
une année, un mois, précis :
    depuis 1995, **since 1995**   *depuis juin dernier,* **since last June**
une plage de temps : *depuis hier,* **since yesterday**

3. 6. **How long = for how long :** *depuis combien de temps, il y a combien de temps, cela fait combien de temps.*

Attention : **how long,** peut signifier *pendant combien de temps ?* mais dans ce cas on emploiera le prétérit qui indique que l'action est terminée (voir L. 40, A 2).
On pourrait également rencontrer :
    Have you been working here long?
    Have you known Peter long?
sens proche de celui des phrases 3 et 6 ; **long = for a long time,** *depuis longtemps.*

1. Je travaille ici depuis sept ans.
2. Je travaille ici depuis 1994.
3. Depuis combien de temps travaillez-vous ici ?
4. Nous sommes ici depuis dix minutes.
5. Nous attendons depuis une heure et demie.
6. Depuis combien de temps connais-tu Pierre ?
7. Je le connais depuis des années.
8. Elle étudie l'anglais depuis cinq ans.
9. Il étudie l'anglais depuis l'an dernier.
10. Je viens d'achever mon rapport.
11. Elle vient de quitter son bureau.
12. Nous venons de finir notre travail.

Exercices

A. Traduire : *il y a, depuis, cela fait... que* (l'action se poursuit depuis une certaine durée)
1. Ils répètent la même chose depuis des années.
2. Cela fait des mois que j'attends leur réponse.
3. Il y a trois semaines qu'il est malade.
4. Il y a six mois qu'elle espère gagner ce match.

B. Traduire : *depuis* (l'action se poursuit depuis une date, un moment particulier)
1. Il répète ça depuis hier soir.
2. Il attend votre réponse depuis juin 19...
3. Il est malade depuis la semaine dernière.
4. Agathe espère obtenir cet examen depuis l'an dernier.

C. Traduire : *depuis combien de temps ?*
1. Depuis combien de temps connais-tu Valérie ?
2. Connaissez-vous les Wood depuis longtemps ?
3. Est-ce que vous attendez depuis longtemps ?
4. Il y a longtemps que tu es là ?

D. Traduire : *je viens de...*
1. Elle vient d'obtenir son examen.
2. Je viens de passer une semaine en Écosse.

A. 1. They have been repeating the same thing for years.
2. I have been waiting for their answer for months.
3. He has been ill for three weeks.
4. She has hoped to win this match for six months.

B. 1. He has been repeating that since yesterday evening.
2. He has waited (ou has been waiting) for your answer since June 19...
3. He has been ill since last week.
4. Agatha has hoped to get this exam since last year.

C. 1. How long have you known Valerie?
2. Have you known the Woods long?
3. Have you been waiting long?
4. Have you been here long?

D. 1. She has just got (obtained) her exam.
2. I have just spent a week in Scotland.

CIVILISATION

Les Britanniques sont de grands lecteurs de *journaux* (**newspapers** [**niouzpéipez**]). Il existe 6 000 titres dans les domaines les plus variés et les quotidiens (**dailies**) tirent à près de 25 millions d'*exemplaires* (**copies** [kopiz]).

On trouve quatre types de journaux :

Les journaux dits « de qualité » (**quality papers**) :

The Times, le plus ancien (1785). Conservateur, il s'adresse à la *classe dirigeante* (**the Establishment** [istablichment]), aux hommes d'affaires et *professions libérales* (**the professions** [prefèchenz]).

The Daily Telegraph, centre droit, plus d'un million d'exemplaires ;

The Financial Times [faïnenchel taïmz], indépendant ;

The Guardian [**ga**:dien] (1821) , centre gauche ;

The Independant (1986), centre.

La *presse populaire* (**popular press**)

The Sun, indépendant de format tabloïd, plutôt agressif et chauvin, est le plus lu et tire à plus de 4 millions d'exemplaires par jour.

The Daily Mirror, centre gauche, spécialiste des faits divers et des scandales, tire à plus de 3 millions d'exemplaires ;

The Daily Mail, à droite, à près de deux millions d'exemplaires.

Les *journaux du dimanche* (**Sunday papers**)

Très épais, ils comportent, en dehors des *nouvelles* (**news**), de nombreuses *rubriques* (**reviews** [riviouz]), artistiques, sportives,etc.

The Sunday Times, conservateur (près de 1,5 millions d'ex.) ;

The Sunday Telegraph, centre droit (plus de 600 000 ex.) ;

The Observer (1791), indépendant (plus de 700 000 ex.) ;

News of the World, le plus gros tirage mondial avec plus de 5 millions d'exemplaires, représente la *presse à scandale* (**gutter press**, mot-à-mot *presse de caniveau*), avec une description détaillée de crimes et d'affaires scabreuses.

Les *magazines* (**magazines**) : on y trouve les *hebdomadaires* (**weeklies**) et les *mensuels* (**monthlies**). Tous les domaines y sont abordés, de l'économie et la finance, avec **The Economist**, aux scandales avec **Private Eye** ou la politique et la culture avec **The Spectator**.

DIALOGUES ET VIE PRATIQUE

Patricia : Is there anything good on television tonight, Henry ?

Henry : Not much. BBC 1 has a documentary.

Patricia : Oh really ? About what ?

Henry : Animals in Africa.

Linda : And what about BBC 2 ?

Henry : The usual programmes about culture, painting and the theatre.

Patricia : I suppose ITV is all stupid comedy programmes ?

Henry : That's right.

Linda : There's a great concert on Channel Four.

Patricia and Henry : Good, let's watch that !

LA BBC : née en 1927, la BBC (**British Broadcasting Corporation**) est un établissement semi-public, doté d'une charte royale qui assure son indépendance. Ne diffusant aucune publicité, elle est financée par une *redevance* (**licence fee** [laïsens fi:]) payée par les téléspectateurs, et par ses revenus propres :

– vente de ses publications (magazines tels **Radio Times** et ouvrages tirés de ses séries à succès,

– vente de *droits* (**rights** [raïts] sur ses reportages, séries et *dramatiques* (**dramas**) ;

– vente de ses cours d'anglais (**English by Radio and Television**).

Télévision : la BBC possède deux chaînes :

– BBC 1, station généraliste de grande audience ;

– BBC 2, chaîne plus culturelle.

Radio : la BBC compte quatre stations de radio : **Radio 1**, qui diffuse de la musique populaire, **Radio 2 (Light Programme)**, qui diffuse des variétés, **Radio 3**, orienté vers la musique et la culture, **Radio 4**, spécialisée dans l'information.

DIALOGUES ET VIE PRATIQUE

Patricia : Est-ce qu'il y a quelque chose de bien à la télévision ce soir, Henry ?

Henry : Pas grand-chose. BBC 1 donne un documentaire.

Patricia : Ah bon ? Sur quoi ?

Henry : Les animaux en Afrique.

Linda : Et sur BBC 2 ?

Henry : Les émissions habituelles sur la culture, la peinture et le théâtre.

Patricia : Et j'imagine que sur ITV il n'y a que des émissions comiques stupides.

Henry : Exact.

Linda : Il y a un concert super sur Channel 4.

Patricia et Henry : Bien, on va regarder ça.

LES STATIONS PRIVÉES

Parallèlement à la BBC, il existe deux chaînes de télévision privées :

ITV (**Independent Television**) : regroupant un ensemble de sociétés privées régionales et vivant de la publicité, elle offre des émissions très populaires.

Channel Four, la *quatrième chaîne*, à vocation culturelle : films étrangers, opéras, etc.

<u>QUELQUES MOTS DE LA TÉLÉVISION</u>

commercials	*publicité télévisée*
evening news	*journal télévisé du soir*
series	*série à thème*
talk show	*causerie, entretien télévisé*

 QU'EST-CE QUE L'HABEAS CORPUS ?

⇨ *RÉPONSE PAGE 311.*

Come in!

Beaucoup de verbes anglais peuvent voir leur sens **précisé** ou **modifié** en étant suivi par des mots appelés <u>postpositions</u> :

in	indique *la pénétration, l'entrée*
out	indique *un mouvement de sortie, de retrait*
up	indique *un mouvement vers le haut*
down	indique *un mouvement vers le bas*
off	indique *le départ* ou *la séparation*
away	indique *l'éloignement*
on	indique *le fait de porter, mettre un vêtement* ou *la continuation*

to **come in**	*entrer*	to **move out**	[mou:v aout]	*déménager*
to **show in**	*faire entrer*			
to **let in**	*faire entrer*	to **take off**	[téïk of]	*décoller*
to **go out**	*sortir*			
to **look up**	*lever les yeux*	to **go on**, to **carry on**		*continuer*
to **put down**	*poser*			
to **be off**	*partir*	**the end**		*la fin*
to **run away**	*s'enfuir*	**frightened**	[fraïtend]	*effrayé*
to **put on**	*mettre*	**occasion**	[ekéïjen]	*occasion*
to **pass on**	*faire passer*			

1. Come in!
2. Show her in!
3. Let them in!
4. We'll go out in a minute.
5. They will move out at the end of the month.
6. He looked up.
7. Put your case down.
8. The plane is going to take off.
9. Off we go!
10. I must be off.
11. The frightened boy ran away.
12. She put on a new dress for the occasion.
13. Pass it on.
14. Go on! Carry on!

Entrez !

Alors que la préposition **in** (cf. Leçon 24) indique l'immobilité dans un lieu, ex. : **to work in a room**, *travailler dans une pièce*, la postposition **in** indique l'entrée : **come in!** *entrez !*
Pour obtenir la même idée d'entrer dans un lieu, il faudrait utiliser la préposition **into**, suivie d'un complément :
    come into the room, *entrez dans la pièce*.

Show her in! *faites-la entrer !* C'est la postposition **in** qui donne son sens principal à la phrase ; c'est en fait elle qu'on traduit en français.

Comparez **look at me!** *regardez-moi !* et **look up!** *levez les yeux !* Dans le premier cas la préposition **at** ne peut s'employer qu'avec un complément, **me**. Sans complément, elle disparaît : **look!** *regarde !* Par contre la postposition **up** forme un tout avec le verbe ; elle subsiste donc à l'infinitif et à l'impératif :
    to look up   *lever les yeux*
    look up!   *lève les yeux !*

Off we go! Dans ce cas particulier, la place de **off** en début de phrase donne de la vivacité à l'expression.

The frightened boy ran away : c'est la postposition **away** qui donne son sens principal à la phrase (éloignement, fuite), le verbe indiquant la manière dont l'action s'opère. Comparez avec :
    he ran out,   *il sortit en courant*
    the car drove away,   *la voiture s'éloigna*
    he walked away,   *il s'éloigna (en marchant)*

1. Entrez !
2. Faites-la entrer !
3. Faites-les entrer !
4. Nous sortirons dans une minute.
5. Ils déménageront à la fin du mois.
6. Il leva les yeux.
7. Posez votre valise.
8. L'avion va décoller.
9. Et nous voilà partis !
10. Il faut que je parte.
11. L'enfant effrayé s'enfuit en courant.
12. Elle mit une robe neuve pour l'occasion.
13. Faites-le passer.
14. Continuez ! Continuez !

Hurry up!

Avec le verbe **to get,** le sens dépend entièrement de la postposition qui le suit : **to get out,** *sortir* ; **to get up,** *se lever.*

De façon générale, la postposition renforce, précise ou modifie le sens du verbe.

La connaissance du sens général d'une postposition aide à comprendre le sens des phrases. Ainsi savoir que la postposition **on** indique la continuation permet de comprendre :

I must get on with my work, *je dois continuer mon travail*
They don't get on at all,   *ils ne s'entendent pas.*

Mais les traductions peuvent varier énormément avec le contexte.

to get in	*entrer*
to get up	*se lever*
to get out	*sortir*
to get on	*continuer*
to get down	*se mettre à/au*

to wake up	[wéik œp]	*se réveiller*
to hurry up	[hœri œp]	*se dépêcher, se presser*
to give up		*abandonner*
to slow down	[slôou daoun]	*ralentir*
to turn down	[te:n daoun]	*repousser*
to look out, to watch out		*faire attention*
work	[we:k]	*travail*
business	[biznis]	*affaires, travail*

1. Get in!
2. Get up!
3. Get out!
4. I must get on with my work.
5. They don't get on at all.
6. Let's get down to work.
7. Let's get down to business.
8. Wake up! Wake him up!
9. Hurry up!
10. I give up!
11. Slow down!
12. The offer was turned down.
13. Look out! Watch out!

226

Dépêchez-vous !

Le même mot grammatical peut souvent être <u>pré-</u> ou <u>postposition</u>
<u>sans changement de sens</u> :

(post.)	**he ran up**	*il monta en courant*
(prép.)	**he ran up the stairs**	*il monta l'escalier en courant*
(post.)	**he got off**	*il descendit*
(prép.)	**he got off the bus**	*il descendit du bus*

avec changement de sens :

> **on,** préposition : *sur*
> **on,** postposition : peut indiquer la *continuation.*

<u>Un verbe avec postposition</u> peut être suivi d'une préposition intro-
duisant un complément :

I must get on with my work, *il faut que j'avance mon travail*
Let's get down to work, *mettons-nous au travail*
He looked up at me, *il leva les yeux pour me regarder.*

<u>La même postposition</u> peut avoir des sens différents : ainsi **up** dans :
get up, *se lever* ; **to hurry up,** *se presser* ; **to give up,** *abandonner.*

Le complément d'un verbe avec postposition se place :
<u>entre</u> le verbe et la postposition si c'est un pronom :
put it down! *pose-le !* **show her in!** *faites-la entrer !*
<u>avant</u> ou <u>après</u> la postposition si c'est un nom :
put your case down ou **put down your case,** *posez votre valise.*

1. Montez ! *ou :* Entrez ! (en voiture, etc.)
2. Levez-vous ! Lève-toi !
3. Sortez ! Sors !
4. Il faut que je continue (que j'avance) mon travail.
5. Ils ne s'entendent pas du tout.
6. Mettons-nous au travail.
7. Parlons affaires.
8. Réveille-toi ! Réveillez-le !
9. Presse-toi ! (Pressez-vous !)
10. J'abandonne (Je renonce) !
11. Ralentis ! (Ralentissez !)
12. L'offre a été (fut) repoussée (refusée).
13. Fais (faites) attention ! *ou :* Méfiez-vous ! Méfie-toi !

Exercices

A. Traduire en français
1. Show them in!
2. Carry on!
3. I want to go out.
4. When does the plane take off?
5. Look up!
6. The flat is too small, we'll have to move out.
7. We must be off.
8. Why did he run away?

B. Traduire en anglais
1. Entrez !
2. Posez votre valise.
3. Continuez !
4. Attendez !
5. Regardez !
6. Sortez !
7. Réveillez-vous.
6. Ralentissez !

C. Introduire le complément <u>her</u> avec les verbes <u>to wait, to wake up, to listen, to show in</u> (attention selon qu'il s'agit d'une pré- ou d'une postposition)
1. Wait...!
2. Wake...!
3. Listen...!
4. Show...!

D. Introduire le complément <u>her brother</u> après les mêmes verbes
1. Wait...!
2. Wake...!
3. Listen...!
4. Show...!

A.
1. Faites-les entrer !
2. Continuez !
3. Je veux sortir.
4. Quand l'avion décolle-t-il ?
5. Lève les yeux ! (Lève la tête !)
6. L'appartement est trop petit, il nous faudra déménager.
7. Nous devons partir (nous en aller).
8. Pourquoi est-il parti en courant ?

B.
1. Come in! — 2. Put your case down. — 3. Go on!
4. Wait! (Ce n'est qu'avec un complément qu'apparaîtrait la préposition **for**, ex. : **wait for me!**)
5. Look! (Ce n'est qu'avec un complément qu'apparaîtrait la préposition **at**, ex. : **look at this!**)
6. Go out! — 7. Wake up. — 8. Slow down!

C.
1. Wait for her!
2. Wake her up!
3. Listen to her!
4. Show her in!

D. 1. Wait for her brother. — 2. Wake her brother up, *ou* : wake up her brother. — 3. Listen to her brother. — 4. Show her brother in, *ou* : show in her brother.

CIVILISATION

PRESSE ÉCRITE

Il existe 1500 quotidiens aux Etats-Unis et la presse continue à exercer une influence importante sur l'opinion publique malgré la part grandissante de la télévision. De nombreuses villes possèdent leur journal, mais certains titres disposent d'une audience très étendue à l'échelle nationale, avec parmi eux :

The **New York Times** (fondé en 1851), avec près de 900 000 ex ;

The **Washington Post** (1877), 600 000 ex., qui contribuera à la démission du Président Nixon en dévoilant le scandale du **Watergate**.

The **Los Angeles Times**, 1 300 000 ex.

The **Chicago Tribune**, 1 200 000 ex.

A noter que les suppléments du dimanche peuvent atteindre plusieurs centaines de pages.

Parmi les *hebdomadaires* (**weeklies**), des titres tels que **Time, Newsweek, US News and World Report**, bénéficient d'une audience internationale.

LA TÉLÉVISION

La télévision est aux Etats-Unis une énorme industrie. La *diffusion* (**broadcasting**) des émissions est assurée par des centaines de stations locales privées, alimentées pour une partie de leur programmation par les trois grands *réseaux nationaux* (**national networks**), 60 % de l'audience, qui couvrent l'ensemble du territoire : **NBC** (**National Broadcasting Corporation**), **ABC** (**American Broadcasting Corporation**) et **CBS** (**Columbia Broadcasting System**). A cause des changements de fuseaux horaires, leurs programmes changent selon les états. Ils *rivalisent* (**compete**) tous les trois pour obtenir pour les *annonceurs* (**advertisers**) qui les financent la plus grosse *part* (**share**) de l'audience à l'*heure de grande écoute* (**prime time**).

Il existe une chaîne publique indépendante, PBS (**Public Broadcasting System**), 3 % d'audience, sans publicité, à vocation culturelle, financée essentiellement par des dons, des sponsors et l'Etat.

Enfin, parmi les chaînes câblées, CNN (**Cable News Network**) qui diffusent des informations 24 h sur 24 s'est rendue célèbre dans le monde entier pour ses reportages en direct pendant la guerre du golfe.

DIALOGUES ET VIE PRATIQUE

Linda Jones : I'm going out shopping. Does anyone want anything ?

Betty : I'll have that new dance CD.

Jim : And I'll have a new Walkman.

Linda Jones : Very funny – I'm only going to the local shop.

Betty : Then I'll have some chocolate.

Jim : And an orange juice for me please.

IN THE LOCAL SHOP

Linda Jones : Two pounds of apples, a pint of milk, a bar of chocolate and a carton of orange juice please.

Ms Smith : Certainly Mrs. Jones. That'll be two pounds ten pence please.

Linda Jones : There you are. Thank you. Bye.

Ms Smith : My pleasure. Goodbye.

Les *magasins* en Grande-Bretagne (**shops**) et aux États-Unis (**stores**) proposent des *gammes complètes* (**full ranges**) d'*équipements de nouvelle technologie* (**new technology computer equipment**). Quelques exemples :

Accessories, *accessoires*

Optical fiber amplifier and tuner, *ampli et récepteur radio à fibre optique*

CD (Compact Disc, US Disk), *CD (disque compact)*

CD-player/recorder, *lecteur/enregistreur de CD*

DVD (Digital Video-Disc/Disk), *DVD*

Flat screen TV set, *téléviseur à écran plat*

Plasma or LCD (Liquid Crystal Display) screen, *écran plasma ou LCD*

Computer, *ordinateur*

Hard disk, *disque dur*

USB (Universal Serial Bus) key, *clé USB*

DIALOGUES ET VIE PRATIQUE

Linda Jones : Je sors faire des achats. Est-ce que quelqu'un veut quelque chose ?

Betty : Moi, je veux (m. à m. : je prendrai) le nouveau disque compact de danse.

Jim : Et moi, je veux (m. à m. : je prendrai) un nouveau baladeur.

Linda Jones : Très drôle, mais je ne vais qu'au magasin du coin.

Betty : Alors, je voudrais du chocolat.

Jim : Et un jus d'orange pour moi, s'il te plaît.

AU MAGASIN DU COIN

Linda Jones : Deux livres de pommes, une pinte de lait, une tablette de chocolat et une brique de jus d'orange s'il vous plaît.

Mme Smith : Bien sûr madame Jones. Ce sera deux livres et dix pence s'il vous plaît.

Linda Jones : Voilà. Merci. Au revoir.

Mme Smith : C'est moi qui vous remercie. Au revoir.

CDRom (compact disc read only memory), *CDRom (disque compact à mémoire morte)*
Click (to) a button, *appuyer sur un bouton*
Decoder, *décodeur*
Digital camera, *appareil photo numérique*
Floppy (disk), *disquette*
Laptop microcomputer, *ordinateur portable*
PC (personal computer), *PC (ordinateur individuel)*
Printer, *imprimante* — **Screen**, *écran* — **Software**, *logiciel(s)*

 QUE SIGNIFIE L'EXPRESSION SUNNY-SIDE UP ?

⇨ *RÉPONSE PAGE 272.*

We often spend our holidays abroad

Les adverbes sont en anglais, comme en français, des mots invariables qui modifient le sens d'un verbe.
Les adverbes de temps : **never,** *jamais* ; **always,** *toujours* ; **often,** *souvent* ; **still,** *encore* ; et les adverbes de quantité : **almost,** *presque* ; **hardly,** *à peine* ; se placent :

avant le verbe qu'ils modifient, dans une phrase affirmative :

> **We often spend our holidays abroad**
> *Nous passons souvent nos vacances à l'étranger*

entre l'auxiliaire (**to be, to have, to do**) ou le défectif (**I can,** etc.) et le verbe dans une phrase négative ou interrogative :

> **We have never spent our holidays abroad**
> *Nous n'avons jamais passé nos vacances à l'étranger*
> **Do you always spend your holidays abroad?**
> *Passez-vous toujours vos vacances à l'étranger ?*
> **Can you still do it?** *Pouvez-vous encore le faire ?*

always	[**o**:lwéïz]	*toujours*
almost	[**o**:lmoust]	*presque*
hardly	[h**a**:dli]	*à peine*
usually	[youj**ou**eli]	*d'habitude*
still		*encore*
occasionally	[ek**éï**jeneli]	*de temps en temps*
to complain	[kempl**éï**n]	*se plaindre*
to succeed	[seks**i**:d]	*réussir*
to manage	[m**a**nidj]	*s'arranger pour*

1. He is always complaining.
2. She is often helped by her mother.
3. I can almost do it myself.
4. She can hardly believe it.
5. They have never succeeded.
6. He always manages to be late.
7. We often spend our holidays abroad.
8. We never have coffee for breakfast.
9. Do you often spend your holidays abroad?
10. Do you usually have coffee for breakfast?
11. We still see him occasionally.
12. He hasn't yet arrived — He hasn't arrived yet.

Nous passons souvent nos vacances à l'étranger

4. **She can hardly...** : attention à **hardly** qui veut dire *à peine, difficilement, guère.*

Ne pas confondre avec **hard** (adjectif ou adverbe) qui veut dire *dur, durement.*

5. **Never** dans une phrase interrogative serait remplacé par **ever**
Have you ever seen him? *L'avez-vous jamais vu ?*

To succeed et **to manage** signifient tous les deux *réussir.*
Le premier veut dire *connaître le succès,* le second *parvenir à faire quelque chose.* Notez la différence de construction :
to succeed in doing something   to manage to do something

We never have coffee... Notez que **to have** n'est pas ici un auxiliaire (contrairement à son rôle dans la phrase 5) mais un verbe avec le sens de *prendre.*

10. **Usually**, adverbe formé sur l'adjectif **usual + -ly.** Cette formation est fréquente. Ainsi : **real, really,** *vraiment* ; **sad, sadly,** *tristement* ; **happy, happily,** *heureusement,* etc.

11. **Occasionally** est placé en fin de phrase, ce qui est fréquent avec les adverbes longs (plus de 3 syllabes).

Encore se traduit par **still** dans une phrase affirmative ou interrogative, par **yet** dans une phrase négative — **yet** peut se placer entre l'auxiliaire et le verbe ou après le verbe.

1. Il est toujours en train de se plaindre.
2. Elle est souvent aidée par sa mère.
3. Je peux presque le faire moi-même.
4. Elle peut à peine le croire.
5. Ils n'ont jamais réussi.
6. Il s'arrange toujours pour être en retard.
7. Nous passons souvent nos vacances à l'étranger.
8. Nous ne prenons jamais de café au petit déjeuner.
9. Passez-vous souvent vos vacances à l'étranger ?
10. D'habitude prenez-vous du café au petit déjeuner ?
11. Nous le voyons encore de temps en temps.
12. Il n'est pas encore arrivé.

Can you speak slower, please?

Les adverbes de lieu : (**here**, *ici* ; **there**, *là* ; **above**, *au-dessus* ; **under**, *en dessous* ; etc.) se placent en général en fin de phrase ou de proposition : **I live here.**

Les adverbes peuvent porter sur :
— un verbe : c'est le cas de **here** dans **I live here,** *je vis ici*
— un adjectif : c'est le cas de l'adverbe **very** dans **he is very courageous,** *il est très courageux*
— un autre adverbe : **they work very well,**
ils travaillent très bien

Certains adverbes peuvent avoir un comparatif :

slow	lentement	slower	plus lentement
far	loin	farther	plus loin
well	bien	better	mieux
hard	dur	harder	plus dur

Avec certains adverbes on peut former, comme avec les adjectifs (cf. Leçon 21, B), une question commençant par **How** :
How often do you meet?
Quand (avec quelle fréquence) vous rencontrez-vous ?

then	[żèn]	*alors*	slow	[slôou]	*lentement*
to hurt*	[he:t]	*blesser*	slowly	[slôouli]	*lentement*
hard	[ha:d]	*dur*	badly	[badli]	*gravement*

* V. verbes irréguliers, pp. 368-370.

1. Now I live here.
2. My parents live farther from the town.
3. We have never been there before.
4. I was already tired then.
5. He is very courageous, he works very hard.
6. You must work harder.
7. She works very well. She works better than me.
8. You speak too fast.
9. Can you speak slower, please?
10. Can you speak more slowly?
11. How often do you meet?
12. How badly was he hurt?

234

Pouvez-vous parler plus lentement, s.v.p. ?

Before peut être tantôt :
préposition : **he arrived before me,** *il est arrivé avant moi*
conjonction (avec le sens d'*avant que*)
I left before he arrived *Je suis parti avant qu'il n'arrive*
adverbe comme ici en B 2, 3.

Hard est ici (B 2, 5) adverbe avec le sens de *durement*. Ne pas confondre avec **hardly,** *à peine.*

Fast est tantôt :
adjectif : ex. **my car is fast,** *ma voiture est rapide*
adverbe : (B 2, 8).

Il existe deux adverbes pour signifier *lentement* : **slow** (qui peut aussi être adjectif avec le sens de *lent*) et **slowly** (B 2, 9, 10). D'où deux comparatifs pour traduire *plus lentement* : **slower** et **more slowly.**

Badly (B 2, 12) est un des nombreux exemples de formation d'adverbe sur un adjectif en ajoutant **-ly.** L'adverbe **badly** peut signifier *mal*, ou indique, comme ici, la gravité.
Ex. : **It is badly done,** *c'est mal fait.*

Far est tantôt adjectif, tantôt, comme ici, adverbe. Son comparatif est **farther** (cf. phrase B 2, 2) ou **further** lorsqu'il indique la continuation ou la durée :
Ex. : **We can't go further with this discussion**
  Nous ne pouvons discuter plus avant.

1. Maintenant j'habite ici.
2. Mes parents vivent plus loin de la ville.
3. Nous n'y sommes jamais allés avant.
4. J'étais déjà fatigué à l'époque (à ce moment-là).
5. Il est très courageux, il travaille très dur.
6. Il faut que vous travailliez plus dur.
7. Elle travaille très bien. Elle travaille mieux que moi.
8. Vous parlez trop vite.
9. Pouvez-vous parler plus lentement, s'il vous plaît ?
10. Pouvez-vous parler plus lentement ?
11. Vous vous rencontrez tous les combien ?
12. Quelle a été la gravité de sa blessure ?

Exercices • *adverbes usuels*

A. Ajoutez à la phrase l'adverbe entre parenthèses
(Attention à l'ordre des mots !)
1. He is complaining (always).
2. I go to London (often).
3. We have coffee for breakfast (usually).
4. He hasn't arrived (yet).
5. They have succeeded (never).
6. I can believe you (hardly).

B. Poser des questions commençant par <u>how</u> + adverbe
1. He speaks English very well.
2. We live very far.
3. He was driving too fast.
4. They meet very often.
5. He was badly hurt.
6. Usually, she works very hard.

A.
1. He is always complaining.
2. I often go to London.
3. We usually have coffee for breakfast.
4. He hasn't arrived yet (*ou* : He hasn't yet arrived).
5. They have never succeeded.
6. I can hardly believe you.

B.
1. How well does he speak English?
2. How far do you live?
3. How fast was he driving?
4. How often do they meet?
5. How badly was he hurt?
6. How hard does she usually work?

again	[egéïn]	*encore*
rarely	[rèereli]	*rarement*
seldom	[sèldem]	*rarement*
sometimes	[sœmtaïmz]	*quelquefois*
early	[e:li]	*de bonne heure*
soon	[sou:n]	*bientôt*
backward	[bakwed]	*en arrière, vers l'arrière*
forward	[fo:wed]	*en avant, vers l'avant*
inside	[insaïd]	*à l'intérieur*
outside	[aoutsaïd]	*à l'extérieur*
maybe, perhaps		*peut-être*
indeed		*en effet*
quite	[kwaït]	*tout à fait*
only	[ôounli]	*seulement*
together	[tougèże]	*ensemble*

CIVILISATION

On sait peu de choses du plus génial créateur de la littérature anglaise, sinon qu'il est né le 23 avril 1564 à **Stratford-upon-Avon**, troisième enfant d'un commerçant prospère.

On pense qu'il fréquenta l'école communale de 5 à 14 ans, y apprenant le latin et des rudiments de grec.

Il épouse **Ann Hathaway**, de 8 ans son aînée, à Statford en 1582.

On le retrouve à Londres en 1588, où ses succès d'auteur vont bientôt irriter les beaux esprits universitaires. Dorénavant sa réputation d'acteur et de dramaturge ne fera que croître.

Il entre en 1594 dans la troupe du **Lord Chambellan** (**Lord Chamberlain's men**). Dès 1596 il a fait fortune et achète une belle maison à **Stratford** vers 1601. En 1603, *Jacques Ier* qui succède à *Elizabeth* octroie à la troupe des **Chamberlain's men** le titre de *Comédiens du roi*. Shakespeare s'installe au *théâtre du Globe*, dont il est actionnaire, puis au **Blackfriars theatre** vers 1609.

Il se retire à **Stratford** en 1613 pour y mener la vie d'un bourgeois fortuné. Il y meurt le 23 avril 1616.

Shakespeare a écrit près 37 pièces qui vont du drame historique (série des **Richard** et des **Henry**) au divertissement (**A Midsummer Night's Dream**, *Songe d'une nuit d'été*) en passant par des comédies (**The Taming of the Shrew**, *La Mégère apprivoisée*) et des tragédies (*Jules César*). Beaucoup de ses pièces sont difficiles à classer selon les critères classiques de comédie ou de tragédie. Le comique et les scènes de clown côtoient souvent le tragique, y compris dans ses chefs d'oeuvre les plus achevés (**Hamlet** en 1600, **Othello** en 1604, **Macbeth** en 1605, **King Lear** en 1606). La poésie la plus pure, l'héroïsme et la noblesse de sentiment sont mêlés au réalisme sordide, au vice et au crime.

Ce théâtre de bruit et de fureur, de rire et de mélancolie, peuplé de rois fous, de fantômes, de traîtres, de fées, de héros et de pures jeunes filles avait tout pour plaire au public élizabéthain issu de toutes les classes sociales, turbulent, naïf et superstitieux, prêt à accepter toutes les conventions (rôles de femmes joués par des jeunes garçons), mais passionné de poésie et d'exotisme, avide de savoir et attendant du théâtre qu'il satisfasse toutes ses émotions et son double amour du comique et du tragique.

DIALOGUES ET VIE PRATIQUE

Pierre : Can you speak slower, I mean more slowly please ? I don't understand English very well. I've only studied it for two years, and this is my first trip to England.

Pat : I think you are doing very well. Your English is much better than my French. Mind you, I only learnt it at school. That was twenty years ago and I didn't work at it very hard. I've had almost no opportunity to speak French ever since.

Pierre : Today, if you want to succeed in business, it's more useful to speak English than French.

Pat : But it's not enough. English-speaking people should also learn French, Spanish or German ...

Pierre : Now you're speaking too fast again ! Could you repeat please ?

Le théâtre et la poésie de Shakespeare, au même titre que la Bible, ont joué un rôle primordial dans l'évolution de la langue anglaise, en établissant des références culturelles partagées aujourd'hui par l'ensemble de la communauté anglophone.

10 DRAMES HISTORIQUES, DONT :

King Henry IV, (le roi) *Henry IV* • King Henry V, (le roi) *Henry V*
The Famous History of the Life of King Henry VIII
The Life and Death of King John, (Vie et mort du) *Le roi Jean*
The Tragedy of King Richard II, (La tragédie du roi) *Richard II*
The Tragedy of King Richard III, (La tragédie du roi) *Richard III*

13 TRAGÉDIES, DONT :

Antony and Cleopatra, *Antoine et Cléopâtre* • Coriolanus, *Coriolan*
Hamlet, Prince of Denmark, *Hamlet (prince de Danemark)*
Julius Cæsar, *Jules César* • King Lear, *Le roi Lear*
Macbeth, *Macbeth* • The Merchant of Venice, *Le marchand de Venise*
Othello, the Moor of Venice, *Othello, ou le Maure de Venise*
Romeo and Juliet *Roméo et Juliette* • The Tempest, *La tempête*

DIALOGUES ET VIE PRATIQUE

Pierre : Pouvez-vous parler plus lent, je veux dire plus lentement, je vous prie ? Je ne comprends pas très bien l'anglais. Je ne l'ai étudié que pendant deux ans, et c'est mon
premier séjour en Angleterre.

Pat : Je pense que vous vous débrouillez très bien. Votre
anglais est bien meilleur que mon français. Remarquez, je
l'ai seulement étudié à l'école. C'était il y a vingt ans et je
ne le travaillais pas très sérieusement. Je n'ai pratiquement
pas eu l'occasion de le parler depuis.

Pierre : De nos jours, si on veut réussir dans les affaires, il
est plus utile de parler anglais que français.

Pat : Mais ça ne suffit pas. Les anglophones devraient également apprendre le français, l'espagnol ou l'allemand …

Pierre : Voilà que vous parlez de nouveau trop vite.
Pouvez-vous répéter, s'il vous plaît ?

14 FANTAISIES ET COMÉDIES, DONT :

All's Well that Ends Well, *Tout est bien qui finit bien*
As You Like It, *Comme il vous plaira*
The Comedy of Errors, *La comédie des erreurs*
Measure for Measure, *Mesure pour mesure*
The Merry Wives of Windsor, *Les joyeuses commères de Windsor*
A Midsummer-Night's Dream, *Le songe d'une nuit d'été*
Love's Labour's Lost, *Peines d'amours perdues*
Much Ado About Nothing, *Beaucoup de bruit pour rien*
The Taming of the Shrew, *La mégère apprivoisée*
Two Gentlemen of Verona, *Les deux gentilhommes de Vérone*
The Winter's Tale, *Le Conte d'Hiver.*

QU'EST-CE QU'UN **DONUT** ?

⇨ *RÉPONSE PAGE 273.*

I know a mechanic who'll fix it...

who	[hou:]	pronom relatif sujet	*qui*
who(m)	[hou:(m)]	pronom relatif complément	*que*
which	[witch]	pronoms relatifs sujets	
that	[žat]	et compléments	*qui, que*

mechanic	[mèkanik]	*mécanicien*
newspaper	[nyouzpéïpe]	*journal*
physician	[fizichen]	*médecin*
prescription	[prèskripchen]	*ordonnance*
fellow	[fèlôou]	*« type », individu*
theatre	[ši:ete]	*théâtre*
relative	[reletiv]	*parent, relatif*
furniture	[fœ:nitche]	*meubles, mobilier*
auction	[o:kchen]	*vente aux enchères*
evidence	[èvidens]	*témoignage*
quite	[kwaït]	*tout à fait, assez*
quietly	[kwaïetli]	*sagement*
to fix		*réparer*
to mention	[mènchen]	*mentionner*
to tour	[tou:e]	*visiter*
to write* out		*rédiger*
to prove (+ adj.)		*se révéler*

1. I know a mechanic who will fix this in no time.
2. The newspapers didn't mention the name of the fellow who was arrested.
3. I'll call the physician who wrote out your prescription.
4. He was invited to dinner by a relative (whom) he had not seen for years.
5. Do you remember the lady with whom we toured Italy? (the lady we toured Italy with?)
6. Why didn't you sell me the furniture (which) you got rid of at the auction?
7. He gave evidence which proved quite useful to the police.
8. We have two children and a dog that travel with us.

Je connais un mécanicien qui le réparera…

<u>Pronoms relatifs sujets</u> : **who**, **which**, **that** ; pronoms relatifs compléments : **whom** (parfois réduit à **who**), **which**, **that**. Les pronoms relatifs reprennent un mot (antécédent) qui peut être une personne (**who**, **whom**), un objet ou un animal (**which**), ou indifféremment une personne, un objet ou un animal (**that**).

That est obligatoire :
1. Lorsque le relatif comprend des antécédents mixtes (A 2, 8).
2. Après **only**, **all**, **first**, **last**, et les superlatifs.

<u>Tout pronom relatif complément</u> peut être omis (A 2, 4, 5, 6, 7). Toutefois s'il est associé à une préposition, celle-ci doit être rejetée après le verbe en cas d'omission du relatif (A 2, 5 et 6), à l'endroit où elle se trouverait pour introduire le complément du verbe ; ex. :

we came here on a red bus peut donner

the red bus on which we came here ou
the red bus (which) we came here on.

N.B. : La forme réduite **who** au lieu de **whom** (complément) n'est jamais employée après une préposition.

1. Je connais un mécanicien qui réparera ça en un rien de temps.
2. Les journaux n'ont pas mentionné le nom de l'homme qui a été arrêté.
3. J'appellerai le médecin qui a rédigé votre ordonnance.
4. Il a été invité à dîner par un parent qu'il n'avait pas vu depuis des années.
5. Vous souvenez-vous de la dame avec qui nous avons fait le tour de l'Italie ?
6. Pourquoi ne m'avez-vous pas vendu les meubles dont vous vous êtes débarrassé à la vente aux enchères ?
7. Il a fait un témoignage qui s'est révélé assez utile aux policiers.
8. Nous avons deux enfants et un chien qui voyagent avec nous.

...our cottage, the roof of which was damaged...

of which, *duquel, de laquelle, desquel(le)s ; dont*
whose [hou:z], *dont*
all that, *tout ce qui (que)*
what, *ce qui, ce que* — **which,** *ce qui, ce que*

pub	[pœb]	*café, « bistrot »*	**storm**	[sto:m]	*orage*
			apple	[apel]	*pomme*
villages	[vilidjiz]	*villages*	**uncle**	[œnkel]	*oncle*
church	[tche:tch]	*église*	**sailor**	[séïle]	*marin*
mountain	[maounten]	*montagne*	**love**	[lœv]	*amour*
iron	[aïen]	*fer*	**actors**	[aktez]	*acteurs*
cross		*croix*	**single**	[singel]	*(un) seul*
cottage	[kotidj]	*fermette*	**huge**	[hyou:dj]	*immense*
roof	[rouf]	*toit*	**delicious**	[diliches]	*délicieux*

to bear*	[bèe]	*porter*	**to damage**	[damidj]	*endommager*
to climb	[klaïm]	*grimper*	**to publish**	[pœblich]	*publier*
to cost*		*coûter*	**to realize**	[ri:elaïz]	*se rendre*
to spoil*		*gâter*			*compte*

1. There was not a single pub in the villages through which we drove.
2. We'll climb up the highest mountain, the top of which bears a huge iron cross.
3. Here's our cottage, the roof of which was damaged by the storm.
4. This is the apple-tree whose apples you found so delicious.
5. My uncle is a sailor whose love for the sea cost him a lot.
6. Her fiancé, whose parents have a lovely country-house, would like to have their wedding party there.
7. All that was said at that meeting should be published.
8. He didn't realize what was happening.
9. The actors were speaking much too quickly, which spoilt most of our fun.

...notre fermette, dont le toit a été endommagé...

of which, *dont (duquel, de laquelle, desquel(le)s)* ; employé pour les choses, **of which** se place après l'objet possédé :

...The house the roof of which... *la maison dont le toit...*

whose [hou:z], *dont (de qui)* ; sa construction rappelle celle du cas possessif (p. 341) : l'objet possédé sans article vient après le relatif :

...a sailor whose love for the sea...
un marin dont l'amour de la mer...

Emploi : en principe réservé aux êtres humains, **whose** tend à remplacer **of which** en anglais contemporain :

...the trees whose apples... *l'arbre dont les pommes...*

what, *ce qui, ce que* ; met en relation un verbe et une proposition qui le complète (phrase 8) :

Did she realize what happened?
A-t-elle compris ce qui s'est passé ?

which, *ce qui, ce que* ; reprend, après une virgule, l'idée exprimée par une phrase (cf. 9) :

They spoke quickly, which spoilt our fun
Ils parlèrent vite, ce qui gâta notre plaisir.

1. Il n'y avait pas un seul café dans les villages que nous avons traversés en voiture.
2. Nous escaladerons la plus haute montagne, dont le sommet porte une immense croix de fer.
3. Voici notre fermette, dont le toit a été endommagé par l'orage.
4. Voici le pommier dont vous avez trouvé les pommes si délicieuses.
5. Mon oncle est un marin dont l'amour pour la mer lui a coûté cher.
6. Son fiancé, dont les parents ont une charmante maison de campagne, voudrait y tenir la réception de mariage.
7. Tout ce qui s'est dit à la réunion devrait être publié.
8. Il ne se rendait pas compte de ce qui se passait.
9. Les acteurs parlaient beaucoup trop vite, ce qui gâta une bonne partie de notre plaisir.

Exercices

A. Traduisez sans omettre le pronom relatif
1. Les amis qui viennent ce soir.
2. L'homme à qui vous parliez est mon frère.
3. La voiture dont le toit est noir est à Pierre.
4. L'accident que j'ai vu...
5. Les gens qu'ils reçoivent le mardi...

B. Omettez le pronom relatif quand c'est possible
1. All that glitters is not gold.
2. I know the people who came.
3. I met the people whom you received last summer.
4. I saw the fellow whose fiancée is French.
5. She has a dog and a son that always play together.
6. The car which we drove was fast.
7. These are the only fruit-trees that we have left.

A. 1. The friends who are coming tonight.
2. The man to whom you were speaking is my brother.
3. The car the roof of which (whose roof) is black is Peter's.
4. The accident that I saw...
5. The people that (whom) they receive on Tuesdays...

B. 1. All that...
2. I know the people who came.
3. ... the people (who) you received...
4. ... the fellow whose fiancée...
5. ... a dog and a son that...
6. The car (which) we drove...
7. ... the only fruit-trees (that) we have left.

Rappels :

1) Les syllabes finales **-tion, -(s)sion, -cian,** etc. se prononcent toujours [chen], avec **e** très faiblement perçu. En outre la syllabe accentuée est toujours celle qui précède cette finale.

2) Le pluriel en **-es** se prononce [iz] après les sons [s] [ch] [ks] [tch] [dj].

auction	[**o**:kchen]	boxes	[b**o**ksiz]
mention	[m**è**nchen]	brushes	[br**œ**chiz]
passion	[p**a**chen]	churches	[tch**e**:tchiz]
physician	[fiz**i**chen]	cottages	[k**o**tidjiz]
prescription	[prèskr**i**pchen]	crosses	[kr**o**siz]
relation	[ril**éï**chen]	villages	[v**i**lidjiz]

CIVILISATION

Une spécialité britannique qu'on trouve en de très nombreux exemplaires dans chaque ville ou village du *Royaume-Uni* (**United Kingdom**), ainsi qu'en Irlande du nord comme du sud, c'est le **pub**. Ce mot est l'abréviation de **Public House**, mot à mot *maison publique* ; il s'est très facilement imposé à l'exportation dans le monde entier. C'est le pendant du *café* latin, mais où l'on ne trouve en principe, en tout cas à l'origine, que des boissons alcoolisées (**alcoholic drinks** ou **liquors**) : bière, whisky. On y sert aussi des *repas légers* (**snacks**) généralement issus de la cuisine traditionnelle, comme le **ploughman's lunch** (*déjeuner du laboureur*, tourte de fromage, d'oignons et de condiments). Jusqu'à une date récente, les pubs ont été soumis à des *heures d'ouverture* (**opening hours**) très strictement limitées, au prétexte de contenir l'alcoolisme.

À l'origine, on se rendait pour boire dans une **ale-house**, sorte de micro-brasserie fabriquant sa propre bière. Les *brasseries* (**breweries**) industrielles, pour imposer leurs marques, se mirent à ouvrir des établissements à leur propre enseigne. Le **pub** est ainsi devenu le lieu de rencontre et de réunion des travailleurs à la sortie du bureau ou de l'usine, puis en fin de semaine. Longtemps, l'accès des femmes y a été interdit, puis limité à la partie « publique », le **saloon**, le **public bar** étant réservé aux hommes.

Désormais, la question ne se pose plus, et le pub est le point de rassemblement de tous les Britanniques et de tous les Irlandais, sans distinction de sexe ou de statut social. En effet, on y trouve aujourd'hui, dans une ambiance joviale et chaleureuse, aussi bien des hommes d'affaires, des ouvriers et des employés, que des jeunes, des étudiants et des mères de famille. Les enfants y restent cependant interdits jusqu'à l'âge de dix-huit ans.

Il y a plus de 7 000 pubs à Londres, et certains figurent sur tous les guides de la ville en raison de leur beauté ou de leur caractère historique. Dans certains quartiers et en province, comme dans presque toute l'Irlande, on s'y réunit encore pour chanter en chœur, ou pour jouer à certains jeux traditionnels comme les *fléchettes* (**darts**).

DIALOGUES ET VIE PRATIQUE

Jack : How about a drink in a pub ?
David : Which one ?
Jack : The one at the corner of the street.
David : Fine.
Barbara : Gentlemen, can I help you ?
Jack : Yes please, I'd like a beer.
David : And I'll have a whisky please.
Barbara : Here you are, that'll be two pounds twenty please.
Jack : It's my round. It's on me.
David : Thanks Jack.

Retenez un mot très familier, **booze** : il désigne toute boisson alcoolisée. **Boozer** : celui qui boit (« *alcoolo, poivrot* »), ou bien familier *(GB)* pour bar, pub, « *rade* ».

<u>Quelques expressions utiles et familières</u>

CE QU'IL NE FAUT PAS FAIRE (DON'TS !)
To be (a bit) high, a bit jolly, (slightly) tipsy :
Être un peu parti, un peu gai, légèrement ivre
To be drunk, intoxicated (terme « officiel ») : *Être ivre*
To be completely drunk, dead drunk, as drunk as a fiddler :
Être complètement saoul, totalement ivre.

CE QUE LES RÈGLES DE LA CONVIVIALITÉ VOUS RECOMMANDENT (DO's) DE FAIRE :
It's on me this time ! *C'est mon tour de régaler !*
It's my round ! *C'est ma tournée !*
No, it's on the house! *Non, c'est la tournée du patron !*

DIALOGUES ET VIE PRATIQUE

Jack : Et si on allait prendre un verre au pub ?
David : Lequel ?
Jack : Celui du coin de la rue.
David : Très bien.
Barbara : Messieurs, qu'est-ce que ce sera (m. à m. : est-ce que je peux vous aider) ?
Jack : Eh bien (m. à m. : oui s'il vous plaît), je voudrais une bière.
David : Et moi, je voudrais un whisky, s'il vous plaît.
Barbara : Voici. Ça fera deux livres et vingt pence.
Jack : C'est ma tournée. C'est moi qui régale (m. à m. c'est pour moi).
David : Merci Jack.

COMMENT ÇA MARCHE ?

Toutes les consommations sont servies au bar et réglées sur-le-champ. N'attendez pas de serveur ou de serveuse (**waiter, waitress**) ! Du coup, aucun *pourboire* (**tip**) n'est nécessaire, mais les *clients réguliers* (**locals**) offrent de temps en temps *un verre* (**a drink**) au *barman* (**bartender**). Les jeunes de 14 à 18 ne sont admis qu'accompagnés d'un adulte ; ils ne peuvent pas consommer de boisson alcoolisée, et la zone du bar leur reste interdite. On trouve encore, dans de nombreux *pubs de quartier* (**local pubs**) et dans la plupart des villages, des distractions variées : jeux de *fléchettes* (**darts**) avec leur *cible* (**dart board**) caractéristique, de *dominos* (**dominoes**), de *billard* (**pool, snooker**).

 QUELLE EST LA DEVISE DU GRAND MAGASIN LONDONIEN **HARROD'S** ?
⇨ *RÉPONSE PAGE 279.*

How nice of you!

what (+ nom) !	*quel(s), quelle(s) !*
how (+ adjectif ou adverbe) !	*comme, combien !*
such (avec verbe + nom) !	*tel(s), telle(s), si !*
so (avec verbe + adjectif ou adverbe) !	*tant, tellement, si !*

pity	[**pi**ti]	*pitié*
character	[**ka**rikte]	*caractère, personnage*
cook	[kouk]	*cuisinier*
dinner	[**di**ne]	*dîner*
fuss	[fœs]	*embarras, agitation*
garden	[**ga**:den]	*jardin*
lovely	[**lœv**li]	*charmant*
strange	[stréïndj]	*étrange, bizarre*
surprised	[sepraïzd]	*surpris*
unexpected	[œnikspèktid]	*inattendu, inopiné*

to make a fuss	*faire des embarras, des histoires*

1. What a pity!
2. What a lovely garden!
3. What a strange idea!
4. What a nice dinner!
5. How nice!
6. How nice of you!
7. She's such a good cook!
8. He's such a character!
9. They made such a fuss about it!
10. I was so surprised!
11. It's so unexpected!
12. He's been working so much (so hard)!

248

Comme c'est gentil à vous !

<u>Les exclamations</u>. Il y en a de trois sortes :

celles qui portent sur le nom : **what**

celles qui portent sur l'adjectif : **how**

celles qu'on trouve avec un verbe : **such, so**

1) **What** + nom : Ne pas oublier l'article au singulier :

   What a pity!

2) **How** + adjectif (ou adverbe) :

   How stupid of him!   *Comme c'est stupide de sa part !*

<u>Attention</u> :

What a pity it is!   How nice she is! :

dans les formes exclamatives avec **what** et **how**, le verbe, s'il y en a un, est précédé du sujet, et se trouve après l'exclamation.

Il peut y avoir un ou plusieurs adjectifs avec **what :**

   What a lovely garden!   What a nice little boy!

On peut trouver **how** + adjectif + nom (+ verbe) :

   How pleasant an evening (we had)!
   Quelle agréable soirée (nous avons passée) !

Notez dans ce cas la présence de l'article devant le nom au singulier (et sujet + verbe en fin de phrase).

1. Quel dommage ! (*mot à mot* : quelle pitié !)
2. Quel jardin charmant !
3. Quelle idée bizarre !
4. Quel bon dîner !
5. Comme (c'est) charmant !
6. Comme (c'est) gentil à vous !
7. C'est une si bonne cuisinière ! (Elle cuisine si bien !)
8. C'est un tel personnage !
9. Ils ont fait de tels embarras (de telles histoires) à ce sujet !
10. J'étais tellement surprise !
11. C'est si inattendu !
12. Il travaille tellement (dur) !

What a funny story!

Variations sur un même thème

funny	[fœni]	*drôle*
life	[laïf]	*vie*
story	[stori]	*histoire*
to have fun		*s'amuser*
to tell stories		*raconter des histoires*

Remarque :

Notez qu'il est difficile sinon impossible d'avoir une correspondance « mot à mot » d'une langue à l'autre, pour rendre l'exclamation.

On peut choisir de mettre en relief telle ou telle partie de la phrase, (nom, verbe, adjectif ou adverbe). La traduction n'est jamais figée : *comme, combien, si, tellement,* peuvent être rendus tour à tour par **how, so, such, what.**

1. It's so late!
2. How late you are!
3. It's so funny!
4. How funny it is!
5. What a funny story!
6. It's such a funny story!
7. He told us such a funny story!
8. What a funny story he told us!
9. I never heard such a funny story!
10. We didn't know he could be so funny!
11. I've never had so much fun in my life!
12. I've never had such fun in my life!

Quelle histoire comique !

Exclamations avec **such** et **so** :

Elles se trouvent dans des phrases avec un verbe, généralement situé au début ; **so** porte sur l'adjectif (ou l'adverbe), **such** sur le nom (n'oubliez pas l'article au singulier).

It's so funny!
C'est si drôle !

It's such a funny story!
C'est une histoire tellement drôle !

I didn't know he could be so funny!
J'ignorais qu'il pouvait être aussi drôle !

He told us such a funny story!
Il nous a raconté une histoire tellement drôle !

Remarque : Notez la variété des formes d'exclamation possibles (A 1, B 1). On peut ainsi mettre en relief, pour une situation donnée, tantôt le nom, tantôt l'adjectif (ou l'adverbe).

1. Il est si tard !   Comme il est tard !
2. Comme (que) vous êtes en retard !
3. C'est si drôle !   Comme c'est drôle !
4. Comme c'est drôle !   Que c'est drôle !
5. Quelle histoire comique !
6. C'est une histoire tellement drôle !
7. Il nous a raconté une histoire tellement drôle !
8. Quelle drôle d'histoire il nous a raconté !
9. Je n'ai jamais entendu une histoire si drôle !
10. Nous ignorions qu'il pouvait être (aus)si drôle !
11. De ma vie je ne me suis (jamais) autant amusé !
12. De ma vie je ne me suis autant (tant) amusé !

Exercices

A. Traduisez en anglais

1. Que c'est triste !
2. Comme c'est triste !
3. C'est si triste !
4. Quelle triste histoire !
5. Que cette histoire est triste !

B. Traduisez en français

1. How expensive his car is!
2. What an expensive car he has!
3. His car is so expensive!
4. He has such an expensive car!

C. Exprimez la nuance d'exclamation

We spent an enjoyable evening with them.

D. Formez une exclamation en mettant en relief le mot ou la partie en gras

1. They've bought a **lovely** house.
2. They've bought a lovely **house.**
3. **They've bought** a lovely house.

A.
1. How sad it is ! It's so sad!
2. It's so sad! How sad it is!
3. How sad it is! It's so sad!
4. What a sad story!
5. How sad this story is!

B. 1, 2, 3 ou 4 : Il a une voiture tellement chère !
Comme sa voiture est chère !
Quelle voiture chère il a ! etc.

C.
1. What an enjoyable evening we spent with them!
2. We spent such an enjoyable evening with them!
3. How enjoyable the evening we spent with them was!
4. The evening we spent with them was so enjoyable!

D.
1. How lovely the house they've bought is!
2. What a lovely house they've bought!
3. They've bought such a lovely house!

CIVILISATION

Dans le domaine du roman policier et d'espionnage, les Britanniques nous ont offert une pléiade d'auteurs dont les héros captivent encore toutes les générations. Voici quatre de ces auteurs :

ARTHUR CONAN DOYLE (1859-1930) : né en Ecosse à Edinbourg, il étudia la médecine qu'il exerça jusqu'en 1890. Il créa en 1887 le personnage de **Sherlock Holmes**, détective privé flegmatique et infaillible reconnaissable à sa pipe et à sa casquette, accompagné de son fidèle associé, le **Doctor Watson**, qui sera le narrateur de leurs exploits. Conan Doyle devint célèbre dès 1891. En 1893, après avoir publié 23 *nouvelles* (**short stories**), il décida de tuer son héros. Les protestations de ses lecteurs l'obligèrent à ressusciter son *personnage* (**character** [karikte] en 1905 et à reprendre ses aventures jusqu'en 1927.

AGATHA CHRISTIE (1890-1976) : Agatha Miller, devenue Christie après un premier mariage, publia en 1920 son premier *roman* (**novel**), **The mysterious affair of Styles**, refusé auparavant par six éditeurs. Elle devint célèbre en 1926 avec le second, *Le Meurtre de Roger Ackroyd* (**The Murder of Roger Ackroyd**). Elle créa deux héros : **Hercule Poirot**, ancien policier belge, et **Miss Marple**, vieille dame célibataire enquêtant sur des meurtres dont le cadre est le plus souvent un petit village tranquille. Entre 1920 et 1976, elle écrivit 87 romans traduits en plus de cent langues et vendu à des centaines de millions d'exemplaires.

IAN FLEMMING (1908-1964) : né à Londres, ancien élève de la célèbre Public School d'**Eton**, il devint officier puis journaliste à l'agence de presse REUTERS. Il créa alors le personnage de **James Bond**, *agent secret 007* (**secret agent 007** [si:krèt ëïdjent dœbl ôou sèven]) au service de sa Majesté, héros d'une série de best-sellers, dont **Doctor No, Casino Royal, Goldfinger, Moonraker, From Russia with love**, pour la plupart portés à l'écran.

JOHN LE CARRÉ (1931-) : le son vrai nom David Cornwell, il commença sa carrière au Foreign Office de 1960 à 1964. Il fut envoyé en poste en Allemagne et utilisera cette expérience – l'Allemagne du mur de Berlin et de la guerre froide et sa connaissance des service secrets britanniques – pour écrire en 1963 un roman, *L'Espion qui venait du froid* (**The Spy who came in from the cold**). Il crée le personnage de **Georges Smiley**, doux intellectuel et maître agent secret que l'on retrouve dans presque tous ses romans : *La Taupe*, 1974, (**Tinker, Tailor, Soldier, Spy**), *Comme un Collégien*, 1977, (**The Honorable Schoolboy**), *Les Gens de Smiley*, 1980, (**Smiley's People**), et bien d'autres.

DIALOGUES ET VIE PRATIQUE

Mark : What a nice surprise ! I'm so glad to see you ! It's been such a long time !

Sally : We were driving through[1] the town, so we thought...

Mark : What a good idea ! Can you stay for lunch ? Then we could show you the town.

Bill : Sorry, but we have to be in Edinburgh tonight.

Mark : What a pity Alice is not here ! She'll be so sorry ! She already missed you last time.

Sally : We've brought a present for her. Please give it to her on her birthday.

Mark : How nice of you ! Do come in and have a cup of tea. At least you could rest for a while.

Bill : Thank you, with pleasure[2].

1. through = *à travers* ; to drive through = *traverser en voiture*.
2. pleasure [plèje*r*].

HOME, SWEET HOME* (*MAISON, DOUCE MAISON*)

La formule :

« **An Englishman's home is his castle** »

« *La maison d'un anglais est son château* »

rappelle que l'Angleterre est un pays dont les habitants sont très attachés à leur maison.

Voici les types de maisons que vous rencontrerez :

Terraced houses [tèrast haous] : il s'agit de maisons *identiques* (**identical**) et accolées entre elles, disposées en longues *rangées de maisons*, **rows of houses**.

Semi-detached houses [sèmi ditatcht haouziz] : il s'agit de *maisons jumelées*, c'est-à-dire accolées deux par deux.

* home = *chez soi* (mot-à-mot)

DIALOGUES ET VIE PRATIQUE

Mark : Quelle bonne surprise ! Je suis si content de vous voir ! Ça faisait si longtemps !

Sally : Nous traversions la ville en voiture, alors nous avons pensé que…

Mark : Quelle bonne idée ! Pouvez-vous rester à déjeuner ? Ensuite nous pourrions visiter la ville.

Bill : Désolé, mais nous devons être à Edimbourg ce soir.

Mark : Quel dommage qu'Alice ne soit pas ici ! Elle va tellement le regretter ! Elle vous avait déjà manqués la dernière fois.

Sally : Nous avons apporté un cadeau pour elle. Soyez gentil de le lui donner pour son anniversaire.

Mark : Comme c'est aimable à vous ! Mais entrez donc pour prendre une tasse de thé. Au moins vous pourriez vous reposer un peu.

Bill : Merci, avec plaisir.

Detached house : c'est la *maison séparée*, moins répandue.

En *banlieue*, **suburbs**, et dans les petites villes, les habitations possèdent souvent deux jardins, un devant, **front garden**, l'autre derrière, **back garden**.

Il existe également de belles *demeures*, **mansions** [manchen], dotées parfois d'un *tennis sur gazon*, **grass court**.

Dans les villages, on rencontre souvent des **cottages** au toits de *chaume*, **thatched** [satcht].

 COMMENT S'APPELLE L'HYMNE NATIONAL AMÉRICAIN ?

⇨ *RÉPONSE PAGE 295.*

Complétez avec a, b, c ou d :
(il y a une seule bonne réponse par question)

21. How —— times did you see him ?
    a) much
    b) often
    c) long
    d) many

22. She is —— taller than her sister.
    a) so
    b) much
    c) too
    d) more

23. You —— leave now.
    a) may not
    b) may to
    c) are not allowed
    d) not may

24. I —— born in Paris.
    a) am
    b) was
    c) did
    d) have

25. He —— this position last month.
    a) is appointed
    b) has appointed
    c) was appointing at
    d) was appointed to

(Voir corrigé p. 373)

26. She has been —— five years.
    a) to study since
    b) studying
    c) studying for
    d) studied since

27. I must get —— my work.
    a) about on
    b) down in
    c) away up
    d) on with

28. Do you —— coffee for breakfast ?
    a) have usually
    b) usually have
    c) have usually had
    d) usually had

29. He is the boy —— father you met.
    a) of whom
    b) who the
    c) whose
    d) which

30. I never heard —— funny story !
    a) so
    b) such
    c) such a
    d) how

(Voir corrigé p. 373)

He had phoned her

Le plus-que-parfait se forme en anglais avec l'auxiliaire de **to have** au passé : **had** + participe passé du verbe concerné

He had phoned her,	*il lui avait téléphoné*
He had not phoned her,	*il ne lui avait pas téléphoné*
He hadn't phoned her,	*il ne lui avait pas téléphoné*
Had he phoned her?	*lui avait-il téléphoné ?*
Hadn't he phoned her?	*ne lui avait-il pas téléphoné ?*

<u>La forme progressive du plus-que-parfait</u> (indiquant une action qui avait duré) s'obtient en utilisant :

had been + verbe + **-ing**

She had been shopping the whole afternoon
Elle avait fait des courses tout l'après-midi.

<u>Remarque</u> : à la différence du français qui utilise tantôt l'auxi-liaire *avoir*, tantôt l'auxiliaire *être* pour former le plus-que-parfait, l'anglais n'utilise que **to have.**

to admit	[edm**i**t]	*admettre, reconnaître*
to shop	[chop]	*faire des courses*
to lock	[lok]	*fermer à clé*
to pay attention	[et**è**nchen]	*faire attention*
to do on purpose	[**pe:**pes]	*faire exprès*

1. We had seen her before.
2. He had not phoned us before.
3. We had never met them before.
4. I didn't know he had worked for them.
5. I only knew he had been in the army.
6. I must admit he had told us in advance.
7. When we arrived, the train had already left.
8. We wanted to help, but he had already done it.
9. She was tired, because she had been shopping the whole afternoon.
10. The garage was locked, and I'm sure he had done it on purpose.
11. He had said it so many times that we didn't pay attention.

Il lui avait téléphoné

4. Remarquez l'absence de **that** ; **that** conjonction peut en effet être supprimé dans de telles constructions.
I didn't know that he had worked for them est parfaitement correct mais moins fréquent, surtout dans la langue parlée.
Même remarque pour les phrases 5 et 6.

4. Le plus-que-parfait **he had worked** indique l'antériorité par rapport au prétérit **I didn't know.**

5. Remarquez la place de **only** ; de même :
Je pense seulement (que)...	**I only think (that)...**
Je veux seulement...	**I only want to...**
Je souhaite seulement...	**I only wish...**
J'espère seulement...	**I only hope...**

Par contre, avec **to be** et les défectifs **can, must, may**, il est placé après :
C'est seulement un gamin,	**he's only a boy**
Je dis seulement que...	**I'm only saying that...**
Je peux seulement dire...	**I can only say...**

6. *Il nous l'avait dit à l'avance,* **he had told us in advance**
il n'est pas nécessaire de traduire ici le complément d'objet direct.
Pour le traduire l'on dirait : **he had told us about it in advance.**
de même avec **to ask** :
Pourquoi ne le leur demandez-vous pas ?
Why don't you ask them ?

1. Nous l'avions vue avant (auparavant).
2. Il ne nous avait pas téléphoné avant.
3. Nous ne les avions jamais rencontrés avant.
4. Je ne savais pas qu'il avait travaillé pour eux.
5. Je savais seulement qu'il avait été dans l'armée.
6. Je dois reconnaître qu'il nous l'avait dit à l'avance.
7. Quand nous sommes arrivés, le train était déjà parti.
8. Nous voulions l'aider, mais il l'avait déjà fait.
9. Elle était fatiguée car elle avait fait des courses pendant tout l'après-midi.
10. Le garage était fermé à clé, et je suis sûr qu'il l'avait fait exprès.
11. Il l'avait dit si souvent que nous ne faisions (fîmes) pas attention.

259

He had been in France for a year

Le plus-que-parfait anglais (pluperfect), surtout à la forme en **-ing**, sera souvent traduit par un *imparfait* français, de même que le passé composé anglais (present perfect) est souvent traduit par un *présent* :

He had been working for them for several years
Il travaillait pour eux depuis plusieurs années

He had been working for them since the war
Il travaillait pour eux depuis la guerre

L'action avait commencé avant, et durait encore au moment du passé dont on parle. Autre exemple :

I have been here for 5 minutes, *je suis ici depuis 5 minutes*
I had been there for 5 minutes, *j'étais là depuis 5 minutes*

to occur	[oke]	1) *venir à l'esprit ;* 2) *se produire*
wounded	[woundid]	part. passé de **to wound** : *blesser*
marriage	[maridj]	*mariage*
spy	[spaï]	*espion*
difficulties	[difikeltiz]	*difficultés*
difficult		*difficile*
same	[séim]	*même, identique*
probably	[probebli]	*probablement*

1. When I first met him, he had been in France for a year.
2. He had been working for them for several years.
3. He had been working for them since the war.
4. He hadn't been the same since his marriage.
5. It hadn't occurred to me that he could be a spy.
6. He had had a difficult time in the army.
7. He had been wounded in the war.
8. He had had difficulties getting a new job.
9. That's probably why he had accepted their offer.
10. When I first met him, he had probably been a spy for years.

Il était en France depuis un an

1. **When I first met him, ...** ; de même :
   When I first arrived,
   Quand je suis arrivé pour la première fois.

3. **for** indique une durée, **since** un point de départ.

5. **to occur,** *avoir lieu, se passer, se produire* ; mais aussi, comme ici : *venir à l'esprit.*
Notez le redoublement du **r** final au prétérit **occurred.** Cela est normal pour un verbe terminé par une seule voyelle suivie d'une seule consonne et dont la dernière (ou l'unique) syllabe est accentuée :
to shop, shopped   to admit, admitted.
De même, avec de tels verbes, il y a redoublement de la consonne finale à la forme en **-ing** : **to get, getting.**

6. **He had had :**
au <u>pluperfect</u> comme au <u>present perfect</u> **(he has had), to have** se conjugue avec lui-même.

6. **army :** au sens large, *l'armée* en général — sens plus restreint, avec A majuscule **(Army),** *l'Armée de Terre* par opposition à **the Navy,** *la Marine* et **the Air Forces,** *l'Armée de l'Air.*

7. **to be wounded,** *être blessé* par arme à feu ou arme blanche — distinguer : **to be hurt, to be injured** (accident de voiture, etc.).

8. L'expression **to have difficulties** est suivie d'un verbe à la forme en **-ing.**

1. Quand je l'ai rencontré pour la première fois, il était en France depuis un an.
2. Il travaillait pour eux depuis plusieurs années.
3. Il travaillait pour eux depuis la guerre.
4. Il n'était plus le même depuis son mariage.
5. Il ne m'était pas venu à l'esprit qu'il pouvait être un espion.
6. Il avait connu une période difficile à l'armée.
7. Il avait été blessé pendant la guerre.
8. Il avait eu du mal à trouver un nouvel emploi.
9. C'est probablement pourquoi il avait accepté leur offre.
10. Quand je l'ai rencontré pour la première fois, il était probablement espion depuis des années.

Exercices

A. Traduire

1. Je suis sûr qu'elle l'avait fait exprès.
2. Nous ne l'avions jamais rencontré.
3. Il avait eu des difficultés auparavant.
4. Je n'avais pas fait attention.
5. Il était déjà parti quand nous sommes arrivés.
6. Il avait accepté deux jours avant.
7. Il travaillait pour eux depuis deux ans.

B. Complétez avec since ou for et traduisez

1. She had been listening ... hours.
2. They had been watching TV ... 5 o'clock.
3. He had been borrowing money ... his marriage.
4. We had been walking ... a long time.
5. I had been working with them ... the war.
6. He had been sick ... a week.

A.   1. I'm sure she had done it on purpose.
2. We had never met him.
3. He had had difficulties before.
4. I hadn't paid attention.
5. He had already left when we arrived.
6. He had accepted two days before.
7. He had been working for them for two years.

B. 1. **for** : Elle écoutait depuis des heures.
2. **since** : Ils regardaient la télévision depuis 5 heures (de l'après-midi).
3. **since** : Il empruntait de l'argent depuis son mariage.
4. **for** : Nous marchions depuis longtemps.
5. **since** : Je travaillais avec eux depuis la guerre.
6. **for** : Il était malade depuis une semaine.

CIVILISATION

EN GRANDE-BRETAGNE, *Le service national de santé*, **the National Health Service (NHS)**, fut créé en 1946 par le *gouvernement travailliste* (**Labour Government**) de **Clement Attlee**. C'était un système généreux, comportant en particulier la *gratuité des soins* (**free health care**). Il continue d'être alimenté par les cotisations des employés et des employeurs. L'époque était celle de ce qu'on appelait alors « *l'État-Providence* » (**Welfare State**). Il existe en outre la *sécurité sociale* (**Social security**), mais celle-ci ne traite que de l'aide matérielle et financière de l'État aux *personnes démunies* (**people in need**). L'ensemble du territoire national est divisé en comités de médecins généralistes locaux.

Dans le cadre du NHS, toute personne âgée de seize ans et plus peut choisir son médecin, qui est libre d'accepter ou de refuser ses patients. Il en va de même pour le *dentiste* (**dentist** ou **dental surgeon**). Il est possible de changer de médecin, avec l'accord du précédent, ou à l'occasion d'un déménagement. Pendant un déplacement, on peut se faire soigner en s'adressant au *service médical local* (**Family Doctor Service**).

Les *traitements médicaux* (**medical treatment**) sont généralement gratuits pour les touristes, surtout pour ceux qui auront pris la précaution avant de partir de se munir du formulaire E 111 auprès de la sécurité sociale. On trouve la liste des *généralistes* (**general practitioners**, ou **GPs**) dans toutes les *mairies* (**Town Halls**) de Grande-Bretagne. Si vous devez séjourner un certain temps au même endroit, il est préférable de *s'inscrire* (**to register**) auprès d'un praticien local. Les *médicaments* (**drugs** ou **medicines**) figurant sur *l'ordonnance du médecin* (**the doctor's prescription**), s'obtiennent auprès d'une *pharmacie* (**pharmacy**).

En fonction du *diagnostic* (**diagnosis**), les cas les plus sérieux pourront être traités à l'*hôpital* (**hospital**) où l'on trouve l'ensemble des *médecins spécialistes* (**specialists**) et des *chirurgiens* (**surgeons**).

AUX ETATS-UNIS, le seul système de couverture à l'échelon national concerne les personnes âgées (**Medicare**) et les personnes les plus démunies (**Medicaid**).

Pour les autres citoyens, ils sont soit couverts par leurs employeurs, soit amenés à cotiser à des caisses privées.

DIALOGUES ET VIE PRATIQUE

Frank : Taxi ! Excuse me, are you free ?
Taxi driver : Certainly. Where do you want to go ?
Frank : To Piccadilly Circus please.
Taxi driver : I'm afraid I won't be able to take all those passengers and their bags as well.
Jane : That's all right. We'll take a second taxi.
Frank : How much will it cost to go to Piccadilly Circus, more or less ?
Taxi driver : About five pounds if the traffic is not too bad.
Frank : Fine. Right Jane, I'll take the kids and you take your sister and we'll meet at Piccadilly Circus.

EN TAXI À LONDRES

Les taxis londoniens, souvent noirs, **black cabs**, mais également colorés, sont munis, lorsqu'ils sont libres, de l'inscription lumineuse FOR HIRE, *À LOUER*. Ils peuvent tourner sur eux-mêmes (**U-turn**) pour venir à vous, même lorsqu'ils roulent en sens inverse.

Le *compteur*, **meter** [mi:te*r*], indique le *prix de la course*, **the charge** [tcha:dj] ; il y a un *supplément*, **extra charge**, au-dessus de deux personnes et pour les valises ; le *pourboire*, **tip** (10 à 15 %) est toujours bienvenu et vous pouvez demander *un reçu*, **a receipt** [risi:t].

Londres est formé d'un ensemble de villages possédant chacun leur caractère et utilisant les mêmes *noms de rue*, **street names**. Les chauffeurs de taxis eux-mêmes ont besoin d'un plan détaillé. On a dénombré près de quarante **Wellington Road** et vingt **Gloucester Road** [gloste rôoud] !

DIALOGUES ET VIE PRATIQUE

Frank : Taxi ! Excusez-moi, êtes-vous libre ?
Chauffeur de taxi : Tout à fait. Où voulez-vous aller ?
Frank : À Piccadilly Circus, s'il vous plaît.
Chauffeur de taxi : Je ne pourrai pas prendre tous ces passagers ainsi que leurs baggages.
Jane : Ce n'est pas grave, nous prendrons un deuxième taxi.
Frank : Ça coûtera combien, à peu de choses près (m. à m. plus ou moins), pour aller à Piccadilly Circus ?
Chauffeur de taxi : Si la circulation n'est pas mauvaise, à peu près cinq livres.
Frank : Très bien. Bon, Jane, je prends les enfants avec moi et toi, tu prends ta sœur et on se retrouve(ra) à Piccadilly Circus.

LES NOMS DE RUES

En dehors des *rues*, **streets**, et des *avenues*, **avenues** [aviniouz], vous trouverez :

alley	[aléi]	*allée*
circus	[se:kes]	*place (ronde)*
crescent	[krèchent]	*rue en arc de cercle*
lane	[léïnz]	*passage*
mews	[miouz]	*ruelles calmes, bordées d'anciennes écuries*
square	[skwè-ez]	*place (rectangulaire ou carrée)*
terraces	[tèresiz]	*rue avec rangée de maisons de style uniforme*

 QU'EST-CE QUE L'UNION JACK ?

⇨ *RÉPONSE PAGE 295.*

265

Do you want some?

some (adj.) : *du, de la, de, des*

  some money, some difficulties

some (pronom) : *en*

  I want some, *j'en veux*

some s'emploie dans les affirmations et dans les questions quand on attend la réponse oui.

any (adj.) : *du, de la, de, des*

  I don't want any, *je n'en veux pas*

any s'emploie dans les phrases négatives et dans les questions quand on ne sait pas si la réponse sera oui ou non.

no : *pas de*

  no money, no cigarettes, *pas d'argent, pas de cigarettes*

a little : *un peu de, un peu*

  a little milk : *un peu de lait,* **just a little,** *juste un peu*

milk	*lait*	**juice**	[djou:s]	*jus*
biscuits [biskits]	*biscuits*	**lemon**	[lèmen]	*citron*
party [pa:ti]	*réception, fête*	**just**	[djœst]	*juste*
orange [orindj]	*orange*	**to forget***	[fegèt]	*oublier*

1. I must buy some milk.
2. I thought I had some left.
3. Do you want some milk?
4. Yes, please, just a little ; just a little milk.
5. Have you got any biscuits left?
6. No, I haven't got any (biscuits) left.
7. Don't forget to buy some for the party.
8. I'm sorry I have no orange juice.
9. But I have some lemon juice.
10. Do you want some?
11. May I have some, please?
12. Just a little, please.

En voulez-vous ?

Attention à la prononciation de :
biscuits [biskits]   **orange** [orindj]   **juice** [djou:s]

2. **I have some left,** construit avec le participe passé **(left)** du verbe **to leave,** *laisser* ; correspond au français *il m'en reste.*

3. On utilise ici **some** car on s'attend à la réponse *oui.*

4. **a little** ne peut être suivi que d'un singulier.

5. On pourrait dire aussi : **Do you have any biscuits left?**
any, car on ne sait pas si la réponse sera *oui* ou *non.*

6. **(biscuits),** entre parenthèses, montre que **any** peut être adjectif ou pronom.

7. **party** peut indiquer une *réunion entre amis, une réception, une soirée, un dîner, une fête* **(dinner-party),** en fait toute occasion de se distraire en groupe. **Party** signifie aussi *groupe, troupe.*

8. **no,** comme **some** et **any,** peut s'employer devant un singulier ou devant un pluriel :
I have no oranges,   *je n'ai pas d'oranges*

11. **may I,** formule polie quand on demande une autorisation.

1. Il faut que j'achète du lait.
2. Je pensais qu'il m'en restait.
3. Voulez-vous du lait ?
4. Oui, s'il vous plaît, juste un peu ; juste un peu de lait.
5. Te reste-t-il des biscuits ?
6. Non, il ne m'en reste pas (plus).
7. N'oublie pas d'en acheter pour la soirée (la fête).
8. Je suis désolé, je n'ai plus de jus d'orange.
9. Mais j'ai de la citronnade.
10. En voulez-vous ?
11. Puis-je en avoir (en prendre), s'il vous plaît ?
12. Juste un (petit) peu, s'il vous plaît.

We won't have spent much money

Le futur antérieur (assez rarement employé) se construit avec **shall have** aux premières personnes du singulier et du pluriel, **will have** aux autres personnes (ou **'ll have** à toutes les personnes) + le participe passé du verbe

    we'll have finished it, *nous l'aurons fini*

much : *beaucoup de,* s'emploie devant un singulier
many : *beaucoup de,* s'emploie devant un pluriel
lots of : *beaucoup de, des tas de, un grand nombre de, une grande quantité de,* s'emploie indifféremment devant un singulier ou un pluriel

little : *peu (de),* s'emploie avec un singulier
    little money : *peu d'argent*
    I have very little left : *il m'en reste très peu*

few : *peu (de),* s'emploie avec un pluriel
    few friends : *peu d'amis*
    I have very few : *j'en ai très peu*

none : *aucun, aucune, aucuns, aucunes* (pronom)
    I have none : *je n'en ai aucun*

cheque	[tchèk]	*chèque*
presents	[prèzents]	*cadeaux*
thing	[šiŋ]	*chose*
to wonder	[wœnde]	*se demander*

1. We'll have spent very little money.
2. We won't have spent much money.
3. We won't have used many cheques.
4. We'll have used few cheques.
5. It's a good thing we spend so little.
6. Jim has bought lots of presents.
7. I always tell him he spends too much.
8. I wonder how he has managed to spend so much.
9. I asked him if he had any money left.
10. He told me he had none left.
11. It's a good thing he is leaving in a few days.
12. He won't have spent much time here.

Nous n'aurons pas dépensé beaucoup d'argent

1. Ne pas confondre **a little money,** *un peu d'argent,* avec **little money,** *peu d'argent.*

2. **Much** s'emploie surtout dans les phrases négatives. Pour une affirmation, on dirait plutôt :
   He spends a lot of money ou **He spends lots of money**

3. L'orthographe US est **check.**

4. Ne pas confondre **few,** *peu (de)* + pluriel et **a few,** *quelques.*

5. **We spend :** remarquez l'emploi de l'indicatif anglais au lieu du subjonctif *(dépensions)* français.

6. **Lots of** peut s'employer devant un pluriel ou un singulier :
lots of money, lots of presents.
A lot of s'emploie devant un singulier, ou devant un pluriel sans **s** :
a lot of people, a lot of children (on peut parfaitement dire aussi **lots of people, lots of children**).

8. *Tant,* se référant à un pluriel, serait **so many** :
   He has many friends — I didn't know he had so many
   Il a beaucoup d'amis — Je ne savais pas qu'il en avait tant

11. Remarquez ce sens futur dans la forme en **-ing** du présent.

12. **To spend** signifie donc *dépenser (de l'argent...)* ou *passer (du temps).*

1. Nous aurons dépensé très peu d'argent.
2. Nous n'aurons pas dépensé beaucoup d'argent.
3. Nous n'aurons pas utilisé beaucoup de chèques.
4. Nous aurons utilisé peu de chèques.
5. C'est une bonne chose que nous dépensions si peu.
6. Jim a acheté des tas de cadeaux.
7. Je lui dis toujours qu'il dépense trop.
8. Je me demande comment il a fait pour dépenser tant.
9. Je lui ai demandé s'il lui restait de l'argent.
0. Il m'a dit qu'il n'en avait pas (plus) (qu'il ne lui en restait pas).
1. C'est une bonne chose qu'il parte dans quelques jours.
2. Il n'aura pas passé beaucoup de temps ici.

Exercices • *Expressions*

A. Complétez avec <u>some, any, no, none</u>
1. I didn't want ...
2. He had ... tickets.
3. I still have a few cigarettes, but I have ... cigars left
4. They are all his. Personally, I have ...
5. I don't think he wants ...
6. May I have ... please?

D. Traduire
1. Il l'aura dépensé avant la fin de la semaine.
2. Elle nous aura oubliés.
3. Elle aura conduit pendant 6 heures.
4. Nous téléphonerons quand il sera arrivé.

A. 1. any   2. some   3. no   4. none   5. any   6. some

D. 1. He'll have spent it before the end of the week.
2. She'll have forgotten us.   3. She'll have driven for 6 hours.
4. We'll phone when he has arrived. (Attention, après **when** conjonction *(lorsque)* pas de futur, donc pas de futur antérieur.)

Never had so few done so much for so many
Jamais si peu (de gens) n'avaient fait tant pour un si grand nombre
(W. Churchill à propos de l'héroïsme des pilotes de la Royal Air Force pendant la bataille d'Angleterre — au début de la 2e guerre mondiale).

Remarque sur **any :** dans une phrase affirmative, **any** peut signifier *n'importe quel(s), n'importe quelle(s)*
    come any day, *venez n'importe quel jour*

Mots formés sur **some**
somebody   *quelqu'un*
someone   *quelqu'un*
something   *quelque chose*
somewhere   *quelque part*

Mots formés avec **any**
anybody, anyone, *quelqu'un,*
ou dans une phrase affirmative, *n'importe qui*
    anybody (anyone) could do it, *n'importe qui pourrait le faire*
anything, *quelque chose,*
ou dans une phrase affirmative, *n'importe quoi*
anywhere, *quelque part,*
ou dans une phrase affirmative, *n'importe où.*

CIVILISATION

À TABLE

Si vous êtes invités chez des amis britanniques, vous consta-
terez que *la table est mise différemment* (**the table is laid differently**). Le *couvert* (**fork and spoon**) est disposé pointes en
haut, le *verre* (**glass**) est légèrement à droite de l'*assiette*
(**plate**). Le plus souvent il n'y a pas de *nappe* (**table-cloth**)
mais des sets de table et de l'*argenterie* (**silverware**).

En Grande-Bretagne, on tient sa fourchette *de la main
gauche* (**with the left hand**) et on la remplit à l'aide du *couteau* (**knife, pl. knives**). Quand on ne mange pas, on garde
les mains sous la table, généralement sur les genoux, ce qui
surprend toujours au début.

LES REPAS

Les principaux repas de la journée sont le petit déjeuner et
le dîner.

Le *petit déjeuner* (**breakfast**), qui est de plus en plus **continental**, c'est à dire qu'il n'offre plus comme le traditionnel
English breakfast de naguère des plats cuisinés : *bouillie
d'avoine* (**porridge**), *œufs au lard* (**eggs and bacon**), ou
brouillés (**scrambled**) ou *au plat* (**fried**), *saucisses* (**sausages**)
et *tomates frites* (**tomatoes**). On se contente aujourd'hui de
thé au lait ou de *café* (**coffee**) avec du *pain grillé* (**toast**), du
beurre (**butter**), de la *confiture* (**jam**) ou de la *marmelade
d'oranges* (**marmalade**).

À midi, le *déjeuner* (**lunch** ou **luncheon**) est souvent pris
sur le pouce : *salade* (**salad**), sandwich, *casse-croûte* (**snack**)
ou parfois le traditionnel **fish and chips** (*poisson frit avec des
frites*) consommés au pub du coin ...

Le soir, le *dîner* (**dinner**) est pris assez tôt, de façon à laisser une plage horaire aux activités récréatives : lecture des
journaux, télévision, cinéma, théâtre éventuellement. En
effet, les spectacles débutent en général plus tôt que sur le
continent.

DIALOGUES ET VIE PRATIQUE

Saleswoman : Good morning, can I help you ?

James : Yes please, a table for four, and we'd like some coffee.

Saleswoman : Do you want milk with your coffee ?

James : No, thank you. I'd rather have it black. May I have some orange juice, please ?

Saleswoman : Sorry, we have none left. But we do have lemon juice. Help yourself to the biscuits. Do you want anything else[1] ?

Karen : May I have some more coffee ? It's delicious. Have you got any cheese to go with the biscuits ?

Saleswoman : Certainly. What about the children ? What will they have ?

Karen : They usually have tea, with milk, please, and orange juice.

Saleswoman : Sorry, but we have no orange juice left.

1. Else = *autrement* ; anything else = *quelque chose d'autre*.

Si on vous demande :
How would you like your eggs ?
Comment voulez-vous vos œufs ?

Vous pourrez répondre :

fried	[fraïd]	*frit(s), au plat*
ou : **sunny-side up**	(mot-à-mot : côté *soleil en haut*)	
scrambled	[skrambeld]	*brouillés*
soft-boiled	[soft boïld]	*à la coque*
hard-boiled	[ha:d boïld]	*dur(s)*

DIALOGUES ET VIE PRATIQUE

Vendeuse : Bonjour, puis-je vous être utile ?

James : Oui, s'il vous plaît, une table pour quatre et nous voudrions du café.

Vendeuse : Voulez-vous du lait dans votre café ?

James : Non, merci. Je le préfère noir. Puis-je avoir du jus d'orange s'il vous plaît ?

Vendeuse : Désolée, il n'en reste plus. Par contre, nous avons du jus de citron. Servez-vous en biscuits. Vous faut-il autre chose ?

Karen : Puis-je avoir plus de café ? Il est délicieux. Vous n'auriez pas du fromage pour accompagner les biscuits ?

Vendeuse : Certainement. Et les enfants ? Que prendront-ils ?

Karen : Ils prennent en général du thé au lait, s'il vous plaît, et du jus d'orange.

Vendeuse : Désolée, mais nous n'avons plus de jus d'orange.

Coffee shop : attention à la traduction par *café* : il s'agit d'un débit de boissons exclusivement non alcoolisées (thé, café, jus de fruits etc.) où l'on sert aussi des pâtisseries, des sandwichs et des repas légers (**snacks**).

COFFEE SHOP (*US*)

Avec le café, on pourra vous proposer au petit déjeuner :

donut / dough-nut	[dôounœt]	*beignet sucré*
hashed browns	[hacht braoun]	*pommes de terre râpées*
muffin	[mœfin]	*petit pain rond sucré*
pancake	[pankéïk]	*crêpe*

 QUE SIGNIFIE LA FORMULE B & B's ?

⇨ *RÉPONSE PAGE 320.*

You would be surprised

Le <u>conditionnel</u> se forme en anglais avec l'auxiliaire **would** (à toutes les personnes) suivi du verbe à l'infinitif sans **to**.

> **I would do it,** *je le ferais*
> **you would do it,** *tu le ferais (vous le feriez),* etc.

la contraction est **I'd** [aïd], **you'd, he'd, she'd,** etc.
à la forme négative : **wouldn't** [**wou**dent]

le membre de phrase indiquant la supposition ou la condition, *si* + imparfait en français, est en anglais au <u>prétérit précédé de</u> **if** :

> **if he asked**   **if she knew**
> *s'il demandait*   *si elle savait*

pour traduire le verbe *devoir* au conditionnel présent on emploie **should** [choud] ou **ought to** [o:t tou] à toutes les personnes.

> **you should come** ⎤
> **you ought to come** ⎦ → *tu devrais venir*

might [maït] est le conditionnel de **may**.

to apologize	[epoledjaïz]	*s'excuser*
kind	[kaïnd]	*sorte*
to call on		*passer voir, rendre visite à*
to suit	[syou:t]	*convenir*
to refuse	[rifyou:z]	*refuser*

1. If I were you, I would refuse.
2. If I was younger, I would learn how to play tennis.
3. If I had more money, this is the kind of car I would buy.
4. We would like to do it if we had more time.
5. You would be surprised if I told you.
6. I wouldn't be surprised if he asked for money.
7. Would it be simpler if he went with you?
8. Wouldn't it be better if we apologized?
9. You wouldn't believe that if you knew him.
10. We could call on them if it suits you.
11. I'd like you to do it.
12. We ought to apologize (We should apologize).

Vous seriez surpris

1. 2. *Si j'étais, si tu étais,* etc. En principe, **were** à toutes les personnes, y compris la première. En pratique, on entend souvent **if I was**, plus familier ; **were** pour les autres personnes (**if you were**, etc.).

2. Remarquez la tournure *apprendre à* + verbe
to learn how to + verbe
to play tennis, to play cards *(jouer aux cartes)*

8. **to apologize,** *s'excuser, présenter ses excuses*
to apologize for something, *s'excuser de quelque chose*
to apologize to somebody for something
s'excuser auprès de quelqu'un pour quelque chose

10. Bien distinguer **to call on somebody,** *rendre visite à quelqu'un* et **to call somebody, to call somebody on the phone,** *appeler quelqu'un au téléphone.*

Même différence en anglais entre **if it suits you** et **if it suited you,** qu'en français entre *si cela vous convient* et *si cela vous convenait.*

12. **I'd like :** même construction qu'après **to want (I want you to do it).**

1. Si j'étais vous, je refuserais.
2. Si j'étais plus jeune, j'apprendrais à jouer au tennis.
3. Si j'avais davantage d'argent, c'est le genre de voiture que j'achèterais.
4. Nous aimerions le faire si nous avions davantage de temps.
5. Vous seriez surpris si je vous le disais.
6. Je ne serais pas surpris qu'il demande de l'argent.
7. Serait-ce plus simple s'il allait avec vous ?
8. Est-ce que ça ne serait pas mieux si nous nous excusions (ne vaudrait-il pas mieux que nous...) ?
9. Vous ne croiriez pas cela si vous le connaissiez.
10. Nous pourrions leur rendre visite si cela vous convient.
11. J'aimerais que vous le fassiez.
12. Nous devrions nous excuser.

It would have been easier

Le <u>conditionnel passé</u>, ex. *nous serions venus si nous avions su*, se forme en anglais avec : **would** + **have** + participe passé

la phrase commençant par **if** est au plus-que-parfait <u>(pluperfect)</u>
we would have come if we had known.

contractions :
we would have come — we'd have come : *nous serions venus*
she would have bought — she'd have bought : *elle aurait acheté*
if we had had — if we'd had : *si nous avions eu*

j'aurais pu, tu aurais pu, etc.	**I could have, you could have**
il aurait pu venir,	**he could have come**
j'aurais dû, etc.	**I should have** ou **I ought to have**
elle aurait dû venir	**she ought to have come**
	she should have come

to notice	[nôoutis]	*remarquer*
to enjoy	[indjoï]	*apprécier*
castle	[kasel]	*château*
stay		*séjour*
expensive	[ikspènsiv]	*coûteux*
guest house		*pension*

1. We would have come if we had known.
2. We would have visited the castle if we had had more time.
3. I would never have noticed it if you hadn't shown it to me.
4. We wouldn't have enjoyed our stay so much without you.
5. We wouldn't have done it if it hadn't been for the kids.
6. It wouldn't have been so expensive if you had stayed in guest houses.
7. She'd have bought it if it'd been less expensive.
8. It would have been easier if Mary could have phoned.
9. She ought to have come (she should have come).
10. You should have tried (you ought to have tried).
11. I could have caught it.
12. They could have won.

Ç'aurait été plus facile

7. Attention à la prononciation de **it'd been** [ĩtedbi:n], contraction de **it had been**, *ç'avait été*

comparez avec

it'd be [ĩtedbi:], contraction de **it would be**, *ce serait*

et   **it'd have been** [ĩtedhavbi:n] contraction de
it would have been, *ç'aurait été*

8. **If she could have phoned**, *si elle avait pu téléphoner* : remarquez que pour mettre au passé **if she could phone**, *si elle pouvait téléphoner*, on ne peut pas, comme en français, utiliser le participe passé : *si elle avait* pu *téléphoner*.
En effet, le défectif **can** n'a pas de participe passé.
On va donc jouer sur l'infinitif sans **to, phone**, et le mettre au passé : **have phoned.**

On pourrait également utiliser **to be able to** :

if she had been able to phone

Attention : **she could phone** peut signifier *elle pouvait téléphoner*
ou *elle pourrait téléphoner*

she could have phoned peut signifier
(si) elle avait pu téléphoner ou *elle aurait pu téléphoner*.

Le plus-que-parfait normal, *elle avait pu téléphoner* (sans condition ou supposition), est : **she had been able to phone.**

1. Nous serions venus si nous avions su.
2. Nous aurions visité le château si nous avions eu davantage de temps.
3. Je ne l'aurais jamais remarqué si vous ne me l'aviez pas montré.
4. Nous n'aurions pas autant apprécié notre séjour sans vous.
5. Nous ne l'aurions pas fait si ça n'avait pas été pour les enfants.
6. Ça n'aurait pas été si cher si vous aviez séjourné dans des pensions.
7. Elle l'aurait acheté si ç'avait été moins cher.
8. Ç'aurait été plus facile si Mary avait pu téléphoner.
9. Elle aurait dû venir.
10. Vous auriez dû essayer.
11. J'aurais pu l'attraper.
12. Ils auraient pu gagner.

Exercices • *Expressions au conditionnel*

A. Traduire
1. Si j'étais plus jeune, je jouerais au rugby.
2. J'aimerais acheter cette voiture.
3. Nous pourrions leur rendre visite lundi.
4. J'aimerais qu'elle vienne.
5. Nous devrions leur demander.

B. Mettre au conditionnel passé
1. I'd buy it if I had more money.
2. You wouldn't believe it if you knew Jim.
3. They could do it if they had time.
4. He might come.
5. We ought to phone her.

A.
1. If I was (were) younger, I'd play rugby.
2. I'd like to buy this car.
3. We could call on them (visit them) on Monday.
4. I'd like her to come.
5. We ought to (we should) ask them.

B.
1. I'd have bought it if I'd had more money.
2. You wouldn't have believed it if you had known Jim.
3. They could have done it if they'd had time.
4. He might have come.
5. We ought to have phoned her.

would you mind + verbe en **-ing**
est-ce que cela vous dérangerait de...

would you mind if I...
est-ce que cela vous dérangerait que je...
ça ne vous ferait rien que je...

would you be so kind as to...
auriez-vous la gentillesse de...

what would you like to have...
qu'aimeriez-vous prendre (avoir)...

would you like me to...?
voudriez-vous que je...? — aimeriez-vous que je...?

278

CIVILISATION

Harrod's, l'un des plus célèbres et plus luxueux grands magasins du monde, a pour origine une petite *épicerie* (**grocery** [grôouseri]) achetée en 1849 par un marchand de thé, Henry Harrod, à **Knightsbridge** [naïtsbridge], quartier de Londres encore peu connu à l'époque. Le *chiffre d'affaires*, (**turnover** [te:nôouve]) n'atteignait alors pas £ 2O (**twenty pounds**) par semaine.

En 1861, le fils d'Henry Harrod, Charles, âgé de 20 ans, racheta cette boutique à son père, et, sur le modèle du Bon Marché, crée à Paris en 1852 par Aristide Boucicault, ouvrit un *grand magasin*, **department store** [dipa:tment sto:], où l'on vendait toutes sortes d'*articles* (**items** [aïtèmz]). Le succès fut total : sept ans plus tard, le chiffre d'affaires atteignait £ 1000 par semaine et, vers 1880, une centaine d'employés travaillaient de 7h à 20h.

A la veille de Noël 1883, un *incendie* (**fire** [faïe]) détruisit tout le magasin. Mais Charles Harrod s'arrangea pour *faire livrer les commandes* (**to deliver the orders** [dili:ve zi o:dez]) de tous ses clients (**customers** [koestemez]). Dix mois plus tard le magasin était reconstruit. En outre, Charles continua à inventer en proposant pour la première fois un système de paiement à crédit et en installant le premier *escalier roulant* (**escalator** [èskeléïte]) : du *cognac* (**brandy** [brandi]), et des *sels* (**smelling salts**) étaient prévus pour les personnes sensibles...

Omnia, Omnibus, Ubique : cette devise latine du magasin qui signifie *Tout, Pour Tous, Partout* (**Everything, Everybody, Everywhere**) correspond à la réalité. On trouve effectivement tout chez Harrod's : les rayons classiques d'un grand magasin, mais aussi de vastes salles consacrées à l'alimentation (**Food Halls**) où, dans un somptueux décor de *bois* (**wood**) et de *marbre* (**marble** [ma:bel]), des étalages de fromages, de poissons, de viandes, de charcuteries, de fromages, de confiseries, de vins, etc., du monde entier font l'admiration des visiteurs. Harrod's livre tout et partout : des *saucisses* (**sausages** [sosidjiz]) à bord d'un bateau, des fromages en banlieue, des animaux – chiens, oiseaux ou éléphants – au choix.

Au début du mois de janvier, chaque année, les *soldes* (**sales** [seïlz]) de Harrod's attire des foules qui n'hésitent pas à *faire la queue* (**to queue** [kioue]) pour profiter des très importants *rabais* (**discounts** [diskaount] consentis sur une grande variété d'articles allant de la *casserole* (**pan**) aux *bijoux* (**jewels** [djouelz]) et *pierres précieuses* (**gems** [djèmz]).

Illuminé le soir et la nuit, Harrod's, bien que racheté par un groupe financier du Moyen-Orient, reste, du moins en apparence, le symbole de la puissance anglaise acquise au 19ème siècle.

DIALOGUES ET VIE PRATIQUE

Ann : Where did you get that beautiful dress ?

Kim : In that new department store that has just opened in High Street.

Ann : It must be very expensive. I prefer to go to the shopping centre in our area.

Kim : I know it's much cheaper, but the quality is not the same. Besides you can get all you want in the city centre.

Ann : That's true but our local main street is not too bad. You can get all the essentials.

Kim : Yes, but when you want to spoil yourself, you know, give yourself a treat[1], you have to look further.

Ann : I suppose so.

---

1. treat [tri:t] : *plaisir ; joie ; cadeau ; sortie.*
this is my treat : *c'est moi qui paie* (voir D2 p. 164).

QUELQUES EXPRESSIONS UTILES

A quelle heure le magasin ferme-t-il ?
What time does the store close ?

Quelle marque de ... me recommandez-vous ?
What brand of ... do you recommend ?

Combien de temps cela prendrait pour retoucher cette veste ?
How long would it take to alter this jacket ?

Voici mon passeport ! Suis dispensé(e) de T.V.A. ?
Here is my passport ! Am I exempt from V.A.T. ?

Je ne fais que regarder pour l'instant.
I'm just looking for now.

Où puis-je trouver un(e) vendeur(-euse) ?
Where can I find a salesperson ?

DIALOGUES ET VIE PRATIQUE

Ann : Où as-tu trouvé cette si jolie robe ?

Kim : Dans ce nouveau grand magasin qui vient d'ouvrir dans High Street.

Ann : Ça doit être très cher. Je préfère aller au centre commercial de notre quartier.

Kim : Je sais que c'est beaucoup moins cher mais la qualité n'est pas la même. En plus tu peux avoir tout ce que tu veux en centre ville.

Ann : Ça, c'est vrai, mais la rue principale de notre quartier n'est pas si mal. On y trouve (m. à m. tu peux y trouver) l'essentiel.

Kim : Oui, mais quand tu veux te gâter, tu sais, te faire un petit plaisir, il faut chercher ailleurs (m. à m. aller voir plus loin).

Ann : Oui, je suppose que tu as raison.

cobbler's	*cordonnier*
confectionner's	*confiserie*
delicatessen	*traiteur*
D.I.Y. (do-it-yourself)	*boutique de bricolage*
dry cleaner's	*teinturerie*
health food shop	*produits diététiques*
launderette	*laverie automatique*
newsagent's	*kiosque à journaux*
stationer's	*papeterie*
tobacconist	*bureau de tabac*

Le *'s* inscrit après le nom du commerçant indique que c'est sa boutique.

 QU'EST-CE QUE LE RUGGER ?

⇨ *RÉPONSE PAGE 319.*

He doesn't understand what it means

Le style indirect **(reported speech)** consiste à rapporter les paroles de quelqu'un. Par exemple :

it's raining, *il pleut* — est du style direct, alors que

he says it's raining, *il dit qu'il pleut* — est du style indirect.

En français, quand on rapporte une question, par exemple *pleut-il ?* elle devient (style indirect) *il demande s'il pleut.*

On constate un changement dans l'ordre verbe-sujet, qui devient sujet-verbe.

En anglais, on assiste au même changement de l'ordre auxiliaire sujet :

is it raining?	**she asks if it is raining**
have you seen him?	**he asks if you have seen him**
will you drive there?	**she asks if you will drive there**

ou à la disparition de l'auxiliaire **do** (sauf à la forme négative) :

do you work hard?	**he asks if you work hard**
don't you know him?	**he asks if you don't know him**

to mean*	[mi:n]	*signifier, vouloir dire*
to imagine	[imadjin]	*imaginer*
coat	[kôout]	*manteau*

1. "What does this word mean?"
2. He doesn't understand what it means.
3. "Where is my coat?"
4. She wonders where her coat may be.
5. "How does she do it?"
6. He can't imagine how she does it.
7. "Why didn't you ask her?"
8. He doesn't know why you didn't ask her.
9. "When will you leave?"
10. She's asking him when he will leave.
11. "What did I do with it?"
12. He doesn't remember what he did with it.

Il ne comprend pas ce que cela veut dire

4. **To wonder,** *se demander*. Souvent construit avec **whether** [wèže], *si... ou ne... pas*

> **I wonder whether he'll come,** *je me demande s'il viendra.*

7. Remarquez la construction de **to ask** :

> *Demandez à ma sœur,* **ask my sister**
> *Demander des renseignements,* **to ask for information**

8. **didn't** subsiste ici en style indirect car il s'agit au départ d'une phrase négative. Comparez avec :

> **Why did you ask her?**
> **He doesn't know why you asked her.**

9. Remarquez qu'on peut employer le futur après **when** quand il s'agit de **when** adverbe interrogatif, en style direct et indirect. C'est-à-dire quand **when** signifie : *à quel moment ?*.
Ce futur serait impossible après **when** au sens de *lorsque* dans une construction comme :

> **We'll leave when he is ready**
> *Nous partirons quand il sera prêt.*

12. Remarquez la construction directe de **to remember**

> **I remember it**   *je m'en souviens*
> **I remember him**   *je me souviens de lui*

1. « Que signifie ce mot ? »
2. Il ne comprend pas ce que cela signifie.
3. « Où est mon manteau ? »
4. Elle se demande où peut être son manteau.
5. « Comment fait-elle ? »
6. Il ne peut pas imaginer comment elle fait.
7. « Pourquoi ne lui avez-vous pas demandé ? »
8. Il ne sait pas pourquoi vous ne lui avez pas demandé.
9. « Quand partirez-vous ? »
10. Elle lui demande quand il partira.
11. « Qu'est-ce que j'en ai fait ? »
12. Il ne se souvient pas de ce qu'il en a fait.

He said he would let us know

Quand on rapporte des paroles qui ont été prononcées dans le passé, il est nécessaire en anglais, comme en français, de pratiquer la <u>concordance des temps</u>, c'est-à-dire de mettre ces paroles au passé :

Ex. :   **"It is very easy to do", she said**
« C'est très facile à faire », dit-elle.

She said it was very easy to do
Elle a dit que c'était très facile à faire.

La conjonction **that** est souvent omise dans des constructions comme **He said that..., She answered that...,** etc.

Rappel :   **have they been here long?**
sont-ils ici depuis longtemps ?

Revoyez en Leçon 26 l'emploi du present perfect.

to build*	[bild]	*construire*
to claim	[kléïm]	*affirmer*
to let know		*faire savoir*
whether	[wèže]	*si... (oui ou non)*

* V. verbes irréguliers, pp. 368-370.

1. "It is very easy to do", she answered.
2. She answered it was very easy to do.
3. "I can build it myself", he told me.
4. He told me he could build it himself.
5. "I have enough money", he claimed.
6. He claimed he had enough money.
7. "Have they been here long?" he asked.
8. He asked if (whether) they had been here long.
9. "I will let you know", he said.
10. He said he would let us know.
11. "When will you leave?" she asked them.
12. She asked them when they would leave.

Il a dit qu'il nous le ferait savoir

Remarquez dans toutes les phrases en <u>style indirect</u> la suppression de la conjonction **that**. On peut parfaitement dire et écrire :

she answered that it was very easy to

mais la tournure sans **that** est plus fréquente.

5. Rappel : place de **enough** [inœf]
— après adjectif, adverbe ou verbe :
   it is big enough, he works hard enough, he earns enough
— avant ou après un nom :
   I have enough money ou **I have money enough**

7. Remarquez l'emploi du <u>present perfect</u> (cf. Leçon 26).
long est ici un adverbe signifiant **for a long time,** *depuis longtemps*
de même dans : **How long have you been here?**
   Depuis combien de temps êtes-vous ici ?

8. **Whether,** *si... ou ne... pas,* s'emploie lorsqu'on ne sait pas si la réponse est oui ou non.

9. **To let,** qu'il aide à former l'impératif (**let us go!** cf. Leçon 19) ou qu'il signifie comme ici : *laisser, permettre,* est suivi de l'infinitif sans **to.**

1. « C'est très facile à faire », répondit-elle.
2. Elle répondit que c'était très facile à faire.
3. « Je peux le construire moi-même », me dit-il.
4. Il me dit qu'il pouvait (qu'il pourrait) le construire lui-même.
5. « J'ai assez d'argent », affirma-t-il (affirmait-il).
6. Il affirma (affirmait) qu'il avait assez d'argent.
7. « Sont-ils ici depuis longtemps ? » demanda-t-il.
8. Il demanda s'ils étaient ici depuis longtemps.
9. « Je vous le ferai savoir », dit-il.
10. Il dit qu'il nous le ferait savoir.
11. « Quand partirez-vous ? » leur demanda-t-elle.
12. Elle leur demanda quand ils partiraient.

Exercices • *Dire*

A. **Mettre en style indirect en commençant par <u>she says</u> ou par <u>he asks</u>** selon les cas (attention à l'ordre des mots s'il s'agit d'une question ; il ne change pas pour une affirmation)
1. "The weather is fine."
2. "Is it far?"
3. "What does this word mean?"
4. "I can do it myself."

B. **Mettre au style indirect en commençant par <u>she said</u> ou par <u>he asked</u>** selon les cas
1. "It's very easy to do."
2. "They have been here for a long time."
3. "When will you send it?"
4. "Have you got enough?"

A. 1. She says the weather is fine. — 2. He asks if it is far. — 3. He asks what this word means. — 4. She says she can do it herself.

B. 1. She said it was very easy to do. — 2. She said they had been here for a long time. — 3. He asked when you would send it *(quand vous l'enverriez)* ou when you will send it *(quand vous l'enverrez)*. 4. He asked if you had got enough (*ou* if you have got enough).

to say something to somebody		*dire quelque chose à quelqu'un*
to tell somebody something		*dire (raconter) quelque chose à quelqu'un*
to claim	[kléïm]	*affirmer, prétendre*
to declare	[diklèe]	*déclarer, affirmer*, cf. **to state**
to emphasize	[èmfesaïz]	*insister sur*, cf. **to stress**
to point out	[poïnt aout]	*faire remarquer* (au sens de *faire une remarque*, différent de **to notice**, *remarquer, s'apercevoir*)
to repeat	[ripi:t]	*répéter*
to shout	[chaout]	*crier*
to state	[stéit]	*déclarer, affirmer*
to stress		*insister sur*
to stammer	[stame]	*bégayer*
to stutter	[stœte]	
to utter	[œte]	*prononcer*
to whisper	[wispe]	*chuchoter*

CIVILISATION

STARTERS : HORS-D'ŒUVRES

asparagus soup : *crème d'asperges.*

chicken broth : *consommé de poulet.*

cold cuts : *assiette de charcuterie et viandes froides.*

jellied eels : *anguilles en gelée.*

mussels : *moules.*

oxtail soup : *potage (aux légumes et) à la queue de bœuf.*

oysters : *huîtres.*

potted shrimps : *terrine de crevettes.*

smoked fish : *poisson fumé.*

PIES (*PÂTÉS, TOURTES*)

Cornish pasty : *feuilleté de Cornouailles, à base de viande émincée, d'oignons et de pommes de terre.*

pork/chicken pie : *pâté en croûte au porc, au poulet.*

sausage roll : *friand à la saucisse.*

steak and kidney pie : *tourte de bœuf aux rognons.*

Welsh rarebit : *« croque-monsieur » (spécialité galloise).*

MAIN COURSE (*PLATS PRINCIPAUX, OU ENTRÉES*)

Dover sole and chips : *sole grillée (de Douvres) et pommes frites.*

grilled salmon [samen] : *saumon grillé.*

haggis : *(spécialité écossaise) panse de mouton farcie.*

Irish stew : *ragoût de mouton à l'irlandaise (pommes de terre et oignons).*

lamb chops, mixed vegetables and boiled potatoes : *côtes d'agneau, légumes variés et pommes vapeur.*

Lancashire hotpot : *côtes et rognons d'agneau aux pommes de terre et oignons.*

roast beef, Yokshire pudding and roast potatoes : *rosbif accompagné d'une sorte de crèpe et de pommes de terre sautées.*

SWEETS (*DESSERTS*)

apple/raspberry crumble : *tarte aux pommes/aux framboises (à base de pâte brisée)*

lemon sponge and custard : *génoise à la crème anglais et au citron.*

trifle : *charlotte (souvent aux fruits).*

DIALOGUES ET VIE PRATIQUE

Brian : What sort of a restaurant are we going to, Mark ?
Mark : It's what you call a typical English café, Brian. Linda said it's the best in town.
Brian : Good, but what do they have to eat ?
Mark : Well chips, you call them French fries in the United States and then you can have anything else you want.
Brian : Like what ?
Mark : Like sausages, bacon and eggs, Yorkshire pudding etc.
Brian : Sounds delicious. And what can we drink ?
Mark : Well most people drink tea or coffee, but you can have soft drinks, milk or even mineral water.
Brian : Hey, I need a beer !
Mark : Well, if they have a licence[1], you can have a beer.
Brian : I sure hope they have a license[2].

1. orthographe G.B. 2. orthographe U.S.

MEAT (*LA VIANDE*)

Elle peut être servie :

bien cuite	well done	[wèl dœn]
à point	medium	[mi:diem]
saignante	underdone	[œnde:dœn]
bleue	rare	[rè-e]

Elle peut être préparée :

cuite au four	baked	*grillée*	grilled
à la broche	barbecued	*rôtie*	roasted
braisé(e)	braised	*en ragoût*	stewed
frit(e)	fried	*farci(e)*	stuffed

DIALOGUES ET VIE PRATIQUE

Brian : Dans quel genre de restaurant nous allons, Mark ?

Mark : C'est ce qu'on appelle un bistrot typiquement anglais, Brian. Linda a dit que c'est le meilleur de la ville.

Brian : Bien, mais qu'est-ce qu'ils ont à manger ?

Mark : Eh bien des frites, aux États-Unis vous dites frites françaises, et puis tu peux prendre tout ce que tu veux.

Brian : Comme quoi ?

Mark : Comme des saucisses, du bacon avec des œufs, du Yorkshire pudding, etc.

Brian : Ça a l'air délicieux. Et qu'est-ce qu'on peut boire ?

Mark : Eh bien, la plupart des gens boivent du thé ou du café mais tu peux avoir des boissons sans alcool, du lait ou même de l'eau minérale.

Brian : Hé, moi, j'ai envie d'une bière !

Mark : S'ils ont la licence, tu peux avoir une bière.

Brian : J'espère bien qu'ils ont la licence.

HERBES AROMATIQUES ET ÉPICES
HERBS AND SPICES [spaïsiz]

ail	**garlic** [ga:ʀlik]	*gingembre*	**ginger** [djindjeʀ]
basilic	**basil** [bazil]	*menthe*	**mint** [mi-nt]
cannelle	**cinnamon** [sineme-n]	*paprika*	**paprika** [pepri:ke]
cerfeuil	**chervil** [tche:ʀvil]	*persil*	**parsley** [pa:ʀsli]
ciboulette	**chives** [tchaïvz]	*safran*	**saffron** [safre-n]
cumin	**cumin** [kœmi-n]	*thym*	**thyme** [taïm]
estragon	**tarragon** [tarage-n]		

 OÙ SE TROUVE LA CAPITALE DES ETATS-UNIS ?

⇨ *RÉPONSE PAGE 43.*

I wish it were possible

Le <u>subjonctif</u> est beaucoup moins employé qu'en français.

Il n'a qu'une forme, au présent, celle de l'infinitif sans **to**.

Ce subjonctif est employé :
— dans des expressions ou formules toutes faites
  God save the Queen!   *Que Dieu sauve la Reine !*
— par les Américains pour exprimer une suggestion, une proposition.

Le prétérit peut prendre un sens subjonctif et notamment après
I wish, *je souhaite* ou *je voudrais* ; **it's high time,** *il est grand temps que* ; **I'd rather,** *je préférerais.*

Les auxiliaires **may** et **should** servent aussi à construire un
« subjonctif composé »

may   pour exprimer le <u>souhait</u>, l'éventualité, le <u>but</u>.

should pour exprimer la <u>crainte</u>, la <u>suggestion</u>.

to afford [efo:d]	*avoir les moyens de*		
to bless	*bénir*		
to wish	*souhaiter*		
advance	*avance*	**however...**	*si... que*
date [déït]	*date*	**mutual**	*mutuel*
discussion	*discussion*	**possible**	*possible*
estate [istéït]	*domaine*	**so that**	*de telle sorte que*
		God	*Dieu*

1. **God bless you!**
2. **It's important that she attend this meeting.**
3. **They insist that he accept their offer.**
4. **I wish he were with us.**
5. **I wish it were possible.**
6. **It's high time you stopped that discussion.**
7. **I'd rather you didn't choose this date.**
8. **However rich they may be, they can't afford to buy this estate.**
9. **We wish that she may succeed.**
10. **He'll book in advance so that he may attend the concert.**
11. **We arrived early so that she should not worry.**

Je voudrais que ce fût possible

1. **God bless (you) :** surtout utilisé comme formule de politesse. On rencontre aussi **God save the Queen!** *Que Dieu sauve la Reine !* ou **Long live the Queen!** *Vive la Reine ! Que la Reine vive longtemps !*

→ **Goodbye,** *au revoir,*
contraction de **God be with you!** *Dieu soit avec vous !*

If this be true... *si ceci est vrai* (langue juridique)
If need be... *si besoin est*

2. 3. Constructions employées en américain et que l'on rencontre en anglais également. (Attention : pas de **s** à la 3ᵉ personne).

4. 5. **Were** (prétérit pluriel de **to be**) sert de subjonctif à toutes les personnes.

4. 5. 6. 7. Après **I wish,** *je souhaite, j'aimerais, je voudrais,* **it's high time,** *il est grand temps,* **I'd rather (I would rather),** *je préférerais,* on rencontre des prétérits à sens subjonctif. Les trois expressions décrivent un souhait non réalisé.

8. **However... they may be,** *si... qu'ils soient* (ou *tout... que, quelque... que*) ; **however** signifie également *cependant, pourtant.* **To afford,** *avoir les moyens* (financiers) *de, être en mesure de, se permettre*
I can't afford it, *mes moyens ne me le permettent pas.*

1. (Que) Dieu vous bénisse !
2. Il est important qu'elle assiste à cette réunion.
3. Ils insistent pour qu'il accepte leur offre.
4. Je voudrais qu'il fût avec nous. (Si seulement il était avec nous).
5. Je voudrais que ce soit possible. (Ah ! si c'était possible !)
6. Il est grand temps que vous arrêtiez cette discussion.
7. Je préférerais que vous ne choisissiez pas cette date.
8. Si riches qu'ils soient, ils n'ont pas les moyens d'acheter ce domaine.
9. Nous voudrions qu'elle réussisse !
10. Il réservera à l'avance de telle sorte qu'il puisse assister au concert.
12. Nous sommes arrivés tôt de façon à ce qu'elle ne s'inquiète pas.

She wants me to apply

Comme on l'a vu en A 1, le subjonctif simple est assez peu employé en anglais (mais réapparaît sous l'influence américaine) tandis que la forme prétérit subjonctive et celle de subjonctif composé (avec **may - should**) sont plutôt réservées à la langue écrite.

Par contre, plusieurs constructions anglaises correspondent au subjonctif français qui est d'un emploi fréquent :

l'indicatif après les conjonctions : **before,** *avant que,* **unless,** *à moins que,* **till,** *jusqu'à ce que,* **provided,** *pourvu que*

la proposition infinitive (cf. Leçon 19, B 3)

la forme en **-ing** du verbe, dite « nom verbal » (cf. Leçon 39, B 1), avec certains verbes comme **to mind,** *voir un inconvénient à*

to accompany		*accompagner*
to stand*		1) *supporter* (ici) ; 2) *être debout*
to apply for	[eplaï]	*faire une demande, postuler à*
polite	[pelaït]	*poli*
personal (adj.)		*personnel*
else		*autre*
to check		*vérifier*
to mind	[maïnd]	1) *voir un inconvénient à ;* 2) *s'occuper de*
to take care of		*prendre soin de*

1. Tell him to call at my office before he leaves.
2. They won't accept unless you really insist.
3. She will accompany us though she is very tired.
4. We must prepare the meeting before they arrive.
5. I will wait here till he comes back.
6. He will be very polite though he can't stand them.
7. You must not expect them to agree with you.
8. She wants me to apply for this job.
9. I'd like him to propose something else.
10. We'd like you to check whether he is right (or wrong).
11. Do you mind my asking you a personal question?

Elle veut que je fasse une demande

1. **To call at,** *passer à un endroit.*
Attention : **to call on somebody,** *passer voir quelqu'un.*
before he leaves, *avant qu'il ne parte* ; on pourrait avoir **before leaving,** *avant de partir,* dans ce cas **before** n'est plus conjonction mais préposition (cf. Leçon 39, A 3).

3. 6. **Though** [żôou], *bien que, quoique* ;
   équivalent : **although** [olżôou]

5. **Till,** *jusqu'à ce que* ; équivalent : **until** (moins fréquent).

6. **Polite,** *poli ≠ impoli, grossier, mal élevé,* **rude** [rou:d].

7. 8. 9. 10. Rappel : proposition infinitive. Après **to expect,** *s'attendre à,* **to want,** *vouloir,* **I'd like (I would like),** *j'aimerais* ou *je voudrais,* on a — au lieu du subjonctif comme en français — un complément sujet d'un verbe à l'infinitif (cf. Leçon 19, B 3).

9. **Something else,** *quelque chose d'autre* ; de même **somebody else,** *quelqu'un d'autre.*
Attention : **somewhere else,** *quelque part ailleurs.*

11. **To mind,** *voir un inconvénient à ce que...*
Au lieu du subjonctif, on a, après ce verbe, une construction qui a la forme du participe présent en **-ing** sans en avoir la fonction ; c'est le nom verbal qui signifie : le fait de faire quelque chose, on peut l'utiliser avec un adjectif possessif.

1. Dites-lui de passer à mon bureau avant qu'il ne parte.
2. Ils n'accepteront pas à moins que vous n'insistiez réellement.
3. Elle nous accompagnera bien qu'elle soit très fatiguée.
4. Nous devons préparer la réunion avant qu'ils n'arrivent.
5. J'attendrai ici jusqu'à ce qu'il revienne.
6. Il sera très poli bien qu'il ne puisse pas les supporter.
7. Vous ne devez pas vous attendre à ce qu'ils soient d'accord avec vous.
8. Elle veut que je pose ma candidature (postule) à cet emploi.
9. J'aimerais qu'il propose quelque chose d'autre.
10. Nous aimerions que tu vérifies s'il a raison (ou tort).
11. Voyez-vous un inconvénient à ce que je vous pose une question personnelle ?

Exercices • *qq. conjonc. de subordinatination*

A. Traduire (prétérit à sens subjonctif)
1. Il est grand temps qu'il revienne.
2. Nous préférerions qu'il ne réponde pas à cette question.
3. Elle préférerait que vous restiez avec elle.
4. Je voudrais que tu restes avec nous !

B. Traduire (équivalents du subjonctif français)
1. Je veux que tu les accompagnes à la gare.
2. Ils veulent que je vérifie s'il sait conduire.
3. Elle voudrait que tu la conduises à Boston.
4. Voyez-vous un inconvénient à ce que je parte maintenant ?

A. 1. It's high time he came back.
2. We'd rather he didn't answer that question.
3. She'd rather you stayed with her.
4. I wish you stayed with us!

B. 1. I want you to accompany them to the station.
2. They want me to check whether he can drive.
3. She would like you to drive her to Boston.
4. Do you mind my leaving nown (... if I leave).

la condition, l'hypothèse :	la cause :
if, *si* ; **unless**, *à moins que*	**as**, *comme*
in case, *au cas où*	**because**, *parce que*
provided, *pourvu que*	**since**, *puisque*
whether, *si... (oui ou non)*	le temps :
la concession, la restriction :	**after**, *après que*
though, *bien que, quoique*	**before**, *avant que*
however, *si... que*	**as**, *au moment où*
	as long as, *tant que*
le but :	**as soon as**, *aussitôt que*
for fear that ⎫ *de peur que*	**once**, *une fois que*
lest ⎭	**till**, *jusqu'à ce que*
so that ⎫ *afin que*	**when**, *quand*
that ⎭ *de sorte que*	**whenever**, *chaque fois que*

Attention : après les conjonctions de temps le verbe se met au présent en anglais s'il est au futur en anglais.

CIVILISATION

L'UNION JACK

Sur le verso de la couverture de votre livre figure l'Union Jack, drapeau du Royaume-Uni.

De 1603 à 1801, le drapeau du Royaume-Uni comportait la croix rouge de **Saint-Georges** de l'Angleterre et la croix blanche diagonale sur fond bleu de *Saint-André* (**Saint-Andrew**) de l'Ecosse. Le terme **jack** est d'origine maritime et désigne le *pavillon* qui orne la proue (**bow**) d'un navire de guerre.

La croix rouge diagonale de **Saint-Patrick**, patron de l'Irlande fut incorporée en 1801, lorsque l'Irlande rejoignit la Grande-Bretagne.

GOD SAVE THE QUEEN

Ecrit en 1744, c'est non seulement l'*hymne national* (**national anthem**) du Royaume-Uni, de Grande-Bretagne et d'Irlande du Nord, mais aussi celui d'un certain nombre de pays du Commonwealth (Australie, Canada, Nouvelle-Zélande entre autres).

En Grande-Bretagne, l'hymne national est diffusé en fin des programmes de radio et de télévision, ainsi qu'au début de la plupart des événements sportifs internationaux.

LE DRAPEAU AMÉRICAIN

La première version du drapeau américain comportait 13 *bandes* (**stripes** [straïp]) rouges et blanches alternées représentant les 13 colonies d'origine avec l'Union Jack britannique en haut à gauche.

Le 14 juin 1777, le drapeau américain fut adopté ; l'Union Jack fut remplacé par 13 *étoiles* (**stars**) représentant les 13 états de l'Union, actuellement 50.

L'HYMNE NATIONAL AMÉRICAIN

The Star-Spangled Banner, *La Bannière parsemée d'étoiles*, fut composée en 1814 par l'avocat américain *Francis Scott Key* (1779-1843) pendant la guerre américano-anglaise de 1812-1814.

Adopté par l'armée et la marine américaine, **The Star-Spangled Banner** ne devint *l'hymne national* qu'en 1931 par décision du congrès.

DIALOGUES ET VIE PRATIQUE

Burt : Excuse me Madam, is there a Post Office near here, please ?
Lady : Yes, there's one right at the end of the street.
Burt : Thank you.
Lady : Not at all.

IN THE POST OFFICE

Burt : I want to buy some stamps please, and to send a parcel.
Clerk : Go to window number four, sir.
Burt : Thanks.
Clerk : You're welcome.

Burt : I want to send a letter to the United States and this parcel to Italy please.
Clerk : Certainly sir. Forty pence for the letter and two pounds for the parcel.
Burt : Thank you very much.
Clerk : My pleasure.

annuaire	directory	[dirèkteri]
appel en P.C.V.	reverse charge call	[rive:s tcha:dj ko:l]
	collect call *(US)*	[kelèkt ko:l]
code postal	postal code *(GB)*	[pôoustel kôoud]
	zip code *(US)* (zone of improved postage)	
enveloppe	envelope	[ènvilôoup]
formulaire	form	[fo:m]
lettre recommandée	registered letter	[rèdjistid lète]
levée	collection, pick-up	[kelèkchen]
N° d'appel gratuit	toll free number	[to:l fri: nœmbeʀ]
poste restante	poste restante *(GB)*	
	general delivery *(US)*	[djénerel diliveri]
prix (de la communication)	charge	[tcha:dj]

DIALOGUES ET VIE PRATIQUE

Burt : Excusez-moi madame, y a-t-il un bureau de poste près d'ici ?

Dame : Oui, il y en a un tout au bout de la rue.

Burt : Merci.

Dame : Il n'y a pas de quoi.

A LA POSTE

Burt : Je veux acheter des timbres et envoyer un paquet, s'il vous plaît.

Employé : Allez au guichet numéro quatre, monsieur.

Burt : Merci.

Employé : De rien.

Burt : Je veux envoyer une lettre aux États-Unis et ce paquet en Italie s'il vous plaît.

Employée : Bien sûr monsieur. Quarante pence pour la lettre et deux livres pour le paquet.

Burt : Merci beaucoup.

Employée : Je vous en prie.

SYSTÈME US POUR ÉPELER UN NOM DANS UNE
COMMUNICATION INTERNATIONALE (voir aussi p. 148)

A	Alpha	G	Golf	N	November	T	Tango
B	Bravo	H	Hotel	O	Oscar	U	Uniform
C	Charlie	J	Juliet	P	Papa	V	Victor
D	Delta	K	Kilo	Q	Quebec	W	Whisky
E	Echo	L	Lima	R	Romeo	X	X ray
F	Foxtrot	M	Mike	S	Sierra	Y	Yankee
						Z	Zulu

 QUE S'EST-IL PASSÉ D'IMPORTANT POUR LES ANGLAIS EN 1066 ?

⇨ *RÉPONSE PAGE 25 ET 33.*

I'll make them study it

Un certain nombre de verbes anglais d'emploi très fréquent se construisent — lorsqu'ils sont suivis d'un autre verbe — avec l'infinitif sans **to**. Ce sont notamment :

les auxiliaires **shall, should, will, would**

les défectifs **can, may, must**

le verbe **to let**
— soit qu'il aide à former l'impératif (cf. Leçon 19)
   let us begin, *commençons*
— soit qu'il ait le sens de *laisser, permettre*
   please, let me do it, *laissez-moi (le) faire, s.v.p.*

to make, *faire*

to have, au sens de *faire*

les expressions **I had better,** *je ferais mieux de* et
I had rather ou **I would rather,** *j'aimerais mieux, je préférerais,* sont également suivies de l'infinitif sans **to**.

to introduce	[intredy**ou**s]	*présenter (quelqu'un)*
to post	[pôoust]	*poster*
to warn	[wa:n]	*prévenir*
to write *	[raït]	*écrire*
a couple of	[e kœpel ov]	*quelques, deux*

* V. verbes irréguliers, pp. 368-370.

1. Let me do it for you!
2. Why didn't he let us help him?
3. Let me introduce my brother to you.
4. I'll make them study it.
5. She'll make him understand.
6. It will make you feel better.
7. I'll have him write a report.
8. We'll have George post it for you.
9. I won't have him say it again.
10. We'd better hurry.
11. You'd better warn him.
12. I'd rather stay a couple of days more.

Je le leur ferai étudier

4. 5. 6. 7. 8. **To make** + infinitif sans **to** indique une action plus directe, une intervention plus personnelle que **to have** + infinitif sans **to**, qui a souvent le sens de *faire en sorte que.*

8. On peut dire aussi : **we'll have it posted by George.**

9. **I won't have** signifie ici : *je ne tolérerai pas, je ne laisserai pas.* Comparez avec **I won't have it said that...,** *je ne laisserai pas dire que, je ne veux pas qu'on dise que* (m. à m. *je ne laisserai pas cela être dit que...*).

10. **We'd better** est la contraction de **we had better.**

11. **To warn,** *avertir d'un danger, mettre en garde.*
Avertir au sens de *faire savoir* se dit **to inform, to let know** :
   Faites-moi savoir par retour du courrier
   Please let me know by return of mail.

12. Notez que **there** joue ici le même rôle qu'une postposition et indique le résultat de l'action, alors que le verbe indique la façon dont celle-ci s'opère ; on dirait de même :
   She'd rather walk there, *elle préférerait y aller à pied.*

12. **I'd rather,** contraction de **I had rather** ou **I would rather.**
Attention : *j'aimerais mieux que* + sujet + verbe au subjonctif
donne en anglais : **I'd rather** + sujet + verbe au prétérit
   J'aimerais mieux qu'il vienne, **I'd rather he came.**

1. Laissez-moi le faire pour vous (à votre place).
2. Pourquoi ne nous a-t-il pas laissés l'aider ?
3. Permettez-moi de vous présenter mon frère.
4. Je le leur ferai étudier.
5. Elle (le) lui fera comprendre.
6. Vous vous sentirez mieux avec cela (après cela, etc.).
7. Je lui ferai écrire un rapport.
8. Nous ferons en sorte que Georges le poste pour vous.
9. Je ne le laisserai pas le répéter (je ne tolérerai pas qu'il le répète).
10. Nous ferions mieux de nous presser.
11. Vous feriez mieux de le prévenir.
12. Je préférerais rester 2 jours de plus.

Help me do it

to need, *avoir besoin de,* se comporte souvent comme un défectif dans les tournures négatives

he needn't do it, *il n'a pas besoin de le faire*

De même **to dare,** *oser,* devient le défectif **dare** dans les tournures négatives et dans l'expression

I dare say, *j'ose dire*

Dans de tels cas, ces verbes présentent les autres caractéristiques des défectifs : forme négative obtenue en ajoutant **not,** pas de **s** à la 3e personne du singulier.

to help dans la langue parlée moderne est souvent suivi de l'infinitif sans **to** (mais il ne se comporte pas comme un défectif).

Les « verbes de perception », **to see, to hear,** peuvent être suivis soit de l'infinitif sans **to,** soit de la forme en **-ing** (dans ce dernier cas pour insister sur le moment où l'action se déroule).

pourquoi + infinitif = **why** + infinitif sans **to.**

to fall* (fell, fallen)		*tomber*
to fight*	[faït]	*combattre*
to postpone	[p**o**stpôoun]	*remettre, repousser*
to steal*	[sti:l]	*voler*
measure	[m**è**je]	*mesure*
actually	[**a**ktyoueli]	*en réalité*
so		*ainsi*

1. He needn't phone today.
2. She needn't worry.
3. I dare not ask him.
4. I dare say you are right.
5. Please, help me do it!
6. We didn't actually see him steal it.
7. Bob saw him fall.
8. They heard him walk away.
9. I heard him say so.
10. Why take the train?
11. Why not postpone the meeting?

Aidez-moi à le faire

3. **To dare** signifie également *défier* — quand il est employé dans ce sens, il est toujours suivi de l'infinitif avec **to**, et ne se comporte pas en défectif :

He dared me to do it : he challenged me to do it
Il m'a défié de le faire, il m'a mis au défi de le faire.

5. On peut bien sûr dire aussi : **help me to do it.**

6. Attention au faux ami **actually** qui signifie *en réalité, vraiment* :

actuellement se dit **currently, at present, now**

attention aussi à **presently** : *bientôt* en anglais britannique, *actuellement* en américain.

6. Construction de **to steal, I stole, stolen** : *voler.* **To steal something from somebody.**

8. **To walk away,** *s'éloigner en marchant.* Remarquez que la postposition **away** donne l'idée principale de l'action (éloignement), traduite par un verbe en français, alors que le verbe indique la façon dont l'action s'opère (en marchant). De même :

he ran away,   *il s'éloigna en courant*
she drove away,   *elle s'éloigna (en voiture).*

9. Remarquez l'emploi de **so.** De même :
do you think so?   *le pensez-vous ?*
I think so,   *je pense que oui.*

1. Ce n'est pas la peine qu'il téléphone aujourd'hui.
2. Elle n'a pas besoin de s'en faire.
3. Je n'ose pas lui demander.
4. Je pense que vous avez raison.
5. S'il vous plaît, aidez-moi à le faire !
6. Nous ne l'avons pas vraiment vu le voler.
7. Bob l'a vu tomber.
8. Ils l'ont entendu s'éloigner (en marchant).
9. Je le lui ai entendu dire.
10. Pourquoi prendre le train ?
11. Pourquoi ne pas remettre la réunion à plus tard ?

Exercices

A. Traduire

1. Permettez-moi de vous dire quelque chose.
2. Êtes-vous sûr qu'elle lui fera comprendre ?
3. Je ferai en sorte que Bob leur téléphone.
4. Nous ferions mieux de remettre la réunion à plus tard.
5. Je préférerais réserver pour le 8.
6. Allons-y !

B. Remplacez les constructions suivantes par des tournures avec l'infinitif sans to (qui pourront modifier légèrement le sens)

1. He doesn't need to phone today.
2. They obliged me to do it.
3. I'll have it sent by George.

C. Traduire

1. I warned him that I wouldn't have him repeat it.
2. Several people actually saw them run away.
3. I'd rather have the meeting postponed.
4. I've had several books stolen from me.
5. Did anybody see him fall?

A.
1. Let me tell you something.
2. Are you sure she'll make him understand?
3. I'll have Bob telephone them.
4. We'd better postpone the meeting.
5. I'd rather book for the 8th.
6. Let's go!

B.
1. He needn't phone today.
2. They made me do it.
3. I'll have George send it.

C.
1. Je l'ai prévenu que je ne tolérerais pas qu'il le répète.
2. Plusieurs personnes les ont en fait vu(e)s s'enfuir (en courant).
3. Je préférerais faire retarder la réunion.
4. On m'a volé plusieurs livres.
5. Est-ce que quelqu'un l'a vu tomber ?

CIVILISATION

Jazz — Rock and Roll — Rhythm and Blues — Rap

On a dit que le Jazz était la contribution majeure des Etats-Unis à la culture du 20ème siècle.

Né du contact entre la tradition africaine préservée par les esclaves noirs du Sud des Etats-Unis, et un environnement musical blanc, le Jazz apparait en Louisiane à l'orée du siècle. De la Nouvelle Orléans, il gagne Chicago, New-York, l'ensemble des Etats-Unis et l'Europe. Dans les années 50, il a conquis le monde et a, depuis longtemps, surmonté le mépris ou les réticences qui avaient souvent accompagné sa naissance.

Il puise ses racines dans les **blues**, ces complaintes des travailleurs et des musiciens itinérants noirs, dans le **gospel**, hymnes religieux tels que les chantent les noirs, et le **ragtime**, forme musicale plus structurée et fortement syncopée.

Ses ingrédients de base sont l'improvisation collective et individuelle, et le **swing**, ce balancement rythmique difficile à définir mais facile à ressentir.

Les différents styles de jazz, **New-Orleans**, **Middle-Jazz** ou **Mainstream**, **be bop** et **modern jazz** ont produit de nombreux chefs d'oeuvre et rendus célèbres des créateurs de génie comme **Louis Armstrong, Duke Ellington, Charlie Parker, Miles Davis, John Coltrane.**

Si l'art vocal des chanteurs et chanteuses de Jazz (**Louis Armstrong, Bessie Smith, Billie Holiday, Ella Fitzgerald**) avait déjà influencé la chanson, ce sont surtout les descendants du jazz, le **Rock and Roll** et le **Rhythm and Blues** qui, à partir des années 50 ont conquis les jeunes du monde entier. Des chanteurs comme **Elvis Presley**, des groupes (anglais) comme les **Beatles** ou les **Stones** ont opéré une véritable révolution dans les goûts musicaux.

Aujourd'hui cette musique a gagné l'ensemble de la planète, aidée par le primat de l'anglais comme langue internationale (et par le caractère rythmique de cette langue) mais aussi par la capacité de ce courant d'origine anglo-saxonne à intégrer d'autres traditions musicales, à évoluer techniquement et technologiquement, et à s'adapter aux contextes sociaux. Le succès du Rap en est actuellement une illustration.

DIALOGUES ET VIE PRATIQUE

Sally : This last number is very hard to play. It's actually more difficult on the piano than on the guitar. Sam will never be ready[1] for the show. I can't make him understand that he has a problem with the rhythm[2].

Jill : You needn't worry, as the show is going to be postponed.

Sally : How do you know ?

Jill : George told me he heard Bill say so. It makes me feel better too. I still need to work on that song. I could do with a couple of weeks more.

Sally : I can't believe it. Why didn't he let us know ? We'd better make sure. Why not phone Bill and ask him ?

Jill : Let's call him now.

1. ready = *prêt, prête*. 2. rhythm [riżem].

Les notes de musique en anglais sont désignées par des lettres :

A [éï]	B [bi:]	C [si:]	D [di:]	E [i:]	F [èf]	G [dji:]
LA	*SI*	*DO*	*RÉ*	*MI*	*FA*	*SOL*

bémol	flat
dièse	sharp
un orchestre	an orchestra (musique classique)
	a band
une chanson	a song
chanter	to sing, I sang, sung
un morceau	a number, a tune

☞ Attention

jouer du piano	to play the piano
jouer de la guitare	to play the guitar
je sais jouer du piano	I can play the piano

☞ Attention à l'orthographe du mot **rhythm** [riżem], *rythme*.

304

DIALOGUES ET VIE PRATIQUE

Sally : Ce dernier passage est très dur à jouer. À vrai dire, il est plus difficile au piano qu'à la guitare. Sam ne sera jamais prêt pour le spectacle. Je n'arrive pas à lui faire comprendre qu'il a un problème de rythme.

Jill : Tu n'as pas besoin de t'en faire (de te faire du souci), puisque le spectacle va être remis à plus tard.

Sally : Comment le sais-tu ?

Jill : George m'a dit qu'il a entendu Bill le dire. Je me sens mieux, moi aussi. J'ai encore besoin de travailler cette chanson. Une ou deux semaines de plus, ça ne me ferait pas de mal.

Sally : Je n'en reviens pas (je ne peux pas y croire). Pourquoi ne nous a-t-il pas prévenus? Nous ferions bien de vérifier. Et si on téléphonait à Bill pour lui demander ?

Jill : Appelons-le tout de suite.

accordéon	accordion	*piano droit*	upright piano
batterie	drums	*piano à queue*	grand piano
clairon	bugle	*demi-queue*	semi-grand
clarinette	clarinet	*saxophone*	saxophone
clavecin	harpsichord	*soubassophone*	sousaphone
contrebasse	bass	*tambour*	drum
cor	horn	*trombone*	trombone
guitare	guitar	*tuba*	tuba
harpe	harp	*violon*	violin, fiddle
hautbois	oboe	*violoncelle*	cello
piano	piano	*xylophone*	xylophone

 D'OÙ VIENT LE NOM DE LA VILLE DE **LONDRES** ?

⇨ *RÉPONSE PAGE 89.*

It always makes me laugh

En plus de **to make** et de **to have** pour traduire *faire* + verbe, notez l'emploi de :

to get :

> **to get somebody to do something**
> *faire faire quelque chose à quelqu'un ;*
> *amener quelqu'un à faire quelque chose*

to cause :

> **to cause something to happen**
> *faire arriver quelque chose, faire se produire quelque chose*

> **to cause somebody to do something**
> *faire faire quelque chose à quelqu'un*
> *faire que quelqu'un fasse quelque chose*

retenez aussi les expressions fréquentes :

> *faire venir quelqu'un*   **to send for somebody**
> *faire attendre quelqu'un*   **to keep somebody waiting**

to laugh	[la:f]	*rire*	**mind**	[maïnd]	*esprit*
to deliver	[dilive]	*livrer*	**delay**	[diléï]	*retard*
to fail	[féïl]	*échouer*	**campaign**	[kampéïn]	*campagne (publicitaire)*
to advise	[edvaïz]	*conseiller*	**return**	[rite:n]	*retour*
to catch*		*rattraper*	**mail**		*courrier*
eventually	[ivèntyoueli]	*finalement*			

1. It always makes me laugh.
2. That'll make him change his mind.
3. What makes you think so?
4. I'll have John do it. He'll enjoy it.
5. I'll have him deliver it to your hotel.
6. I'll make him do it whether he likes it or not.
7. We'll get her to find one for you.
8. The delay caused the campaign to fail.
9. Please let us know your address by return of mail.
10. I would advise you to send for a doctor.
11. I'm sorry I kept you waiting.
12. He eventually got caught.

306

Ça me fait toujours rire

2. **To change one's mind,** *changer d'avis*
To make up one's mind, to make one's mind up : *se décider.*

3. Remarquez que **what** est ici sujet.

4. **To enjoy something,** *prendre plaisir à quelque chose, aimer*
ex. : **did you enjoy the film?** *est-ce que le film vous a plu ?*

5. **To deliver,** *livrer* ; *livraison,* **delivery.**

6. **To make** a ici un sens très fort, voisin de *forcer, obliger à.*

7. **To get somebody to do something,** *amener quelqu'un à faire quelque chose* (par la persuasion, etc.).

8. Attention à **delay,** qui signifie *retard* :

un délai se dira	**a period of time**
des délais,	**time-limits**
délai de préavis,	**period of notice**
être dans les délais,	**to meet the deadline.**

deadline [dèdlaïn], *date limite.*

8. **To fail,** *échouer* ; *échec,* **failure** [féïle].

10. **To send for somebody,** *faire venir.*
Aller chercher (quelqu'un, quelque chose), **to go and fetch.**

12. **Eventually** peut aussi signifier *éventuellement,* mais la plupart du temps il a le sens de *finalement, en fin de compte.*

1. Ça me fait toujours rire.
2. Ça le fera changer d'avis.
3. Qu'est-ce qui vous fait penser cela ?
4. Je vais le faire faire à John, ça lui fera plaisir.
5. Je le lui ferai livrer à votre hôtel.
6. Je le lui ferai faire, que cela lui plaise ou non.
7. Nous lui en ferons trouver un(e) pour vous.
8. Le retard fit échouer la campagne publicitaire.
9. Faites-nous connaître votre adresse par retour du courrier.
10. Je vous conseillerais de faire venir un docteur.
11. Je suis désolé de vous avoir fait attendre.
12. Il a fini par se faire prendre.

Have you had it checked?

faire faire quelque chose (par quelqu'un), ou
faire + verbe + complément
se traduira en général en anglais par :

to have + nom ou pronom + participe passé du verbe concerné

Ex. : **to have one's car repaired,** *faire réparer sa voiture*

Prononciation :

Les verbes de 3 syllabes terminés par **-ate** sont accentués sur la
1ᵉ et 3ᵉ syllabe : **to decorate, to demonstrate, to penetrate,
to estimate,** etc.

to decorate	[dékeréït]	*décorer*
to alter	[o:lte]	*modifier*
to serve	[se:v]	*servir*
suit	[syou:t]	*costume*
specialist	[spèchelist]	*spécialiste*

1. I've had a new suit made.
2. I must have my car repaired.
3. Can you have it done for tomorrow?
4. I'll have it sent to you in the morning.
5. They want to have a new house built.
6. They have had their flat decorated by a specialist.
7. You can have it delivered to your hotel.
8. You can have it altered, you know.
9. Have you had it checked?
10. Can't you have the date changed?
11. I'd like to have my beer served with the steak.
12. I must have my hair cut.

L'avez-vous fait vérifier ?

1. 3. **To make** signifie :

faire au sens de fabriquer
*faire au sens de faire accomplir une action, forcer quelqu'un à
faire quelque chose*
to do signifie *faire* au sens d'*accomplir une action* (cf. A 2, 6) :
    I'll make him do it,
    Je le lui ferai faire, je l'obligerai à le faire.
ici, dans **Can you have it done for tomorrow? to do** suggère
de plus le fait de terminer une action.

4. Comparez avec **I'll have somebody send it to you.**

10. Attention à bien prononcer **to change** [tchéïndj] avec le même
son que dans **danger** [déïndje], **range** [réïndj], *envergure, portée.*

11. Il est plus prudent dans un restaurant anglais de spécifier que
l'on veut que la boisson soit servie en même temps que les plats.

12. **Hair,** collectif singulier
    Her hair is black,   *Ses cheveux sont noirs*
ne se met au pluriel qu'au sens de *poils* **(hairs).**

12. Remarquez qu'il n'existe pas en anglais de verbe *falloir.*
Pour traduire ce verbe du français en anglais, il faut utiliser **must** ou
to have to, en changeant la construction (cf. Leçon 18) :
    Il faut que nous partions, **We must leave, we have to leave.**

1. Je me suis fait faire un nouveau costume.
2. Il faut que je fasse réparer ma voiture.
3. Pouvez-vous le faire pour demain (l'avoir fini) ?
4. Je vous le ferai envoyer dans la matinée.
5. Ils veulent se faire construire une nouvelle maison.
6. Ils ont fait décorer leur appartement par un spécialiste.
7. Vous pouvez vous le faire livrer à votre hôtel.
8. Vous pouvez le faire modifier, vous savez.
9. L'avez-vous fait vérifier ?
10. Est-ce que vous ne pouvez pas faire changer la date ?
11. Je voudrais que ma bière soit servie avec le steak.
12. Il faut que je me fasse couper les cheveux.

Exercices • Expressions avec *faire*

A. Remplacer la tournure active par une tournure passive
   ex. : I'll have him send it to you / I'll have it sent to you (by him)

   1. I'll have him repair it.
   2. We'll have them change it.
   3. I'll have John deliver it tomorrow.
   4. We'll have him write it for you.
   5. I'll have him pay for it.

B. Traduire
   1. Nous avons fait décorer notre appartement.
   2. Ils m'ont conseillé de faire venir un docteur.
   3. J'espère que je ne vous ai pas fait attendre.
   4. Il fera livrer le costume à votre hôtel.
   5. Qu'est-ce qui vous fait penser qu'il échouera ?

A. 1. I'll have it repaired (by him).
   2. We'll have it changed.
   3. I'll have it delivered by John tomorrow.
   4. We'll have it written for you.
   5. I'll have it paid for.

B. 1. We've had our flat decorated.
   2. They advised me to send for a doctor.
   3. I hope I haven't kept you waiting.
   4. He'll have the suit delivered to your hotel.
   5. What makes you think he will fail?

se faire des soucis	**to worry**
faire des économies	**to save (money)**
se faire mal	**to hurt oneself**
se faire opérer	**to undergo surgery / to be operated on / to have an operation**
(se) faire (beaucoup) d'argent	**to make (a lot of) money**
faire l'idiot	**to play the fool**
faire du 100 à l'heure	**to do seventy miles** [maïlz] **an hour**
faire erreur	**to be mistaken**
se faire dépasser	**to be overtaken**

CIVILISATION

Cette expression latine, qui signifie « *tu dois avoir le corps*», illustre un principe du droit anglais selon lequel un suspect doit être rapidement présenté à un juge ou à un tribunal siégeant en public.

Ainsi un citoyen ne peut être gardé à vue ou maintenu en prison au-delà d'un certain délai sans qu'une autorité judiciaire statue sur l'affaire. Passé ce délai, la liberté sous caution doit être accordée.

Au sens strict l'habeas corpus fait allusion à un texte voté en 1679 par le Parlement Anglais. Au sens large, il s'applique à l'interdiction des arrestations et détentions arbitraires, et symbolise la protection des libertés individuelles et des droits des citoyens.

La Constitution américaine reprend ces éléments dans sa Constitution, plus exactement dans le **Bill of Rights**, constitué par les dix premiers amendements à la Constitution, appliqués dès 1791, et destinés à protéger les citoyens de la violation de ces droits par l'Etat.

C'est du même esprit que procède le **Miranda Ruling**, décision de la Cour Suprème des Etats-Unis (1966) qui stipule que la police doit informer clairement les personnes en état d'arrestation, avant de les interroger, qu'elles ont le droit de se taire, que tout ce qu'elles diront pourra être retenu contre elles, qu'elles ont le droit de consulter un avocat qui, si elles ne peuvent le payer, sera commis d'office.

Toute réponse faite à des questions par une personne détenue à qui ces informations n'auraient pas été communiquées (dites ou lues) ne saurait être retenue contre elle.

DIALOGUES ET VIE PRATIQUE

Liz : The car's making a funny noise. If I were you, I'd take it to a garage to have it checked before we have the same problems as last year ...

AT THE GARAGE

Kate : Can you have it repaired[1] today ?

Repairman : I can't promise anything until we know what is wrong with it. I'll have a mechanic look at it this afternoon.

Liz : Can you have it done for tomorrow ?

Repairman : If it's not too bad and if we are not too busy ...

Kate : It can't be very bad. I had the car repaired last week...

Repairman : How many miles have you driven since then ?

Kate : Almost 1,000 (one thousand).

Repairman : That's enough for anything to happen. Call me tonight around 6. I'll tell you if it can be done tomorrow.

1. Voir *faire faire* p. 308.

alternateur	alternator	*fuite*	leak
amortisseur	shock absorber	*manivelle*	crank
ampoule	bulb	*panne*	breakdown
boîte de vitesse	gear box	*pare-brise*	windshield *(US)* windscreen *(GB)*
bougie	spark plug	*pare-choc*	bumper
caler	stall (to)	*phare*	headlight
capot	bonnet *(GB)* hood *(US)*	*plaque*	license plate *(US)*
		minéralogique	number plate *(US)*
carburateur	carburetter *(GB)* carburator *(US)*	*plein (le)*	full tank

DIALOGUES ET VIE PRATIQUE

Liz : La voiture fait un drôle de bruit. À ta place (si j'étais toi), j'irais au garage pour la faire contrôler avant qu'on n'ait les mêmes problèmes que l'an dernier...

AU GARAGE

Kate : Pouvez-vous la faire réparer aujourd'hui ?

Garagiste : Je ne promets rien avant de savoir ce [qu'elle a] qui ne marche pas. Je demanderai à un mécanicien de la voir cet après-midi.

Liz : Pouvez-vous la faire réparer pour demain ?

Garagiste : Si ça n'est pas trop grave et si nous ne sommes pas trop débordés…

Kate : Ça ne peut pas être très grave. J'ai fait réparer la voiture la semaine dernière…

Garagiste : Et combien de kilomètres avez-vous faits depuis ?

Kate : Presque 1 600.

Garagiste : Ça suffit pour que n'importe quoi survienne. Appelez-moi vers six heures ce soir. Je vous dirai si ça peut être fait demain.

carter	crankcase	*pot d'échappement*	exhaust pipe
clé de contact	ignition key	*radiateur*	radiator
couler une bielle	throw a rod (to)	*remorquer*	tow (to)
courroie	fan belt	*réservoir*	tank
crevaison	puncture	*rétroviseur*	rear-view mirror
cric	jack	*roue de secours*	spare tyre
embrayage	clutch	*ventilateur*	fan
frein	brake	*volant*	steering wheel

 QU'APPELLE-T-ON **DOCKLAND** ?

⇨ *RÉPONSE PAGE 90.*

I'm not late, am I?

En français, on fait souvent suivre une question de *n'est-ce pas ?* pour chercher une approbation, une confirmation ou simplement par automatisme.

En anglais, un effet voisin est obtenu en reprenant l'auxiliaire et le sujet. Ex. : **He won't come, will he?**
Il ne viendra pas, n'est-ce pas ?

Quand la phrase de départ est <u>négative</u>, l'auxiliaire est repris sous sa forme <u>positive</u> — au même temps — et il est suivi du pronom sujet. Si le sujet de la phrase est un <u>nom</u>, il est repris par le <u>pronom</u> correspondant :

Your friends won't come, will they?
Vos amis ne viendront pas, n'est-ce pas ?

D'un emploi extrêmement fréquent, ces tournures, appelées **« question tags »**, constituent de véritables automatismes.

to resign	[rizaïn]	*démissionner*
ticket	[tikit]	*ticket*
boss		*patron*
glass (pl. **glasses**)	[glasiz]	*verre*
road	[rôoud]	*route*
slippery	[sliperi]	*glissant*

1. It's not very warm, is it?
2. I'm not late, am I?
3. He is not complaining, is he?
4. You don't know her, do you?
5. He can't refuse, can he?
6. You haven't got the tickets, have you?
7. She hasn't lost it, has she?
8. You didn't resign, did you?
9. They won't come now, will they?
10. He wouldn't do it, would he?
11. The boss didn't dismiss them, did he?
12. The glass wasn't empty, was it?
13. The roads weren't too slippery, were they?
14. Linda won't marry him, will she?

Je ne suis pas en retard, n'est-ce pas ?

1. Bien distinguer **warm**, qui s'applique à une température douce, de **hot**, qui indique une température nettement plus élevée. Ex. :
hot water tap, *robinet d'eau chaude.*

3. *Se plaindre de quelque chose,* **to complain about something. A complaint :** *une plainte.*

8. **to resign,** *démissionner* ; **resignation,** *démission.*

11. **boss,** synonyme familier de **manager,** *directeur.*

11. **to dismiss,** *mettre à la porte, licencier* ; plus familièrement on dit **to fire** (U.S.) ou **to sack** (G.-B.) ; **dismissal,** *licenciement.*

14. *Se marier,* **to get married**
mariage, **marriage** ; (cérémonie), **wedding**
la mariée, **the bride** — *le marié,* **the bridegroom**
le garçon d'honneur, **the best man**
la demoiselle d'honneur, **the bridesmaid**
une veuve, **a widow** — *un veuf,* **a widower**
un orphelin, **an orphan.**
divorcer, **to divorce** — *obtenir le divorce,* **to get a divorce**

1. Il ne fait pas très chaud, n'est-ce pas ?
2. Je ne suis pas en retard, j'espère ?
3. Il ne se plaint pas, n'est-ce pas ? (j'espère, tout de même).
4. Vous ne la connaissez pas, je pense ?
5. Il ne peut pas refuser, n'est-ce pas ? (je suppose).
6. Vous n'avez pas les tickets, n'est-ce pas ? (par hasard).
7. Elle ne l'a pas perdu, n'est-ce pas ? (au moins).
8. Vous n'avez pas donné votre démission, n'est-ce pas ? (j'espère).
9. Ils ne viendront plus maintenant, n'est-ce pas ? (j'ai l'impression).
10. Il ne le ferait pas, n'est-ce pas ?
11. Le patron ne les a pas licenciés, n'est-ce pas ?
12. Le verre n'était pas vide, n'est-ce pas ?
13. Les routes n'étaient pas trop glissantes, j'espère ?
14. Linda ne l'épousera pas (ne veut pas l'épouser), n'est-ce pas ?

Today is Tuesday, isn't it?

Pour produire en anglais un effet analogue à celui de *n'est-ce pas* en français, on utilise l'auxiliaire et le pronom sujet (cf. Leçon 38, A1).

Si l'auxiliaire est à la forme affirmative dans la phrase de départ, il est repris sous forme négative :

you have met her, haven't you?
vous l'avez rencontré, n'est-ce pas ?

Si la phrase de départ comporte un verbe à un temps sans auxiliaire (présent, prétérit), on utilise l'auxiliaire **to do** au temps et à la personne voulus :

you know her, don't you?
vous la connaissez, n'est-ce pas ?
he retired last year, didn't he?
il a pris sa retraite l'année dernière, n'est-ce pas ?

to investigate	[invèstigéit]	*mener une enquête*
to retire	[ritaïe]	*prendre sa retraite*
strike	[straïk]	*grève*
union	[you:nyen]	*syndicat*
police	[pelis]	*police*
fluently	[flouentli]	*couramment*
toy	[toï]	*jouet*
horse	[ho:s]	*cheval*

1. Today is Tuesday, isn't it?
2. They are on strike, aren't they?
3. She can do it, can't she?
4. You have met before, haven't you?
5. The unions were against it, weren't they?
6. The police will investigate, won't they?
7. This toy would be too expensive, wouldn't it?
8. You know her, don't you?
9. Her daughter speaks French fluently, doesn't she?
10. He lives abroad, doesn't he?
11. The French horse won the race, didn't it?
12. You retired last year, didn't you?

C'est aujourd'hui mardi, n'est-ce pas ?

2. **to be on strike,** *être en grève.*
   to go on strike, *se mettre en grève.*

4. Remarquez l'emploi du <u>present perfect</u>. En effet, **before** n'est pas assez précis (n'est pas une date) pour justifier le prétérit. Mais on dirait : **you met last year.**

5. **union,** *syndicat.* La forme complète est **trade-union** en anglais britannique et **labor union** en américain.

6. *La police* étant un groupe d'individus peut être considérée comme pluriel.

10. Attention au mot *étranger* :

un étranger (à un pays),	**a foreigner**
un pays étranger,	**a foreign country**
une langue étrangère,	**a foreign language**
un étranger (à la région, qu'on ne connaît pas),	**a stranger**
à l'étranger,	**abroad.**

11. Même lorsqu'ils sont simplement, comme ici, adjectifs, les mots indiquant une nationalité prennent une majuscule :
   an English car, a Japanese model
   une voiture anglaise, un modèle japonais.

12. *La retraite* (fait de prendre sa retraite), **retirement** [ritaïement] ; (pension de) *retraite,* **pension** [pènchen].

1. Nous sommes aujourd'hui mardi, n'est-ce pas ?
2. Ils sont en grève, si je ne me trompe ?
3. Elle peut le faire, n'est-ce pas ?
4. Vous vous êtes déjà rencontrés, je crois ?
5. Les syndicats étaient contre, n'est-ce pas ?
6. La police va mener une enquête, n'est-ce pas ?
7. Ce jouet serait trop cher, n'est-ce pas ?
8. Vous la connaissez, je crois ?
9. Sa fille parle le français couramment, n'est-ce pas ?
10. Il vit à l'étranger, je crois ?
11. Le cheval français a gagné la course, n'est-ce pas ?
12. Vous avez pris votre retraite l'année dernière, n'est-ce pas ?

Exercices

A. Ajouter l'équivalent de *n'est-ce pas*

1. It is cold,
2. They will come,
3. She was surprised,
4. He enjoyed it,
5. Bob was late,
6. He would like it,
7. This car is expensive,
8. Her father is rich,
9. He has retired,
10. He knows her,

B. Traduire

1. Elle l'a épousé il y a deux ans.
2. Il n'avait pas été licencié, n'est-ce pas ?
3. La route était glissante, n'est-ce pas ?
4. Ils sont en grève depuis une semaine.
5. Il vit à l'étranger, n'est-ce pas ?
6. Nous sommes aujourd'hui mardi.

C. Placer correctement l'accent tonique

1. to complain	5. empty	8. unions	11. expensive
2. to refuse	6. ticket	9. police	12. abroad
3. to resign	7. before	10. to investigate	13. to retire
4. to dismiss			

A.
1. isn't it?
2. won't they?
3. wasn't she?
4. didn't he?
5. wasn't he?
6. wouldn't he?
7. isn't it?
8. isn't he?
9. hasn't he?
10. doesn't he?

B.
1. She married him two years ago.
2. He hadn't been dismissed, had he?
3. The road was slippery, wasn't it?
4. They have been on strike for a week.
5. He lives abroad, doesn't he?
6. Today is Tuesday.

C.
1. to compl**ai**n	5. **e**mpty	8. **u**nions	11. exp**e**nsive
2. to ref**u**se	6. t**i**cket	9. pol**i**ce	12. abr**oa**d
3. to res**i**gn	7. bef**o**re	10. to inv**e**stigate	13. to ret**i**re
4. to dism**i**ss			

CIVILISATION

Bien que le mot *sport* soit d'origine française (il vient de l'ancien français *desport*, « action de se donner du mouvement»), c'est en Grande-Bretagne que de nombreuses activités sportives, adoptées maintenant dans le monde entier, sont nées.

LE FOOTBALL OU SOCCER [soke]
Né sous une forme rudimentaire dans l'Angleterre médiévale et donnant lieu à des désordres, ce jeu fut d'abord interdit. Repris au XIXème siècle dans les **public schools** et dans les Universités d'Oxford et de Cambridge, avec un début de règlement, il fut codifié par la **Football Association** (F.A.), fondée en 1863. En 1872 fut remportée la première coupe de la F.A. (**F.A. Cup**) et en 1885 le paiement des joueurs devint légal. En 1888 fut créée la **Football League** par 12 clubs professionnels et en 1930 la première *coupe Mondiale* (**World Cup**) eut lieu.

De nos jours, 92 clubs de la **Football League** jouent des matches tous les samedis, troublés parfois par des *vandales* (**hooligans**, mot venant de **Houlihan**, nom d'une famille irlandaise agitée et violente vivant à Londres au XIXème siècle.
Les *finales* (**Cup finals**) [kœp faïnelz] ont lieu au célèbre stade de **Wembley**.

LE *RUGBY* (RUGBY FOOTBALL OU RUGGER [rœge]
Ce sport naquit en 1823 lorsque le jeune **William Ellis**, élève de la Public School de **Rugby**, qui pratiquait le **hurling**, jeu de balle au pied qui allait devenir le **football**, ramassa le ballon dans ses mains et courut le porter dans les buts adverses.

Des règles furent établies et ce jeu fut adopté et encouragé par le *Docteur Arnold*, responsable de la Public School, comme bien adapté pour tremper le caractère de ses élèves.

On distingue le *rugby à 13* (**Rugby League**), joué surtout par des professionnels, et le *rugby à 15* (**Rugby Union**) pour les amateurs.

Les principaux *stades* (**stadiums**) où se déroulent les grands matches sont **Twickenham** (à côté de Londres), **Murrayfield** en Ecosse et **Cardiff** au Pays de Galles. *(suite p. 328-329)*

DIALOGUES ET VIE PRATIQUE

Clerk : Good morning, can I help you ?

Frank : Yes, we're looking for a Bed and Breakfast near the sea.

Clerk : There is the "Bay" B+B which is very reasonable.

Frank : How much is that, please ?

Clerk : Thirty pounds with the shower and toilet on the same floor.

Ann : And with en-suite ?

Clerk : That would be forty pounds.

Frank : It's a little expensive.

Clerk : I can get you something cheaper but Mrs. Murphy does the best breakfast in the area.

Ann : No that's all right. We'll try Mrs. Murphy's breakfast.

1. [bi: en bi:z], abréviation de **Bed and Breakfast** ; en Grande-Bretagne, logement dans des sortes de pensions de famille, aux tarifs bien moins élevés que ceux des hôtels.

AUTRES FAÇONS DE SE LOGER (**OTHER ACCOMMODATIONS**)

Si on tient pas à *séjourner dans un hôtel* (**to stay at an hotel**) ou une *pension* (**Bed and Breakfast**), il existe des *solutions de rechange* (**alternative solutions**) dans la plupart des pays anglophones.

En Grande-Bretagne et en Irlande, on peut loger chez l'habitant, surtout à la campagne où l'on trouve des *fermes* (**farm-houses**) qui reçoivent des *hôtes payants* (**paying guests**). Il existe pour cela des catalogues (**brochures** ou **catalogues**, US **catalogs**) qu'on trouve dans les *offices de tourisme* (**tourist offices**).

DIALOGUES ET VIE PRATIQUE

Employé : Bonjour, puis-je vous être utile ?

Frank : Oui, nous cherchons un logement en chambres d'hôte près de la mer.

Employé : Il y a le Bed and Breakfast de la "Baie" qui est (à un prix) très raisonnable.

Frank : Ça coute combien s'il vous plaît ?

Employé : Trente livres avec douche et toilettes à l'étage.

Ann : Et une chambre avec douche et toilettes ?

Employé : Ce serait quarante livres.

Frank : C'est un peu cher.

Employé : Je peux vous trouver quelque chose de moins cher, mais c'est Mme Murphy qui fait le meilleur petit déjeuner de la région.

Ann : Non, ça ira. Nous allons essayer le petit déjeuner de Mme Murphy.

Aux États-Unis, les *parcs nationaux* (**National Parks**) proposent le logement en *chalet* (**lodge** ou **cabin**) au confort simple mais *idéalement situés* (**ideally located**) en pleine nature.

On trouve de plus en plus d'*autocaravanes* (**campers, mobile homes**) *à louer* (**to rent**), ainsi bien sûr que des *caravanes* (**caravans**).

Enfin, n'oublions pas *cette bonne vieille tente* (**the good old tent**), toujours d'actualité si vous dénichez le *terrain de camping* (**campsite**) où il y ait de la *place au bon moment* (**room at the right time**) pour *la monter* (**to pitch it**).

 QU'EST-CE QU'UN **COMMUTER** ?

⇨ *RÉPONSE PAGE 125.*

I like swimming

La forme en **-ing** peut être de trois types :

1) <u>participe présent</u> : **a smiling boy,** *un enfant souriant*
2) <u>forme progressive</u> (indiquant que l'action est en train de se faire) :
   he is waiting, *il attend*
3) <u>nom verbal</u> : **waiting is always unpleasant,** (le fait d') *attendre est toujours déplaisant*

   Dans ce dernier cas, les noms verbaux peuvent, comme des noms ordinaires :

   <u>être sujets ou compléments d'un verbe</u> :

   swimming is my hobby, *nager est mon passe-temps favori*
   I like swimming, *j'aime nager* (ou *la natation*)

   <u>être précédé d'un adjectif possessif</u> :

   I am surprised at your saying so
   je suis surpris que vous disiez cela

   <u>suivre une préposition</u> (tout verbe suivant une préposition sera
   à la forme en **-ing**).

to swim*	*nager*	**to be used to**	*être habitué à*
to appreciate	*apprécier*	**to look forward to**	*être impatient de*
to insert	*introduire*	**to press**	*appuyer*

surprise	[sepraïz]	*surprise*	**coin**	[koïn]	*pièce*
postcard		*carte postale*	**button**	[bœten]	*bouton*
unpleasant		*déplaisant*	**mile**	[maïl]	*mile*
					(1,6 km)

1. Waiting is always unpleasant.
2. I like swimming.
3. His coming was no surprise.
4. I appreciate his offering to help us.
5. He makes a little money by selling postcards.
6. This is the first thing you must do on arriving.
7. Insert the coin before pressing the button.
8. How do you feel after driving so many miles?
9. I'm not used to working so hard.
10. She looks forward to spending her holidays in Greece.
11. We are looking forward to seeing you again.

J'aime nager

3. was no surprise : plus fort que **was not a surprise** ; le sens est : *n'a été en rien une surprise.*

7. before pressing : au sens de *avant de,* **before** est une préposition, et donc suivie de la forme en **-ing** lorsqu'elle introduit un verbe.

On pourrait également avoir la construction : **before you press the button,** où **before** est une conjonction (suivie en anglais de l'indicatif).

8. La forme **driving** suffit, **after having driven** serait gauche.

9. 10. used to working ; she looks forward to spending to est ici préposition (et non pas la marque de l'infinitif) et comme telle suivi de la forme en **-ing.**

Pour vérifier que **to** est bien, ici, préposition, on peut imaginer d'autres expressions :

she is not used to my car,
elle n'est pas habituée à ma voiture

she is not used to this,
elle n'est pas habituée à ceci

où la préposition **to** introduit un nom (**car**) ou un pronom (**this**).

1. C'est toujours déplaisant d'attendre.
2. J'aime nager (la natation).
3. Sa venue n'a pas été une surprise.
4. J'apprécie son offre de nous aider (le fait qu'il nous offre de).
5. Il se fait un peu d'argent en vendant des cartes postales.
6. C'est la première chose qu'il vous faut faire en arrivant.
7. Mettez la pièce avant d'appuyer sur le bouton.
8. Comment vous sentez-vous après avoir conduit pendant tant de kilomètres ?
9. Je n'ai pas l'habitude de travailler si dur.
10. Elle se réjouit à l'idée de passer ses vacances en Grèce.
11. Nous sommes impatients de vous revoir.

Is it worth trying?

Certains verbes — quand ils sont suivis d'un autre verbe —
commandent la forme en **-ing**.

Ex. : | **to enjoy,** | *apprécier, prendre plaisir à* |
|---|---|
| **to risk,** | *risquer* |
| **to avoid,** | *éviter* |
| **to keep,** | *continuer, ne pas cesser de* |

Il en va de même de certaines expressions, notamment :

I don't mind,	*cela ne me dérange pas de...*
I can't help,	*je ne peux pas m'empêcher de*
it is worth,	*cela vaut la peine*
it's no use,	*cela ne sert à rien de*

Certains verbes changent de sens selon qu'ils sont suivis de
l'infinitif ou de la forme en **-ing** (cf. A 2, 11).

to sail	[séïl]	*faire de la voile, naviguer*
to disturb	[diste:b]	*déranger*
to smoke	[smôouk]	*fumer*
to travel		*voyager*
a while		*période de temps, moment*

1. **Do you enjoy sailing?**
2. **We mustn't risk being late.**
3. **We must avoid disturbing them.**
4. **He keeps saying he was right.**
5. **I'm sorry I kept you waiting.**
6. **He doesn't mind losing.**
7. **Do you mind my smoking?**
8. **I couldn't help smiling.**
9. **Is it worth trying?**
10. **It's no use phoning now.**
11. **I remember meeting them last year.**
12. **Do you like travelling?**
13. **He stopped smoking a while ago.**

Cela vaut-il la peine d'essayer ?

7. En anglais moderne, on admet également :
do you mind me smoking?

9. **worth** est souvent utilisé pour indiquer un prix :
it is worth 10 dollars, *cela vaut 10 dollars.*

11.   au sens de *se souvenir* (d'un événement passé),
to remember est suivi de la forme en **-ing**

au sens de *se rappeler* (de faire quelque chose à l'avenir),
to remember est suivi de **to** :

I must remember to call him tomorrow
Il faut que je me rappelle de lui téléphoner demain.

12. Mais on dirait : **I would like to travel to Italy,** *j'aimerais aller en Italie,* car il s'agit d'un espoir ayant trait à l'avenir (non encore réalisé).

13. Mais on dirait : **he stopped to buy cigarettes,** *il s'arrêta pour (afin d') acheter des cigarettes.*

13. **while,** *période de temps, moment.*
surtout utilisé dans les expressions :

for a while,   *pendant un moment, pendant un certain temps*
a long while ago,   *il y a longtemps*
for a short while, *pendant quelques instants*
a short while ago, *il y a peu de temps*

1. Aimez-vous faire de la voile (du bateau) ?
2. Nous ne devons pas prendre le risque d'arriver en retard.
3. Il (nous) faut éviter de les déranger.
4. Il n'arrête pas de répéter qu'il avait raison.
5. Je suis désolé de vous avoir fait attendre.
6. Ça ne lui fait rien de perdre.
7. Est-ce que ça vous dérange que je fume ?
8. Je n'ai pas pu m'empêcher de sourire.
9. Est-ce que ça vaut la peine d'essayer ?
10. Ça ne sert à rien de téléphoner maintenant,
11. Je me souviens de les avoir rencontrés l'année dernière.
12. Aimez-vous voyager (les voyages) ?
13. Il a cessé de fumer il y a quelque temps.

Exercices • *Prépositions + -ing*

A. Compléter avec une préposition
1. He makes money ... selling postcards.
2. This is what you will do ... arriving.
3. She's looking forward ... visiting them.
4. They are not used ... working so hard.
5. I'm looking forward to hearing ... you.
6. I am surprised ... your saying so.

B. Ajouter l'équivalent de *n'est-ce pas* (cf. Leçon 38)
1. She likes swimming.   4. He's not used to it.
2. They'll be sorry.   5. We mustn't do it.
3. You don't mind.   6. He couldn't swim.

A. 1. by   2. on   3. to   4. to   5. from   6. at

B. 1. doesn't she?   4. is he?
2. won't they?   5. must we?
3. do you?   6. could he?

She is fond *of* riding, *elle aime beaucoup l'équitation.*

He is keen *on* skiing, *il est passionné de ski.*

You will be responsible *for* the bookings,
vous serez responsable des réservations.

I don't feel *like* going, *je n'ai pas envie d'y aller.*

The Welsh team looks *like* winning,
on dirait que l'équipe galloise va gagner.

He was charged *with* stealing, *on l'a accusé de vol.*

They apologized *for* arriving late,
ils s'excusèrent d'être arrivés en retard.

We must prevent him *from* doing it,
nous devons l'empêcher de le faire.

They succeeded *in* launching a new model,
ils ont réussi à lancer un nouveau modèle.

Forgive me *for* being late, *pardonnez-moi d'être en retard.*

CIVILISATION

Les sports et les valeurs qui s'y rapportent – courage, dépassement de soi, *esprit d'équipe* (**team spirit**) etc., réussite sociale – ont une large place dans le *mode de vie américain* (**the American way of life**). La télévision se charge en outre de renforcer leur impact sur la jeunesse américaine. Le *professionalisme* (**professionalism**) prédominant leur ajoute une dimension économique en raison du succès financier que peut représenter la réussite sportive. Ainsi, les meilleurs joueurs de golf, de baseball, de basket, de football américain sont-ils non seulement riches et célèbres, mais adulés comme de véritables vedettes des terrains et du petit écran. Les athlètes participent eux aussi au système même si, en principe, ils demeurent des amateurs.

Les sports les plus pratiqués par les jeunes Américains dans le cadre de l'école sont d'abord des *sports d'équipe* (**team games**) : baseball, basketball et football.

Ce dernier, qu'il ne faut pas confondre avec le *football* (**association football** ou **soccer**) européen, est la version américaine du rugby. Des équipes de onze joueurs protégés par des *casques* (**helmets**) et des *maillots rembourrés* (**padded jerseys**) évoluent sur un terrain rectangulaire d'environ 100 x 50 mètres. Ils doivent marquer des points en faisant passer le ballon, de forme ovale, au-delà de la *ligne de but adverse* (**end zone**). Le **baseball** est la version américaine du cricket britannique. Il se joue donc avec une balle et une batte sur un terrain qui a la forme d'un diamant (**baseball diamond**). Pendant la *partie* (**game**), chacun des neuf *joueurs* (**players**) est tour à tour batteur et lanceur. Il est à noter que de même que le cricket s'est répandu à travers tout le Commonwealth, le baseball est pratiquement devenu un sport national à Cuba et au Japon !

Que ce soit en baseball ou en football américain, et dans une moindre mesure en basketball, les championnats nationaux sont suivis avec passion par la majorité de la population, tant sur le *stade* (**stadium**) conçu pour accueillir des dizaines de milliers de spectateurs qu'à la télévision qui restransmet en direct la quasi totalité des matches.

DIALOGUES ET VIE PRATIQUE

Linda : Nigel, let me introduce you to my cousin Pete, he's from Boston.

Nigel : Hi Pete. Doesn't Boston have a great basketball team ?

Pete : That's right. But I prefer baseball and football myself.

Nigel : Football ? You mean soccer ?

Pete : Football means American football. For soccer we say soccer. What do you play ?

Nigel : I like watching soccer but I love playing rugby and other traditional sports.

Linda : Nigel is a cricketer. You know cricket Pete, it's a bit like baseball, only more difficult.

LE CRICKET

Sport britannique par excellence, il semble n'être compris et pratiqué que par eux et les pays du Commonwealth. C'est un sport lent, paisible et élégant.

Deux équipes de onze joueurs vêtus de blanc, attaquent chacune un *guichet* (**wicket**) haut de 71 cm et large de 22,5 cm défendu par un *batteur* (**batsman**) muni d'une batte, qui renvoie le plus loin possible la balle qu'envoie contre ce guichet un *lanceur adverse* (**bowler**).

Les points s'obtiennent quand le batteur envoie la balle très loin, ou lorsqu'il réussit à faire un ou plusieurs allers-et-retours entre les deux **wickets**. Le batteur est éliminé si son **wicket** est renversé par une balle ou si la balle est attrapée par un adversaire...

L'expression « **That's no cricket !** » signifie : « *Cela ne se fait pas !* »

DIALOGUES ET VIE PRATIQUE

Linda : Nigel, j'aimerais te présenter mon cousin Pete, il est de Boston.

Nigel : Salut Pete. Boston a une bonne équipe de basket, n'est-ce pas ?

Pete : C'est ça. Moi, personnellement je préfère le baseball et le football.

Nigel : Le football ? Tu veux dire le foot ?

Pete : Le football veut dire le football américain. Pour le foot, nous disons soccer. Et toi tu pratiques quel sport ?

Nigel : J'aime bien regarder le foot, mais j'adore jouer au rugby et aux autres sports traditionnels.

Linda : Nigel joue au cricket. Tu connais le cricket Pete, c'est un peu comme le baseball, en un peu plus difficile.

TENNIS

Ce mot vient du vieux français *tenetz* (mot adressé au *Jeu de Paume* par le serveur à son adversaire avant d'engager la partie).

Mais c'est en Angleterre que le tennis se développera dans sa forme actuelle. D'abord joué sur *gazon* (**lawn tennis**) par les classes aisées, ce sport est devenu populaire avec les *surfaces dures* (**hard courts**).

AVIRON (ROWING)

Les grandes compétitions ont lieu sur la *Tamise* (**Thames**), et les plus célèbres sont la *course* (**boat race**) entre **Oxford** et **Cambridge** fin mars et la *Régate Royale de Henley* (**Henley Royal Regatta**) en juillet.

 QU'EST-CE QU'UN **GREENBACK** ?

When were you born?

Le prétérit s'emploie pour toute action passée (terminée) et datée
(ou précisée dans le temps, on peut répondre à la question *quand* ?)

Le prétérit à la forme en **-ing** correspond à notre imparfait

I was going to, *j'étais sur le point de* (cf. Leçon 16).

there was (+ singulier)	
there were (+ pluriel)	*il y avait*

I was born		*je suis né*
explosion	[iksplôoujen]	*explosion*
both	[bôouš]	*les deux, tous les deux, ensemble*
cautiously	[ko:chesli]	*prudemment*
to realize	[rielaïz]	*se rendre compte*
each other	[i:tch œže]	*l'un l'autre, les uns les autres*

1. When were you born?
2. I was born in 1965.
3. When did you see him last?
4. I saw him a week ago.
5. Why didn't you tell me yesterday?
6. How long did you work for them?
7. I worked for them six years.
8. I didn't understand because he was speaking too fast.
9. It was raining very hard, so we had to buy an umbrella.
10. I was watching the TV when I heard the explosion.
11. They were both working in their garden when we called
    on them.
12. When I saw him last, he was driving more cautiously.
13. When did you realize they were going to lose the match?
14. They saw each other last year.

Quand êtes-vous né ?

1. 2. *Naître* est ici par excellence un fait passé et daté. Il est donc tout à fait normal d'employer le prétérit. Ne pas se laisser influencer par le français *je suis né.*

3. **last** équivaut ici à **for the last time,** *pour la dernière fois.*

6. 7. L'emploi du prétérit montre qu'il s'agit d'une action terminée. Si la personne travaillait encore pour le même organisme, on aurait :
How long have you been working for them?
Depuis combien de temps travaillez-vous pour eux ?
I have been working with them for 6 years
Je travaille pour eux depuis 6 ans (cf. B 2, 3).

11. Ne jamais placer d'article devant **both.**
Les deux enfants, **both children** ou **both the children.**

14. **each other :** il s'agit d'un « pronom réciproque » (cf. p. 258).

15. **so much :** devant un pluriel, on aurait **so many.**

16. **such traffic jams :** le singulier serait **such a traffic jam.**
Remarquez l'infinitif négatif, **not to go.**

1. Quand êtes-vous né ?
2. Je suis né en 1965.
3. Quand l'avez-vous vu pour la dernière fois ?
4. Je l'ai vu il y a une semaine.
5. Pourquoi ne me l'avez-vous pas dit hier ?
6. (Pendant) combien de temps avez-vous travaillé pour eux ?
7. J'ai travaillé pour eux pendant six ans.
8. Je n'ai pas compris parce qu'il parlait trop vite.
9. Il pleuvait très fort, aussi nous fallut-il acheter un parapluie.
10. Je regardais la télévision quand j'ai entendu l'explosion.
11. Ils travaillaient tous les deux dans leur jardin quand nous leur avons rendu visite.
12. La dernière fois que je l'ai vu, il conduisait plus prudemment.
13. Quand t'es-tu rendu compte qu'ils allaient perdre le match ?
14. Ils se sont vus l'an dernier.

Have you been here long?

Le present perfect — contrairement au passé composé français — est dans une large mesure un temps du présent.

Il est utilisé pour toutes les actions commencées dans le passé et qui continuent au moment présent. Dans ce cas, il est en général à la forme progressive **(-ing)**.

Il exprime aussi des actions passées mais non datées, et surtout vécues du point de vue de leurs conséquences présentes.

Ex. : *Je suis allé aux États-Unis = je connais les États-Unis*
    I have been to the U.S.

Je l'ai rencontrée = je la connais : **I have met her.**

The United States [younaïtid stéïts], *les États-Unis*

Attention, ce mot est considéré comme singulier :
    The United States *is* a big country
    Les États-Unis **sont** *un grand pays.*

half an hour   *une demi-heure*

1. How long have you been working for them?
2. I have been working here for five years.
3. I have been working here since 1994.
4. She has been studying English at school for four years.
5. Have you been here long?
6. I have been here for five minutes.
7. We have been waiting for half an hour.
8. How long have you known him?
9. I have known him for two years.
10. I have known him since his marriage.
11. They have been waiting since half past five.
12. He's been on the phone since twenty to three.
13. Have you been to the United States?
14. No, we haven't, but we have been to Scotland.

Êtes-vous ici depuis longtemps ?

2. 3. **for** indique une durée (5 ans se sont écoulés), **since** indique un point de départ (l'action a commencé en 1994).

4. Comparez avec :
   She studied English at school for 4 years,
où le prétérit indique que l'action est terminée, d'où la traduction :
   Elle a étudié l'anglais à l'école pendant 4 ans.

5. **long** équivaut ici à **for a long time**, *depuis longtemps*.

9. **to know**, ne se met que très rarement à la forme progressive mais rien n'empêche de le mettre à la forme en **-ing** lorsqu'il est participe présent ou, comme dans l'exemple qui suit, nom verbal (cf. Leçon 39) :
   Knowing him as I do...
   Le connaissant comme je le connais.

13. Remarquez cet emploi idiomatique de **to be** au sens d'*aller* dans un pays, *visiter* un pays. Cet emploi n'existe qu'au present perfect. Au prétérit on dirait : **We went to the United States in 2004**.

14. On ne se contente pas de répondre par **yes** ou **no**, on reprend l'auxiliaire (cf. C4).

1. Depuis combien de temps travaillez-vous pour eux ?
2. Je travaille ici depuis 5 ans.
3. Je travaille ici depuis 1994.
4. Elle étudie l'anglais à l'école depuis quatre ans.
5. Êtes-vous ici depuis longtemps ?
6. Je suis ici depuis cinq minutes.
7. Nous attendons depuis une demi-heure.
8. Depuis combien de temps le connaissez-vous ?
9. Je le connais depuis deux ans.
10. Je le connais depuis mon mariage.
11. Ils attendent depuis cinq heures et demie.
12. Il est au téléphone depuis trois heures moins vingt.
13. Êtez-vous allé aux États-Unis ?
14. Non, mais nous sommes allés en Écosse.

Exercices • Réponse par *oui, non* et *si*

A. Traduisez
1. Je suis allé aux États-Unis.
2. Je suis allé aux États-Unis en 1988.
3. Je l'ai rencontrée.
4. Je l'ai rencontrée l'année dernière.
5. J'apprends l'anglais depuis 6 mois.

B. Complétez avec <u>for</u> ou <u>since</u>
1. I have known him ... four years.
2. She's been waiting ... 3 o'clock.
3. My daughter has been away ... a week.
4. It's been raining ... two days.
5. They've been working ... his telephone call.

A. 1. I have been to the United States.
2. I went to the U.S. in 1988.
3. I have met her.
4. I met her last year.
5. I have been studying English for 6 months.

B. 1. for   2. since   3. for   4. for   5. since

En général, on ne se contente pas en anglais de répondre simplement *oui, non* ou *si* ; on reprend l'auxiliaire utilisé dans la question.

Do you know him? — Yes, I do. — No, I don't.	*Le connaissez-vous ? — Oui. — Non.*
You don't know him, I suppose? — Yes, I do.	*Vous ne le connaissez pas, je suppose ? — Si.*
Will they come? — Yes, they will.	*Viendront-ils ? — Oui.*
Don't you like it? — Yes, we do.	*Ne l'aimez-vous pas ? — Si.*
Did you see her? — No, we didn't.	*L'avez-vous vue ? — Non.*
Have they seen it? — No, they haven't.	*L'ont-ils vu ? — Non.*
Can she do it? — Yes, she can.	*Peut-elle le faire ? — Oui.*

CIVILISATION

Le premier corps de police moderne britannique est apparu en 1829 sous le nom de **Metropolitan Police Force**. Il fut créé par le Ministre de l'Intérieur (**the Home Secretary** [hôoum sèkreteri]) de l'époque, *Robert Peele*.
Bobby, qui est le diminutif de *Robert*, est devenu le *surnom* (**nickname** [niknéïm]) que les anglais emploient depuis pour désigner familièrement les agents de police.

Le siège historique de **Scotland Yard** était situé dans un local dont une porte de derrière donnait sur une ruelle étroite nommée **Scotland Yard**. Depuis, tous les locaux qui ont abrité la police londonienne portent ce nom. Le bâtiment moderne qui l'abrite de nos jours dans le quartier de Westminster porte le nom de **New Scotland Yard**.

A l'époque de *Robert Peel*, les **bobbies** portaient des chapeaux haut de forme et des redingotes bleu marine. Elles ont été remplacées par des tuniques bleu foncé à boutons de *cuivre* (**copper** [kope], d'où le surnom, souvent abrégé en **cop**, *flic*) et casque allongé. Le **bobby** (**bobbies** au pluriel) ne porte pas d'armes à feu ; il est équipé d'une *matraque en caoutchouc* (**truncheon** [trœnchen]) et souvent d'un *talkie-walkie* (**walkie-talkie** [wo:ki to:ki]). Toutefois, lorsque les risques encourus sont importants, des officiers spécialement formés sont dotés d'armes.

La **Metropolitan Police Force** dépend du Ministère de l'Intérieur, à l'exception du cœur historique de la ville, la **City**, qui est gouvernée par une charte royale spéciale.
Il existe dans le pays 56 corps de police similaires correspondant au découpage par *comté* (**county** [kaounti]). Chacun de ces corps est autonome ; il est financé à 50 % par l'Etat et à 50 % par les autorités locales qui les contrôlent. Ces forces portent également des uniformes bleus. En Irlande du Nord, l'uniforme est vert foncé.

DIALOGUES ET VIE PRATIQUE

Policeman : Have you been here long ?

James : We've been here for about five minutes. Why do you ask ?

Policeman : So you saw the accident, didn't you ?

James : No, we were watching TV when we heard the noise. That was about ten minutes ago. We thought it was an explosion, so we came down immediately ...

Jane : There was so much traffic it took a while for the police to arrive.

James : And look at the traffic jam now ! Has anyone been hurt ?

Policeman : No, luckily the two cars were not driving too fast.

Jane : People should drive more cautiously, especially when it's raining so hard.

A FEW ROAD SIGNS *(GB)*
(QUELQUES PANNEAUX DE SIGNALISATION)

give way	*cédez le passage*
no overtaking	*dépassement interdit*
no U-turm	*interdiction de faire demi-tour*
one way	*sens unique*
diversion	*déviation*
reduce speed	*ralentissez*
road works ahead	*travaux*
roundabout	*sens giratoire*
bump	*dos-d'âne*
low clearance	*hauteur limitée*

DIALOGUES ET VIE PRATIQUE

Agent de police : Vous êtes ici depuis longtemps ?

James : Ça fait à peu près cinq minutes. Pourquoi cette question (pourquoi demandez-vous) ?

Agent de police : Alors vous avez vu l'accident, n'est-ce-pas ?

James : Non, nous regardions la télé quand nous avons entendu le bruit. C'était il y a environ dix minutes. Nous avons pensé que c'était une explosion, aussi sommes-nous descendus immédiatement...

Jane : Il y avait tellement de circulation que la police a mis un certain temps à arriver.

James : Et regardez le bouchon à présent ! Est-ce que quelqu'un a été blessé ?

Agent de police : Non, heureusement les deux voitures ne roulaient pas trop vite.

Jane : Les gens devraient conduire plus prudemment, surtout quand il pleut aussi fort.

A FEW ROAD SIGNS *(US)*
(QUELQUES PANNEAUX DE SIGNALISATION)

men at work	*Attention, travaux !*
park at angle	*stationnement en épi*
detour ahead	*déviation*
all traffic merge left	*tous les véhicules doivent se porter sur la voie de gauche*
right lane must exit	*voie de droite uniquement pour la sortie*

 QU'EST-CE QU'UN SOAP-BOX ORATOR ?

⇨ *RÉPONSE PAGE 91.*

Complétez avec a, b, c ou d :
(il y a une seule bonne réponse par question)

31. When I met him, he —— several years.
    a) had worked since
    b) was working
    c) had been working for
    d) was working since

32. He told me he had —— money left.
    a) no
    b) any
    c) few
    d) none

33. She'd have bought it if it —— less expensive.
    a) would be
    b) should have been
    c) had been
    d) should be

34. He asked whether —— here long.
    a) have they been
    b) had they been
    c) they are being
    d) they had been

35. I'd rather —— come.
    a) him not
    b) he does not
    c) he did not
    d) him not to

(Voir corrigé p. 373)

36. We didn't actually see him —— it
    a) to steal
    b) steal
    c) stole
    d) did steal

37. Have you had it —— ?
    a) checks
    b) check
    c) checked
    d) checking

38. This would be too late, —— it ?
    a) doesn't
    b) wouldn't
    c) can
    d) hasn't

39. We look forward to —— you again.
    a) we see
    b) see
    c) seeing
    d) us seeing

40. There were —— traffic jams that we decided not to go.
    a) so much
    b) such
    c) many
    d) how many

(Voir corrigé p. 373)

1. Genre :

Le nom a <u>trois genres</u> en anglais : <u>masculin</u>, <u>féminin</u>, <u>neutre</u>. Dans la pratique, le féminin et le masculin sont réservés aux seuls êtres humains.

2. Pluriel :

a) en règle générale on ajoute **-s**, même aux noms propres :
a car, two cars ; the Johnsons.
Dans certains cas, **-s** entraîne une modification d'orthographe :
baby, babies ; leaf, leaves ; church, churches, ou la prononciation [i] d'un **e** intercalaire : **box, boxes** [boksiz] ; **house, houses** [haousiz].

b) pluriels irréguliers : on change ou on ajoute une ou plusieurs lettres :
man, men ; foot, feet ; child, children ;
éventuellement la prononciation change :
woman [woumen] ; **woumen** [wimin].

c) mots collectifs : ce sont des noms qui sont toujours au singulier **(luggage)** ou au pluriel **(scissors).**
Attention : **people,** lorsqu'il signifie *les gens,* est toujours au pluriel : **people say...** *les gens disent (on dit)...*

d) invariables : ce sont des noms qui se terminent par **s (a means,** *un moyen)* ou non **(a sheep,** *un mouton),* mais qui s'emploie au singulier ou au pluriel sans changer de forme **(several means,** *plusieurs moyens* — **two sheep,** *deux moutons).*

3. Noms composés :

Ils sont constitués de deux éléments liés par un trait d'union ou non. Le premier peut être un nom : **bathroom,** *salle de bains,* ou une forme verbale : **sleeping-car,** *voiture-lit.*
Le pluriel se fait sur le deuxième nom.
La traduction en français commence par le deuxième mot anglais.

4. Cas possessif :

The doctor's bag, *la sacoche du docteur.*
Il n'y a jamais d'article entre les deux noms reliés par **'s.** Il y en a un le cas échéant devant le possesseur, mais on dira :
Bob's car, *la voiture de Bob.*
Mr Brown's wife, *la femme de M. Brown.*
Car **Bob** et **Mr Brown** ne prennent jamais d'article.

Au pluriel on aura :
   The doctors' bags, *les sacoches des médecins,* mais
   The firemen's car, *la voiture des pompiers.*
Le cas possessif est en principe réservé aux possesseurs qui sont des êtres humains.

---

1. L'article indéfini singulier *un* ou *une,* est **an** [en] devant une voyelle, **a** [e] devant une consonne. Il n'y a pas d'article indéfini pluriel.

Il s'utilise d'abord avec un nom concret indéterminé, mais aussi avec un nom <u>attribut</u> :
   My sister is a physician, *Ma sœur est médecin,*
ou <u>apposition</u> :
   Mr Smith, a well-known citizen of our town,
   M. Smith, citoyen bien connu de notre ville.
Il s'utilise aussi dans d'autres cas :
   He went out without a hat, *Il est sorti sans chapeau.*
   She makes £ 18,000 a year, *Elle gagne 18 000 livres par an.*
   To make a fire, *faire du feu.*
   To make a noise, *faire du bruit,* etc.

2. L'article défini est **the,** *le, la, les,* prononcé [že] devant une consonne, [ži:] devant une voyelle.

L'article est omis devant les noms pluriels, ou abstraits, ou géographiques, les titres précédant les noms propres, les expressions : **last week, next month,** etc. Mais l'article défini apparaît devant ces noms dès qu'on introduit une précision particulière. Ainsi :
   History, *l'histoire*
mais : **the history of man,** *l'histoire de l'humanité.*
   France, *la France*
mais : **the France of Napoléon.**

L'article défini s'emploie :
1) devant un nom déterminé par un complément :
   The House of Lords, *la Chambre des lords* (GB)
   ou par une proposition relative :
   The man that came, *l'homme qui est venu.*
2) les choses uniques en leur genre :
   the world, *le monde* ; **the sun,** *le soleil* ; **the sky,** *le ciel.*
3) les noms au singulier représentant une catégorie :
   the horse, *le cheval* ; **the sterling,** *la livre.*
4) les adjectifs substantivés :
   the poor, *les pauvres* ; **the rich,** *les riches* ;
   the unemployed (US : **the jobless**), *les chômeurs.*
5) les institutions, les peuples, les spectacles, les faits historiques précis, les noms de mers, de fleuves, de montagnes :

the police, the Americans, the cinema, the Second World War, the Pacific (ocean), the Rhine, the Alps.

6) les noms de pays composés : **the USA, the USSR.**

L'adjectif qualificatif est invariable : une seule forme pour le masculin ou le féminin, le singulier ou le pluriel.

Il se place toujours devant le nom qu'il qualifie :
a fast car, *une voiture rapide.*

Certains adjectifs sont formés à partir d'un nom, en ajoutant une terminaison (« suffixe ») :
useful, *utile* ; **useless,** *inutile* ;
childish, *enfantin* ; **hairy,** *velu.*

D'autres adjectifs sont composés de deux éléments qui peuvent être : adjectifs, adverbes, noms, participes, etc. (y compris des participes en **-ed** imités du verbe) :
good-looking, short-sighted, well-bred, ready-made, etc.
beau,   myope,   bien élevé,   de confection

Les adjectifs de nationalité commencent toujours par une majuscule :
English, French, Swiss, American, Japanese
et restent invariables.

Adjectifs employés comme noms :
ces mêmes adjectifs de nationalité, précédés d'un article défini au pluriel, peuvent être utilisés comme noms. Ils sont invariables (pas d's au pluriel) s'ils se terminent par :
ch : **the French,** *les Français*
sh : **the Irish** [aïrich], *les Irlandais*
ss : **the Swiss,** *les Suisses*
ese : **the Chinese,** *les Chinois.*
Ils prennent **-s** au pluriel s'ils se terminent par :
an : **the Russians,** *les Russes.*
Certains adjectifs peuvent être utilisés comme noms pour représenter toute une catégorie :
les pauvres, **the poor** ; *les aveugles,* **the blind.**
Attention : les adjectifs substantivés ne prennent jamais **-s.**
On dit : *un pauvre,* **a poor man** ;
un(e) aveugle, **a blind man (woman).**

Comparatif (voir Leçon 22 A, page 138). Rappels :

Supériorité :
— on ajoute **-er** à l'adjectif court
— on met **more** devant l'adjectif long
— le complément est introduit par **than** :
Peter is taller than John, *Pierre est plus grand que Jean.*

This one is more useful than mine
Celui-ci est plus utile que le mien.

Égalité : **as... as...**, *aussi... que*
This book is as heavy as that one
Ce livre-ci est aussi lourd que celui-là.

Inégalité : **not as/not so... as,** *pas aussi... que*
His car is not so (as) fast as yours
Sa voiture n'est pas aussi rapide que la vôtre.

Infériorité : **less... than,** *moins... que*
My room is less comfortable than his
Ma chambre est moins confortable que la sienne.

Superlatif (voir Leçon 22 B). Rappels :

Supériorité : comme pour le comparatif :
— on ajoute **-est** à l'adjectif court précédé de **the**
— on met **the most** devant l'adjectif long
— le complément est introduit selon le cas par **of, in, among**
The quickest way of all
Le chemin (moyen) le plus rapide de tous.
The most important town in the country
La ville la plus importante du pays.

Infériorité : **the least** + adjectif... **of/in/among**
The least expensive of all cameras
Le moins cher des appareils photo.

Comparatifs et superlatifs irréguliers

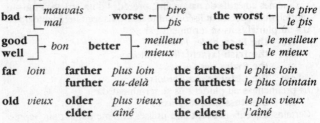

bad	mauvais mal	worse	pire pis	the worst	le pire le pis
good well	bon	better	meilleur mieux	the best	le meilleur le mieux
far	loin	farther further	plus loin au-delà	the farthest the furthest	le plus loin le plus lointain
old	vieux	older elder	plus vieux aîné	the oldest the eldest	le plus vieux l'aîné

This, *ceci, celui-ci* — pl. **these** [ži:z], *ceux-ci*
That, *cela, celui-là* — pl. **those** [žôouz], *ceux-là*

This indique la proximité dans l'espace et dans le temps. En particulier **this** s'emploie pour annoncer ce qui va suivre :
This is what we're going to do
Voici ce que nous allons faire.
Alors que **that** renvoie à ce qui précède :
That's all for now, *C'est tout pour l'instant.*

Les pronoms personnels **sujets** :

I	*je*		**we**	*nous*
you	*tu*		**you**	*vous*
he	*il*		**they**	*ils/elles*
she	*elle*			
it	*il* ou *elle* (POUR AUTRE CHOSE QU'UN ÊTRE HUMAIN)			

Les pronoms personnels **compléments** :

me	*me, m', moi*		**us**	*nous*
you	*te, t', toi*		**you**	*vous*
him	*le, l', lui*		**them**	*leur, eux*
her	*la, l', lui, elle*			
it	*le* (POUR AUTRE CHOSE QU'UN ÊTRE HUMAIN)			

Ils s'accordent avec le possesseur :

ADJECTIFS	**my**	*mon, ma, mes*
	your	*ton, ta, tes*
	his	*son, sa, ses* (à lui)
	her	*son, sa, ses* (à elle)
	its	*son, sa, ses* (à autre chose qu'un être humain)
	our	*notre, nos*
	your	*votre, vos*
	their	*leur, leurs*
PRONOMS	**mine**	*le mien, la mienne, les miens, les miennes*
	yours	*le tien, la tienne, les tiens, les tiennes*
	his	*le sien, la sienne, les siens, les siennes* (à lui)
	hers	*le sien, la sienne, les siens, les siennes* (à elle)
	its own	*le sien, la sienne, les siens, les siennes* (à autre chose qu'un être humain)
	ours	*le nôtre, les nôtres*
	yours	*le vôtre, les vôtres*
	theirs	*le leur, la leur, les leurs*

myself	*moi-même, me, moi*
yourself	*toi-même, te, toi*
himself	*lui-même, se, soi*
herself	*elle-même, se, soi*
itself	*lui-même, elle-même* (neutre)
ourselves	*nous-mêmes*
yourselves	*vous-mêmes*
themselves	*eux-mêmes, eux, elles, se, elles-mêmes*

<u>Attention</u> : beaucoup de <u>verbes réfléchis</u> en français ne le sont pas en anglais où la construction réfléchie est très rare.

ex. : *se laver*	**to wash**
se raser	**to shave**
se presser	**to hurry**
se fâcher	**to get angry**
se coucher	**to go to bed,** etc.

each other, *l'un l'autre,* ou **one another,** *les uns les autres.*

En théorie, on emploie **each other** pour deux personnes, **one another** pour plus de deux.

Dans la pratique, ils deviennent souvent interchangeables :

They like each other, *Ils s'aiment bien.*
They will help one another, *Ils s'aideront les uns les autres.*

Ils sont invariables : même forme au singulier et au pluriel, au féminin et au masculin.

Pronoms sujets :

Pour les personnes, **who** peut remplacer un sujet masculin, singulier ou pluriel :

The man who came, *L'homme qui est venu.*
The woman who came, *La femme qui est venue.*
The boys who came, *Les garçons qui sont venus.*

Pour les choses, **which** (sing. et pl.) :

The car which is parked, *La voiture qui est garée.*
The cars which are parked, *Les voitures qui sont garées.*

Le relatif **that** peut remplacer **who** ou **which** sujets.

Pronoms compléments :

whom ou **who** pour les personnes, **which** pour les choses :
> **The man whom you saw,** *L'homme que vous avez vu.*
> **The house which he built,** *La maison qu'il a construite.*

Dans la pratique :

1) La forme **who** remplace de plus en plus la forme **whom,** qui ne subsiste guère que quand elle est immédiatement précédée d'une préposition :
> **The man to whom you spoke**
> *L'homme à qui vous avez parlé,*
mais :
> **Did you see the man who you wanted to speak to?**
> *Avez-vous vu l'homme à qui vous vouliez parler ?*

2) Très fréquemment, le relatif complément est supprimé :
> **The house he built,** *La maison qu'il a construite.*
> **The man you saw,** *L'homme que vous avez vu.*
Cette suppression s'accompagne du <u>rejet de la préposition en fin de phrase</u>, quand il y en a une :
> **The man you spoke to,** *L'homme à qui vous avez parlé.*

Traduction de *dont*

1) Lorsque *dont* indique la possession : **whose** pour les êtres humains et souvent les choses, **of which** pour les choses.
> **The friend whose car I drive**
> *L'ami dont je conduis la voiture.*
> **The house the roof of which (whose roof) you can see**
> *La maison dont vous voyez le toit.*

2) Lorsque *dont* est complément d'un verbe :
préposition + **whom** pour les personnes
préposition + **which** pour les choses.
> **The person of whom we are speaking**
> *La personne dont nous parlons.*
> **The town from which I come**
> *La ville dont je suis originaire.*

Traduction de *ce que, ce qui*

Lorsque *ce que, ce qui,* annonce ce qui suit, on emploie **what** :
> **What I want to say is that...,** *Ce que je veux dire, c'est que...*
Lorsque *ce que, ce qui,* reprend ce qui précède, **which** :
> **He is late, which is not surprising**
> *Il est en retard, ce qui n'est pas étonnant.*

Attention : *tout ce* ← [*qui* / *que*] → **all that**

347

Il s'agit d'adjectifs ou de pronoms qui expriment une notion de quantité.

Some, adjectif ou pronom, se traduit selon le cas par : *de, des, du, de la, certains, quelque(s)*, dans une proposition affirmative :

I have brought some sweets for you
Je vous ai apporté des bonbons.
Some said yes, some said perhaps
Certains dirent oui, certains dirent peut-être.

Remarque : on emploie également **some** dans une question à laquelle on attend ou on espère une réponse positive :

Would you like some biscuits?
Vous prendrez bien des biscuits ?

Mots composés à partir de **some** :

somebody, someone,	*quelqu'un*
something,	*quelque chose*
somewhere,	*quelque part*

Any, adjectif ou pronom, se traduit selon le cas par : *de, des, du, de la, quelque(s)*, dans une phrase affirmative ou négative (dans ce cas on a : **not... any**) :

Have they left any message? *Ont-ils laissé un message ?*
Will any of you drive her home?
Quelqu'un d'entre vous la raccompagnera-t-il chez elle en voiture ?
I haven't got any tobacco, *Je n'ai pas de tabac.*

Remarque : on emploie **any** dans une phrase affirmative avec le sens de *n'importe quel/lequel* :

Any of us could do it,
N'importe lequel d'entre nous saurait le faire.

Mots composés à partir de **any** :

anybody, anyone,	*quelqu'un ; n'importe qui*
anything,	*quelque chose ; n'importe quoi*
anywhere,	*quelque part ; n'importe où*

No : cet adjectif équivaut à **not... any,** *aucun, pas de*. Adverbe, c'est la négation *non* :

He gave no detail, *Il n'a pas donné de détail.*

Mots composés à partir de **no :**

nobody, no one,	*personne*
nothing,	*rien*
nowhere,	*nulle part*

None : ce pronom correspond à **no** <u>adjectif</u> : *aucun, ne... pas de, rien,* etc.

> **She has none,** *Elle n'en a pas.*
> **None of us did it,** *Nul d'entre nous ne l'a fait.*

All : *tout, tous,* se place devant l'article défini s'il y en a :

<u>adjectif</u> : **All the people,** *tout le monde*

<u>pronom</u> : **All's well that ends well,** *tout est bien qui finit bien*

<u>adverbe</u> : **She was all upset,** *elle était toute troublée.*

Both : *l'un et l'autre, tous les deux, à la fois,* s'emploie toujours sans l'article **the** comme adjectif et comme pronom :

<u>adjectif</u> : **Both books are worth reading,** *l'un et l'autre* (les deux) *livre(s) valent d'être lus.*

<u>pronom</u> : **I'll take both (of them),** *Je prendrai les deux.*

<u>conjonction</u> : **It's both ridiculous and wrong,** *C'est tout à la fois ridicule et erroné.*

Each : *chaque, chacun(e) en particulier* :

<u>adjectif</u> : **He saw each candidate,** *Il a vu chaque candidat personnellement .*

<u>pronom</u> : **I'll charge each of you £ 2,** *Je vous prendrai 2 livres chacun.*

Either : *chaque, l'un et l'autre, l'un ou l'autre, les deux* :

<u>adjectif</u> : **Either bottle will do,** *N'importe laquelle des deux bouteilles fera l'affaire.*

<u>adverbe</u> : **I don't believe you either,** *Je ne vous crois pas non plus.*

<u>conjonction</u> : **either... or,** *ou (bien)... ou (bien).*

<u>pronom</u> : **You can tell either of them,** *Vous pouvez le dire à l'un ou à l'autre.*

<u>Remarque</u> : **neither,** *ni l'un ni l'autre,* est la forme négative de **either,** et le remplace dans chacune de ses fonctions, sauf comme adverbe, lorsqu'il y a négation :

> **I saw neither film,** *Je n'ai vu ni l'un ni l'autre film.*
> **Neither Peter nor John helped her,**
> *Ni Pierre ni Jean ne l'ont aidée.*

Every : *chaque, chacun(e), tout(e), tous les...,* adjectif qui correspond, pour le singulier, à **all** pour le pluriel :

> **We meet every (other) day,**
> *Nous nous réunissons tous les (deux) jours.*

One : *un, un seul, un certain* :

<u>adjectif</u> : **A one-way ticket,** *Un (billet) aller simple.*

   I know one Mr Herbert, *Je connais un certain M. Herbert.*

<u>pronom</u> : **I'd like a red one,** *J'en voudrais un(e) rouge.*

pluriel : **ones**

   They showed me green ones only
   Ils ne m'en ont montré que des vert(e)s.

Whole : adjectif ou nom, désigne une entité, un collectif singulier
ou dénombrable :

<u>adjectif</u> : *tout, tout entier* :
   The whole country
   Le pays tout entier.

<u>nom</u> : *ensemble, total* :
   How much for the whole?
   Combien pour le tout ?

Ce sont essentiellement **much** et **many, little** et **few,** ainsi que **more,**
employés soit seuls, soit en combinaison avec **how, as, so, too,** etc.

beaucoup . . . . **much** + singulier
                            many + pluriel

Much et **many** peuvent être remplacés par **a lot of, a good deal of,
plenty of.**

combien ? . . . . **how much** + singulier ?
                            how many + pluriel ?

peu de . . . . **little** + singulier :
                            I have little work this week
                            J'ai peu de travail cette semaine.

                            few + pluriel :
                            he has few friends
                            il a peu d'amis.

<u>Attention</u> :

a little (+ singulier), *un peu de* ; **a few** (+ pluriel), *quelques* :
   I have a little time, *J'ai un peu de temps.*
   I saw a few persons, *J'ai vu quelques personnes.*

(au)tant de	**so (as) much** + singulier
	so (as) many + pluriel
(aus)si peu de	**so (as) little** + singulier
	so (as) few + pluriel
trop de	**too much** + singulier
	too many + pluriel
trop peu de	**too little** + singulier
	too few + pluriel
plus (davantage) de	**more** + singulier ou pluriel
ne... plus de	**no more** . . . . **(left)**
	not... any more... **(left)**

We have no more bread (left)
Il ne nous reste plus de pain.

There were no more pedestrians on the road
Il n'y avait plus de piétons sur la route.

---

1. Pour les personnes, le pronom sujet est **who** :
    Who saw him? *Qui l'a vu ?*

le pronom complément, **whom** ou **who** :
    Whom (who) did you see? *Qui avez-vous vu ?*

le cas possessif, **whose** :
    Whose hat is it? *À qui est ce chapeau ?*

2. Pour les choses, le pronom sujet est **what** :
    What makes you think so?
    Qu'est-ce qui vous fait penser cela ?

Le pronom complément est aussi **what** :
    What did you say? *Qu'avez-vous dit ?*

<u>Remarques</u> : avec les pronoms interrogatifs compléments, on pratique souvent le rejet de la préposition :
    Who did you give it to? *À qui l'avez-vous donné ?*
    What did you do it with? *Avec quoi l'avez-vous fait ?*

Avec les pronoms interrogatifs compléments, l'ordre des mots dans la question est le même qu'après les adverbes interrogatifs :

Mot interrogatif + auxiliaire + sujet + verbe + complément

Who	**did**	**you**	**meet at the station?**
Qui	*avez-*	*vous*	*rencontré à la gare ?*

What — Which

Which implique un choix plus limité :

> **What kind of books do you like?**
> *Quelle sorte de livres aimez-vous ?*
> **Which book will you have?**
> *Quel livre* (lequel de ces livres) *prendrez-vous ?*

I can   *je peux* (pouvoir qui dépend de moi)
I may   *je peux* (cela dépend du hasard ou d'une autorisation)
I must   *je dois*

Ils ont en commun les caractéristiques suivantes :

pas d'infinitif ; pas de participe passé (donc pas de present perfect ou de pluperfect) ; pas de forme en **-ing** ;
pas d'**-s** à la troisième personne du singulier du présent :

> **she can, he must, it may.**

Ils sont suivis d'un verbe à l'infinitif sans **to** :

> **You must do it**   *Vous devez le faire.*
> **It may rain**   *Il se peut qu'il pleuve.*
> **She can come**   *Elle peut venir.*

Ils se conjuguent sans auxiliaire, y compris aux formes interrogatives et négatives :

> **Can he carry it?**   *Peut-il le porter ?*
> **May I ask a question?**   *Puis-je poser une question ?*
> **You mustn't speak so loud**   *Il ne faut pas parler si fort.*
> **Can't you see I'm busy?**   *Ne vois-tu pas que je suis occupé ?*

NB. On remarque qu'avec un verbe de perception **(to see, to hear)** **can** n'est pas traduit.

Aux temps et formes qui leur manquent, ils sont remplacés par leur équivalent :

> **to be able to**   pour   **I can**
> **to be allowed to**   pour   **I may**
> **to have to**   pour   **I must**

> **He will be able to do it,** *Il pourra le faire.*
> **They have been allowed to come,**
> *Ils ont été autorisés à venir.*
> **She had to run,** *Elle dut (il lui fallut) courir.*

Le prétérit de **I can** est **I could**

Le prétérit de **I may** est **I might**

Le prétérit de **must** (même forme **must**) est très rarement utilisé, on lui préfère **I had to, you had to,** etc.

Il a la même structure que le passé composé français :
I have bought a book, *J'ai acheté un livre*
(à cette différence près qu'en anglais il se forme toujours avec l'auxiliaire *avoir* : **He has come,** *il est venu*) mais son emploi est radicalement différent de celui du passé composé français. Alors que notre passé composé est un temps du passé (même lointain : *je l'ai rencontré il y a deux ans* correspond au prétérit anglais **I met him two years ago**), le <u>present perfect</u> est beaucoup plus un <u>temps du présent</u> :

soit qu'il indique une action commencée dans le passé, mais durant encore au moment présent :
Nous étudions l'anglais depuis 5 ans
We have been studying English for 5 years.
Il est alors la plupart du temps à la forme en **-ing**.

soit qu'il indique une action passée, mais dont la date n'est pas connue, ou peu importante, l'action étant surtout vécue sous l'angle de ses conséquences présentes :
Êtes-vous allé aux États-Unis ? (c'est-à-dire connaissez-vous, au moment où je parle, les États-Unis ?)
Have you been to the United States?
L'avez-vous rencontrée ? **Have you met her?**

Notez que si la réponse introduit une précision de date, elle sera au prétérit :
I went to the U.S. in 1978 — I met her last year.

Il s'emploie pour toutes les actions ou tous les faits terminés (passés), surtout s'ils sont datés, c'est-à-dire lorsqu'on peut répondre à la question *quand ?* **when?** même s'il s'agit :

d'un passé récent :
I saw him yesterday, *Je l'ai vu hier.*
She met him two years ago, *Elle l'a rencontré il y a deux ans.*

ou d'une action d'une certaine durée :
I studied Spanish for two years,
J'ai étudié l'espagnol pendant deux ans.

Le prétérit à la forme en **-ing** correspond souvent à l'imparfait français et insiste sur la durée de l'action :

I was watching the TV when he phoned
Je regardais la télévision quand il a téléphoné.

---

going to, about to

Je vais partir :	**I am going to leave.**
Il allait partir :	**He was going to leave.**
Je suis sur le point de partir :	**I am about to leave.**
Il était sur le point de partir :	**He was about to leave.**

---

have/has just — had just

Nous venons de le rencontrer :	**We have just met him.**
Elle venait d'arriver :	**She had just arrived.**
Il vient de partir :	**He has just left.**

Elle indique la répétition d'une action dans le passé :

I used to see him everyday, *Je le voyais tous les jours.*

Pour une répétition moins systématique et dépendant davantage du sujet, on emploie **would** :

He would often come and see me, *Il venait souvent me voir.*

Attention : la forme **used to** ne peut s'employer qu'au passé ; au présent on dira pour traduire la même notion d'habitude :

I usually see him on Mondays, *D'habitude je le vois le lundi.*

La forme **used to** sert aussi à opposer un passé révolu (et qu'on regrette en général) au présent :

Things are not what they used to be
Les choses ne sont plus ce qu'elles étaient.

Le verbe **to want**, *vouloir*, n'est jamais suivi de **that** *(que)* mais d'un nom (ou d'un pronom) qui est à la fois complément de **to want** et sujet du verbe qui suit :

I want him to come, *Je veux qu'il vienne.*
We don't want her to be late
Nous ne voulons pas qu'elle soit en retard.

Même construction avec **I'd like** :
I'd like them to come, *J'aimerais qu'ils viennent*
et des verbes comme **to expect** *(s'attendre à)*, etc.

Elle est de trois types :

1. La forme progressive :

elle indique qu'une action est en train de se faire :
It's raining, *Il pleut* (en ce moment).
par opposition au présent simple, plus abstrait et d'un emploi moins fréquent :
It often rains in this part of the country
Il pleut souvent dans cette région.

Elle peut se combiner avec tous les temps :
It was raining, *Il pleuvait.*
It has been raining, etc., *Il pleut* (voir p. 265).

Elle peut aussi indiquer une action future prévue :
I am leaving tomorrow, *Je pars demain.*

2. Le nom verbal :

Il a à la fois les caractéristiques d'un <u>nom</u> (il peut être sujet ou complément, être précédé d'un adjectif possessif, etc.) et d'un <u>verbe</u> (il peut avoir un complément direct) :
Her leaving him so quickly does not surprise me
Le fait qu'elle l'ait quitté si vite ne me surprend pas.

3. Le participe présent :

A smiling child, *Un enfant souriant.*
Comme l'adjectif, il se place avant le nom.

4. Remarques :

Lorsqu'une préposition est suivie d'un verbe, celui-ci est à la forme en **-ing** :
Before coming, *Avant de venir.*
She's tired of driving, *Elle est fatiguée de conduire.*

Certains verbes et certaines expressions sont suivis de la forme en **-ing**.

Avec certains verbes, c'est la seule forme possible pour le verbe qui les suit. Ainsi **to enjoy**, *prendre plaisir à, apprécier* ; **to avoid**, *éviter* ; **to keep**, *ne pas cesser de, continuer de* ; **to risk**, *risquer*.

> **Prices keep increasing**, *les prix ne cessent de monter.*

Il en est de même pour les expressions :

I don't mind,	*Cela ne me dérange pas.*
Do you mind?	*Est-ce que cela vous dérange ?*
I can't help,	*Je ne peux pas m'empêcher de...*
It is worth,	*Cela vaut la peine de...*
It's no use,	*Ça ne sert à rien (de...).*

Certains autres verbes sont tantôt suivis de la forme en **-ing**, tantôt de l'infinitif avec **to,** selon le sens. C'est le cas de :

> **to like,** *aimer (bien)* ; **to stop,** *arrêter* ;
> **to remember,** *se rappeler.*

En général, l'infinitif avec **to** indique dans ce cas une action future ou hypothétique.

Comparez :

> **I like travelling,** *J'aime voyager.*

et **I'd like to travel to the United States,**
> *J'aimerais aller aux États-Unis.*

> **I remember seeing him,** *Je me souviens (de) l'avoir vu.*

et **Remember to call me tomorrow,**
> *Souviens-toi de m'appeler demain.*

_____

Elle se forme comme en français :

> *Il est envoyé par le directeur,*
> **He is sent by the manager.**

Mais lorsqu'un verbe en anglais a un complément de personne et un complément d'objet :

> **They sent me a book,** *Ils m'ont envoyé un livre*

chacun de ces compléments peut devenir le sujet d'une voix passive :

> **I was sent a book (by them).**
> **A book was sent to me (by them).**

La voix passive anglaise traduit souvent le français *on* dans des tournures du genre :

> *On m'a offert une cravate,* **I was offered a tie**
> *On m'a dit que,*
> **I have been told (that)... / I was told (that)...**

Ce sont principalement :

1) les défectifs : **can, must, may** (cf. p. 142, 150, 192).

2) **to let :** soit qu'il aide à former l'impératif :

> **Let us go**, *Allons(-y)*

soit qu'il ait le sens de *laisser* :

> **I won't let him dot it**, *Je ne le laisserai pas le faire.*

3) **to make :**

> **I'll make you understand**, *Je vous ferai comprendre.*

4) **to have :** au sens de *faire faire, obliger* quelqu'un à faire quelque chose :

> **I'll have them repair it**
> *Je le leur ferai réparer/Je les obligerai à le réparer.*

5) les verbes de perception, en particulier **to see** et **to hear :**

> **I heard him come**, *Je l'ai entendu venir*
> **I saw him go**, *Je l'ai vu partir*

(qui peuvent aussi se construire avec une forme en **-ing**).

Les expressions **I'd rather**, *j'aimerais mieux*, et **I'd better**, *je ferais mieux de :*

> **You'd better hurry**, *Vous feriez mieux de vous presser.*
> **I'd rather wait**, *j'aimerais mieux attendre.*

6) **Why**, lorsque la question ne précise pas de sujet, sera aussi suivi de l'infinitif sans **to** :

> **Why do it tomorrow?** *Pourquoi le faire demain ?*
> **Why not do it today?** *Pourquoi ne pas le faire aujourd'hui ?*

Il existe deux sortes de conjonctions : les conjonctions de coordination, qui relient deux termes entre eux ; les conjonctions de subordinations, qui unissent une proposition principale et une subordonnée.

1. Conjonctions de coordinations :

and	*et*	**not only...**	*non seulement...*
as well as	*aussi bien que*	**but also**	*mais encore*
but	*mais*	**now**	*nor*
but then	*en revanche*	**only**	*seulement*
either... or	*ou... ou, soit... soit*	**so**	*donc, ainsi*
		still	*toutefois*

2. Conjonctions de subordination : v; P. 294.

for	*car*	**that is to say**	*c'est-à-dire*
however	*cependant*	**that is why**	*c'est pourquoi*
indeed	*en effet*	**then**	*par la suite, alors*
moreover	*de plus*	**therefore**	*par conséquent*
neither... nor	*ni... ni*	**too**	*aussi*
nevertheless	*néanmoins*	**yet**	*pourtant*

2. Conjonctions de subordination :

after*	*après que*	**in case**	*au cas où*
all the more...	*d'autant plus...*	**in order that**	*afin que*
as/because	*...que*	**in order to**	*afin que*
as	*comme*	**lest**	*de peur que*
as if	*comme si*	**once**	*une fois que*
as long as	*tant que*	**provided**	*pourvu que*
as soon as	*dès que*	**since***	*puisque*
as though	*comme si*	**so as to**	*afin que*
because	*parce que*	**so much as**	*autant que*
before*	*avant que*	**so much so...**	*tellement...*
for fear that	*de peur que*	**that**	*que, pour que*
however	*quelque... que*	**so that**	*afin que*
if	*si*	**so... that**	*si... que*
in as much as	*dans la mesure où*	**supposing**	*au cas où*
		whenever	*chaque fois que*
the less... as	*d'autant moins que*		
		whereas	*tandis que*
till*, until*	*jusqu'à ce que*	**whether... or**	*suivant que... ou*
unless	*à moins que*	**while**	*alors que*
when	*quand*	**without***	*sans que*

Les mot marqués * sont également des <u>prépositions</u>.

<u>Remarques</u> :

1) En anglais, les conjonctions de subordination gouvernent l'emploi de l'indicatif de façon presque générale.

2) **That,** *que,* une des conjonctions les plus utilisées, est souvent omis lorsqu'il introduit la proposition qui complète le verbe.

3) **As** et **like,** *comme* ; en principe, **as** introduit la comparaison entre verbes, **like** entre noms (ou pronoms), mais, en américain parlé, on trouve souvent **like** devant un verbe.
   A man like you, *Un homme comme vous.*
   He did as (like) I wanted, *Il a fait comme je voulais.*

4) **Since,** *puisque* et *depuis que,* comme <u>conjonction</u> ; *depuis,* comme <u>préposition</u>.

Lorsque la question commence par un adverbe interrogatif (**when,** etc.)
ou par un relatif complément (**who, whom, what**), l'ordre des mots
est le suivant :

1	2	3	4	5
adverbe	auxiliaire	sujet	verbe	complément
Where	**did**	**you**	**see**	**her?**

Où l'avez-vous vue ?

What	**will**	**you**	**tell**	**him?**

Que lui direz-vous ?

Rappels : On a le même ordre des mots que ci-dessus :

adverbe + auxiliaire + sujet (verbe), etc. ?

Ce schéma s'applique à tous les adverbes interrogatifs :
how? when? where? why?

how		comment (y)	
when	→ **did you go?**	quand (y)	→ êtes-vous allé ?
where		où	
why		pourquoi (y)	

Cas de **how** :

employé seul : *comment*
   How are you? *Comment ça va ?*

suivi d'un adjectif ou d'un adverbe :
   combien (de)   **How much/many?**
   quel(le)   **How far is it?** *À quelle distance est-ce ?*

L'adverbe est un mot grammatical qui nuance le sens du verbe
ou de l'adjectif ou d'un autre adverbe.

On forme souvent l'adverbe à partir d'un adjectif auquel on ajoute
-(l)y (cf. la finale *-ment* de l'adverbe français).

furious	*furieux*	**furiously**	*furieusement*
full	*plein*	**fully**	*pleinement*
weary	*las*	**wearily**	*avec lassitude*

Place de l'adverbe : toujours devant l'adjectif ou l'adverbe. Jamais entre le verbe et son complément :

L'adverbe de temps (**always,** *toujours* ; **often,** *souvent,* etc.) est devant le verbe ou après l'auxiliaire.

L'adverbe qui permet de dater précisément (**immediately,** *immédiatement* ; **suddenly,** *soudain* ; **today,** *aujourd'hui,* etc.) se place en général en début ou en fin de phrase.

There, *là* ; **here,** *ici* et les adverbes de lieu se placent en fin de phrase.

Much, *beaucoup* ; **little,** *peu,* et les adverbes de quantité sont en général à la fin.

Les adverbes de manière (**quietly,** *tranquillement*) se placent après le complément, ou devant le verbe, ou après l'auxiliaire.

Traductions diverses

Assez (de), **enough,** se place après l'adjectif ou l'adverbe, avant ou après le nom :

sure enough, *assez sûr* ; **frequently enough,** *assez fréquemment.*
> **Is there enough butter? Is there milk enough?**
> *Y a-t-il assez de beurre ?... de lait ?*

Trop (de), **too much/ too many**

too much money	*trop d'argent*
too many cars	*trop de voitures*
he drinks too much	*il boit trop*
she has too many	*elle en a trop*

Rappels. Les principaux mots exclamatifs sont :

what + nom	**What an evening!** *Quelle soirée !*
how + adjectif	**How clever (a man) he is!**
	Comme il est malin (cet homme) !
so + adjectif	**It was so nice of you!**
	Ce fut si gentil à vous !
such + (adj.) + nom	**They are such bores!**
	Ce sont de tels casse-pieds !
so much	**He drinks so much!** *Il boit tant !*
so many	**We ate so many cherries!**
	Nous avons mangé tant de cerises !

Elles introduisent un complément.
Sans complément pas de préposition.

Ex. : **Wait for me!** *Attends-moi !*
Wait! *Attends !*

Notez que les prépositions peuvent être <u>reportées à la fin d'une</u> phrase :
Where does he come from? *D'où vient-il ?*
Here's the man you wanted to talk to
Voici l'homme à qui vous vouliez parler.
Dans ce dernier cas, remarquez l'omission du pronom relatif.

Les postpositions forment un tout avec le verbe dont elles peuvent :

1) nuancer le sens
to look *regarder*
to look up *lever les yeux*

2) modifier radicalement le sens :
to go up *monter*
to go out *sortir*

À la différence de la préposition, la postposition subsiste à l'infinitif et à l'impératif : **to go out,** *sortir* — **go out!** *sortez !*

Un même verbe, associé à diverses postpositions, aura des sens radicalement différents. Ainsi :

To get : ce verbe, qui, employé tout seul, signifie *obtenir* s'il est suivi d'un nom, *devenir* s'il est suivi d'un adjectif, se voit colorer d'une multitude de sens selon la postposition qui suit :
to get up *se lever*
to get out *sortir*
to get down *descendre*
to get away *partir, s'échapper*
to get in *entrer*
C'est en fait ici la postposition qui donne le sens principal.

Remarques sur la traduction des <u>pré/postpositions</u>.
Leur sens est très fort, en particulier lorsqu'elles indiquent un mouvement. On est alors amené à les traduire par un verbe en français :
He was running down the street,
Il descendait la rue en courant.
He ran away, *Il s'enfuit en courant.*

Remarquez que la préposition **down** et la postposition **away,** décrivant l'action principale du point de vue du sens, ont été traduites par un verbe en français *(descendre, s'enfuir),* le verbe anglais ne faisant que préciser la façon dont l'action s'opère.

361

a) cardinaux

0	zero	[zi:erôou]
1	one	[wœn]
2	two	[tou:]
3	three	[šri:]
4	four	[fo:]
5	five	[faïv]
6	six	[siks]
7	seven	[sèven]
8	eight	[éït]
9	nine	[naïn]
10	ten	[tèn]
11	eleven	[ilèven]
12	twelve	[twèlv]
13	thirteen	[še:ti:n]
14	fourteen	[fo:ti:n]
15	fifteen	[fifti:n]
16	sixteen	[siksti:n]
17	seventeen	[sèventi:n]
18	eighteen	[éïti:n]
19	nineteen	[naïnti:n]
20	twenty	[twènti]
30	thirty	[še:ti]
40	forty	[fo:ti]
50	fifty	[fifti]
60	sixty	[siksti]
70	seventy	[sèventi]
80	eighty	[éïti]
90	ninety	[naïnti]
100	a hundred	[hœndrid]
1000	a thousand	[šaouzend]

b) ordinaux

1er	1st	first	[fe:st]
2e	2nd	second	[sèkend]
3e	3rd	third	[še:d]
4e	4th	fourth	[fo:š]
5e	5th	fifth	[fifš]
6e	6th	sixth	[siksš]
7e	7th	seventh	[sèvenš]
8e	8th	eighth	[éïtš]
9e	9th	ninth	[naïnš]
10e	10th	tenth	[tènš]
11e	11th	eleventh	[ilèvenš]
12e	12th	twelfth	[twelfš]
13e	13th	thirteenth	[še:ti:nš]
14e	14th	fourteenth	[fo:ti:nš]
15e	15th	fifteenth	[fifti:nš]
16e	16th	sixteenth	[siksti:nš]
17e	17th	seventeenth	[sèventi:nš]
18e	18th	eighteenth	[éïti:nš]
19e	19th	nineteenth	[naïnti:nš]
20e	20th	twentieth	[twèntieš]
30e	30th	thirtieth	[še:tieš]
40e	40th	fortieth	[fo:tieš]
50e	50th	fiftieth	[fiftieš]
60e	60th	sixtieth	[sikstieš]
70e	70th	seventieth	[sèventieš]
80e	80th	eightieth	[éïtieš]
90e	90th	ninetieth	[naïntieš]
100e	100th	hundredth	[hœndridš]
1000e	1000th	thousandth	[šaouzendš]

Longueur, **length**

1 inch (1 in., 1'')	= 0,0254 m	
1 foot (1 ft., 1')	= 0,305 m	= 12''
1 yard (1 yd.)	= 0,91 m	= 3 ft.
1 mile (1 ml.)	= 1609,34 m	

Poids, **weight**

1 ounce (1 oz.)	= 28,35 g
1 pound (1 lb.)	= 453,59 g

1 stone (1 st.)	=	6,35 kg
1 ton	= 1016	kg

Volume, **capacity**

1 pint [païnt]	= 0,568 l	
1 quart [kwo:t]	= 1,136 l (= 2 pints)	
1 gallon (gl) (GB)	= 4,54 l	
1 gallon (gl) (US)	= 3,78 l	

Pour dire l'heure, l'anglais utilise deux cadrans :

un cadran du matin : **a. m.** [èï èm]

un cadran de l'après-midi : **p. m.** [pi: èm]

D'autre part, on divise l'un ou l'autre cadran de part et d'autre de la *demie* (**the half-hour** [ha:f aoue]) ; on donne alors les minutes passé l'heure, ou les minutes en direction de l'heure suivante :

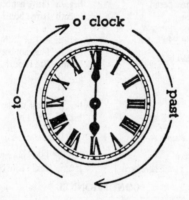

On dira donc :

8 o'clock [éït eklok] : *8 heures* ou **8 a. m. :** *8 heures du matin*

a quarter past nine (a. m.) : *9 heures et quart*

half past ten : *dix heures trente*

twenty-five to eleven : *onze heures moins vingt-cinq*

twelve o'clock : *midi,* puis *minuit, 12 heures*

2 p. m. : *quatorze heures*

What's the time now? *quelle heure est-il ?*
It's seven sharp, *sept heures précises.*

INFINITIF

Présent to be   *être*
Passé to have been   *avoir été*

PARTICIPE

Présent being *étant*
Passé been *été*

INDICATIF

Présent *je suis*

I am	Nég. : I am not
he (she, it) is	Interr. : Am I?
we (you, they) are	

Prétérit *j'étais*

I (he, she, it) was	Nég. : I was not
we (you, they) were	Interr. : Was I?

Present perfect *j'ai été*

I (you, we, they) have been	Nég. : I have not been
he (she, it) has been	Interr. : Have I been?

Pluperfect *j'avais été*

I (he, she, it) we, you, they } had been	Nég. : I had not been
	Interr. : Had I been?

Futur *je serai*

I (we) shall be	Nég. : I shall not be
you (they, he, she, it) will be	Interr. : Shall I be?

Futur antérieur *j'aurai été*

I (we) shall have been	Nég. : I shall not have been
you (they, he, she, it) will have been	Interr. : Shall I have been?

CONDITIONNEL

Présent *je serais*

I (we) should be	Nég. : I should not be
you (they, he, she, it) would be	Interr. : Should I be?

Passé *j'aurais été*

I (we) should have been	Nég. : I should not have been
you (they, he, she, it) would have been	Interr. : Should I have been?

IMPÉRATIF

be! *sois !*   don't be
let me, us, him, her, it, them, be   don't let me... be

SUBJONCTIF

I, we, you,
they, he, she, it } be

INFINITIF

Présent	to have	*avoir*	
Passé	to have had	*avoir eu*	

PARTICIPE

Présent	having	*ayant*
Passé	had	*eu*

INDICATIF

Présent *j'ai*

I (we, you, they) have
he (she, it) has

Nég. : I have not
Interr. : Have I?

Prétérit *j'avais*

I (we, you, they) ⎤
he (she, it) ⎦ → had

Nég. : I had not
Interr. : Had I?

Present perfect *j'ai eu*

I (we, you, they) have had
he (she, it) has had

Nég. : I have not had
Interr. : Have I had?

Pluperfect *j'avais eu*

I (we, you, they) ⎤
he, she, it ⎦ → had had

Nég. : I had not had
Interr. : Had I had?

Futur *j'aurai*

I (we) shall have
you (they, he, she, it) will have

Nég. : I shall not have
Interr. : Shall I have?

Futur antérieur *j'aurai eu*

I (we) shall have had
you (they, he, she, it) will have had

Nég. : I shall not have had
Interr. : Shall I have had?

CONDITIONNEL

Présent *j'aurais*

I (we) should have
you (they, he, she, it) would have

Nég. : I should not have
Interr. : Should I have?

Passé *j'aurais eu*

I (we) should have had
you (they, he, she, it) would have had

Nég. : I should not have had
Interr. : Should I have had?

IMPÉRATIF

have! *aie !*   don't have!
let me, us, him, her,   don't let me, us, him, her,
    it, them, have   it, them, have

SUBJONCTIF

I, we, you, ⎤
they, he, she, it ⎦ → have

INFINITIF			**PARTICIPE**		
Présent to book		*réserver*	**Présent** booking		*réservant*
Passé to have booked		*avoir réservé*	**Passé** booked [boukt]		*réservé*

INDICATIF

Présent *je réserve*

I (we, you, they) book	Nég. : I do not, He does not book
he (she, it) books	Interr. : Do I, Does he book ?

Prétérit *je réservais*

I, we, you, they ⎤ booked	Nég. : I did not book
he, she, it ⎦	Interr. : Did I book ?

Present perfect *j'ai réservé*

I (we, you, they) have booked	Nég. : I have not booked
he (she, it) has booked	Interr. : Have I booked ?

Pluperfect *j'avais réservé*

I, we, you, they ⎤ had booked	Nég. : I had not booked
he, she, it ⎦	Interr. : Had I booked ?

Futur *je réserverai*

I (we) shall book	Nég. : I shall not book
you (they, he, she, it) will book	Interr. : Shall I book ?

Futur antérieur *j'aurai réservé*

I (we) shall have booked	Nég. : I shall not have booked
you (they, he, she, it) will have booked	Interr. : Shall I have booked ?

CONDITIONNEL

Présent *je réserverais*

I (we) should book	Nég. : I should not book
you (they, he, she. it) would book	Interr. : Should I book ?

Passé *j'aurais réservé*

I (we) should have booked	Nég. : I should not have booked
you (they, he, she, it) would have booked	Interr. : Should I have booked ?

IMPÉRATIF	**SUBJONCTIF**
book ! *réserve !* don't book !	I, we, you, ⎤ have booked
let me, us, him, her, don't let me, us, him, her,	they, he, she, it ⎦
it. them, book ! it, them, book !	

INFINITIF			PARTICIPE		
Présent	to eat	*manger*	**Présent**	eating	*mangeant*
Passé	to have eaten	*avoir mangé*	**Passé**	eaten	*mangé*

INDICATIF

Présent *je mange*

I (we, you, they) eat
he (she, it) eats

Nég. : I do not, He does not eat
Interr. : Do I, Does he eat?

Prétérit *je mangeais*

I, we, you, they ⎱ ate
he, she, it ⎰

Nég. : I did not eat
Interr. : Did I eat?

Present perfect *j'ai mangé*

I (we, you, they) have eaten
he (she, it) has eaten

Nég. : I have not eaten
Interr. : Have I, Has he eaten?

Pluperfect *j'avais mangé*

I, we, you, they ⎱ had eaten
he, she, it ⎰

Nég. : I had not eaten
Interr. : Had I eaten?

Futur *je mangerai*

I (we) shall eat
you (they, he, she, it) will eat

Nég. : I shall not eat
Interr. : Shall I eat?

Futur antérieur *j'aurai mangé*

I (we) shall have eaten
you (they, he, she, it) will have eaten

Nég. : I shall not have eaten
Interr. : Shall I have eaten?

CONDITIONNEL

Présent *je mangerais*

I (we) should eat
you (they, he, she, it) would eat

Nég. : I should not eat
Interr. : Should I eat?

Passé *j'aurais mangé*

I (we) should have eaten
you (they, he, she, it) would have eaten

Nég. : I should not have eaten
Interr. : Should I have eaten?

IMPÉRATIF

eat! *mange !*   don't eat!
let me, us, him, her,   don't let me, us, him, her,
   it, them, eat!   it, them, eat!

SUBJONCTIF

I, we, you, ⎱ eat
they, he, she, it ⎰

Infinitif	prétérit	part. passé
to be, *être*	was	been
to bear [bèe], *porter, supporter*	bore	borne
to beat, *battre*	beat	beaten
to become, *devenir*	became	become
to begin, *commencer*	began	begun
to bend, *courber*	bent	bent
to bet, *parier*	bet	bet
to bind [baïnd], *lier*	bound	bound [baound]
to bite [baït], *mordre*	bit	bitten
to bleed, *saigner*	bled	bled
to blow [blôou], *souffler*	blew	blown
to break, *casser*	broke	broken
to bring, *apporter*	brought	brought [bro:t]
to build [bild], *construire*	built	built
to burn, *brûler*	burnt	burnt
to burst, *éclater*	burst	burst
to buy [baï], *acheter*	bought	bought [bo:t]
to cast, *lancer*	cast	cast
to catch, *attraper*	caught	caught [ko:t]
to choose [tchou:z], *choisir*	chose	chosen
to cling, *s'accrocher*	clung	clung
to come, *venir*	came	come
to cost, *coûter*	cost	cost
to cut, *couper*	cut	cut
to dare [dèe], *oser, défier*	durst	dared
to deal [di:l], *distribuer*	dealt	dealt [dèlt]
to dig, *creuser, bêcher*	dug	dug
to do, *faire*	did	done [dœn]
to draw, *tirer, dessiner*	drew	drawn
to dream, *rêver*	dreamt	dreamt [drèmt]
to drink, *boire*	drank	drunk
to drive [draïv], *conduire*	drove	driven [driven]
to eat, *manger*	ate	eaten
to fall, *tomber*	fell	fallen
to feed, *(se) nourrir*	fed	fed
to feel, *éprouver, se sentir*	felt	felt
to fight [faït], *combattre, se battre*	fought	fought [fo:t]
to find [faïnd], *trouver*	found	found [faound]
to fly, *voler (avion)*	flew	flown
to forbid, *interdire*	forbade	forbidden
to forget, *oublier*	forgot	forgotten
to freeze, *geler*	froze	frozen
to get, *obtenir*	got	got
to give, *donner*	gave	given [given]

Infinitif	prétérit	part. passé
to **go**, *aller*	went	gone
to **grind** [graïnd], *moudre, aiguiser*	ground	ground
to **grow** [grôou], *grandir,* *faire pousser*	grew	grown
to **hang**, *pendre*	hung	hung
to **have**, *avoir*	had	had
to **hear** [hie], *entendre*	heard	heard
to **hide** [haïd], *cacher, se cacher*	hid	hidden
to **hit**, *frapper*	hit	hit
to **hold** [hôould], *tenir*	held	held
to **hurt**, *blesser*	hurt	hurt
to **keep**, *garder*	kept	kept
to **kneel** [ni:l], *s'agenouiller*	knelt	knelt
to **know** [nôou], *savoir, connaître*	knew	known [nôoun]
to **lay**, *poser, étendre*	laid	laid
to **lead**, *conduire, mener*	led	led
to **lean**, *se pencher*	leant	leant [lènt]
to **leap**, *sauter, bondir*	leapt	leapt [lèpt]
to **learn**, *apprendre*	learnt	learnt
to **leave**, *laisser, quitter*	left	left
to **lend**, *prêter*	lent	lent
to **let**, *laisser, louer*	let	let
to **lie** [laï], *être étendu*	lay	lain
to **light** [laït], *allumer, éclairer*	lit	lit
to **lose** [lou:z], *perdre*	lost	lost
to **make** [méik], *faire*	made	made
to **mean** [mi:n], *signifier,* *vouloir dire,* *avoir l'intention de*	meant	meant
to **meet**, *rencontrer*	met	met
to **overcome**, *surmonter*	overcame	overcome
to **pay**, *payer*	paid	paid
to **put**, *mettre*	put	put
to **read**, *lire*	read	read [rèd]
to **rend**, *déchirer*	rent	rent
to **rid**, *débarrasser*	rid	rid
to **ride** [raïd], *aller à cheval,* *à bicyclette*	rode	ridden
to **ring**, *sonner*	rang	rung
to **rise** [raïz], *se lever*	rose	risen [risen]
to **run**, *courir*	ran	run
to **say**, *dire*	said	said
to **see**, *voir*	saw	seen
to **seek**, *chercher*	sought	sought [so:t]
to **sell**, *vendre*	sold	sold [sôould]
to **send**, *envoyer*	sent	sent
to **set**, *placer, fixer*	set	set

Infinitif	prétérit	part. passé
to shake [chéïk], *secouer*	shook	shaken
to shine [chaïn], *briller*	shone	shone
to shoot, *tirer (coup de feu)*	shot	shot
to show, *montrer*	showed	shown
to shrink, *rétrécir*	shrank	shrunk
to shut, *fermer*	shut	shut
to sing, *chanter*	sang	sung
to sit, *être assis*	sat	sat
to sleep, *dormir*	slept	slept
to smell, *sentir*	smelt	smelt
to speak, *parler*	spoke	spoken
to spell, *épeler*	spelt	spelt
to spend, *passer du temps*	spent	spent
to spread [sprèd], *(s') étendre*	spread	spread
to spring, *bondir*	sprang	sprung
to stand, *se tenir debout*	stood	stood
to steal, *voler*	stole	stolen
to stick, *coller*	stuck	stuck
to sting, *piquer (insectes)*	stung	stung
to stink, *sentir mauvais*	stank	stunk
to strike [straïk], *frapper*	struck	struck
to swear [swèe], *jurer*	swore	sworn
to sweep, *balayer*	swept	swept
to swell, *enfler*	swelled	swollen, swelled
to swim, *nager*	swam	swum
to swing, *(se) balancer*	swung	swung
to take, *prendre*	took	taken
to teach [ti:tch], *enseigner*	taught	taught [to:t]
to tear, *déchirer*	tore	torn
to tell, *dire*	told	told [tôould]
to think, *penser*	thought	thought [šo:t]
to throw [šrôou], *jeter*	threw	thrown
to understand, *comprendre*	understood	understood
to wear [wèe], *porter (vêtements)*	wore	worn
to weep, *pleurer*	wept	wept
to win, *gagner, vaincre*	won	won
to wind, *tourner, remonter*	wound	wound
to withdraw, *(se) retirer*	withdrew	withdrawn
to write [raït], *écrire*	wrote	written

Nous avons présenté la prononciation de certains mots par des symboles entre crochets [ ]. Ces symboles sont ceux du système de l'Association Phonétique Internationale (A.P.I), sauf pour certaines consonnes décrites en (4), les diphtongues et certaines voyelles (voir page suivante : tableau).

Il faut, pour en tirer parti, avoir toujours présents à l'esprit les principes suivants :

1) Toute lettre symbole doit être prononcée (et a une valeur constante) : par exemple l'anglais **contract** se transcrit [kentrakt], les consonnes finales *c* et *t* sont prononcées.

2) Les voyelles de l'anglais peuvent avoir un son court ou long : dans ce dernier cas on fera suivre la voyelle symbole de : . Ainsi le [i:] de **seat** [si:t] est plus long que le [i] de **sit** [sit].

3) Les diphtongues (voyelles au timbre double) spécifiques de l'anglais sont rendues par des symboles : [ie], [èe], [oue], [aï], [oï], [aou], [ôou], où chaque lettre est entendue.

ex. : **here**   [hie] ; prononcez bien [hi-e]

       wear   [wèe] ; prononcez bien [wè-e]

       sure   [choue] ; prononcez bien [chou-e]

       my   [maï] ; à peu près comme *maille*

       boy   [boï] ; comme dans *oyez*

       house   [haous] ; [aou] un peu comme dans *caoutchouc*

       show   [chôou] ; prononcez bien [ô-ou]

4) Certaines consonnes au son particulier sont surmontées d'un point :

[ṡ] correspond au **th** de **think** et ressemble au *s* prononcé avec la langue entre les dents.

[ż] correspond au **th** de **the, this, that,** et ressemble au *z* prononcé avec la langue entre les dents.

5) [ŋ] indique la prononciation particulière du groupe **-ng** comme dans le français *ping-pong*.

6) Après les voyelles longues et en fin de mot le **r** anglais est peu perceptible : il ne sera pas représenté ici. (Notez cependant qu'il est prononcé, dans ces positions, dans le nord de l'Angleterre, en Écosse et aux U.S.A.)

7) Les lettres en gras signalent que l'accent tonique porte sur la syllabe où elles se trouvent. Ex. : re**c**ord.

Attention : cet accent tonique fait partie du sens du mot :

a) son déplacement entraîne une modification du sens. Ex. :
to record [riko:d], *enregistrer* ; **a record** [rèked], *un disque*

b) il faut, en parlant, atténuer ce qui n'est pas accentué...

Tableau d'équivalence entre les symboles utilisés ici (**P.P.**)
et ceux de l'**A.P.I.** (Association Phonétique Internationale)

Voyelles courtes			Voyelles longues			Sons doubles			Consonnes		
A.P.I.	P.P.	Ex.	A.P.I.	P.P.	Ex.	A.P.I.	P.P.	Ex.	A.P.I.	P.P.	Ex.
ɪ	i	sit	i:	i:	seat	aɪ	aï	my	θ	ŝ	think
æ	a	flat	a:	a:	car	ɔɪ	oï	boy	ð	ż	this
ɔɔ	o	not	ɔ:	o:	more	eɪ	éï	May	ŋ	ŋ	bring
ʊ	ou	book	u:	ou:	cool	aʊ	aou	how	z	j	measure
e	è	let	ə:	e:	work	əʊ	ôou	go	dz	dj	job
ʌ	œ	but				iə	ie	here	ʃ	ch	shall
ə	e	a				ɛə	èe	care	tʃ	tch	check
						ʊə	oue	tour			

Entraînez-vous à épeler votre nom :

a	[éï]	h	[éïtch]	o	[ôou]	v	[vi:]
b	[bi:]	i	[aï]	p	[pi:]	w	[dœbelyou]
c	[si:]	j	[djéï]	q	[kyou:]	x	[èks]
d	[di:]	k	[kéï]	r	[a:]	y	[waï]
e	[i:]	l	[èl]	s	[ès]	z	[zèd]
f	[èf]	m	[èm]	t	[ti:]		[zi:] (US)
g	[dji:]	n	[èn]	u	[you:]		

Pour épeler une majuscule on dit, pour A : **capital A**, etc.

Quand on épèle deux lettres qui se suivent on dit :
par ex. : oo, ff, etc. : **double o** [dœbel], **double f.**

10 bis (p. 92-93)

   1 a)   • 2 b) • 3 c) • 4 b) • 5 c)

   6 b)   • 7 b) • 8 c) • 9 d) • 10 b)

20 bis (p. 174-175)

   11 c) • 12 c) • 13 d)• 14 c) • 15 b)

   16 b) • 17 a) • 18 c) • 19 c) • 20 c)

30 bis (p. 256-257)

   21 d) • 22 b) • 23 a) • 24 b) • 25 d)

   26 c) • 27 d) • 28 b) • 29 c) • 30 c)

40 bis (p. 338-339)

   31 c) • 32 a) • 33 c) • 34 d) • 35 c)

   36 b) • 37 c) • 38 b)• 39 c) • 40 b)

CALCULEZ VOTRE SCORE

RÉSULTATS ET DIAGNOSTIC

→ 36 à 40   Très bonnes connaissances (ou acquisitions)

→ 30 à 35   Bonnes connaissances (ou acquisitions)

→ 25 à 29   Des connaissances, mais encore des points
à maîtriser

→ 20 à 24   La moyenne, mais il faut reprendre tous les
points non maîtrisés.

→ 15 à 19   Encore du chemin à parcourir ; reprenez
tous les points non maîtrisés.

→ 10 à 14   Beaucoup de lacunes ; reprenez tous les
points non maîtrisés.

→ 0 à 09   Ne vous découragez pas et reprenez au début.

a, an *un, une*
a.m. (= ante meridiem) *matin (du)*
abbey *abbaye*
about *propos de (à), sujet de (au)*
above *au-dessus de*
abroad *étranger (à l')*
accept (to) *accepter*
accessory (*pl.* : **accessories**) *accessoire(s)*
accommodate (to) *loger*
accommodation *logement*
accompany (to) *accompagner*
accordion *accordéon*
accountant *comptable*
ace *as*
actor *acteur*
actually *réalité (en), à vrai dire*
address *adresse*
admit (to) *admettre, reconnaître*
advance *avance*
advertiser *annonceur*
advice (to) *conseiller*
afford (to) *avoir les moyens de*
after *après ; après que*
afternoon *après-midi*
again *encore*
against *contre*
age *âge*
agent *agent*
agree (to) *être d'accord*
aim *but, objectif*
ale *bière locale*
all that *tout ce qui (que)*
all the time *tout le temps*
all traffic merge left *(US)* *tous les véhicules doivent se porter sur la voie de gauche*
alley *allée*
almost *presque*
alone *seul(e)*

already *déjà*
alter (to) *retoucher ; modifier*
alternative solution *solution de rechange*
alternator *alternateur*
always *toujours*
amplifier *amplificateur*
amusement arcade *salle de jeu d'arcade*
and *et*
animal *animal*
another *un(e) autre*
answer *réponse*
answer (to) *répondre*
anthem *hymne*
any *du, de, la, de, des*
apologize (to) *excuser (s')*
appartment *(US)* *appartement*
appeal *appel ; attrait*
apple *pomme*
apply for (to) *faire une demande, postuler à*
appoint (to) *nommer*
appointment *rendez-vous ; nomination*
appreciate (to) *apprécier*
April *avril*
April Fool's Day *premier avril*
arithmetics *arithmétique*
arm waving *geste du bras*
army *armée*
arrest (to) *arrêter*
arrive (to) *promettre*
as *alors que ; au moment où ; comme*
as long as *tant que*
as soon as *aussitôt que*
as … as *aussi … que*
ask (to) *demander*
asparagus *asperge*
aspirin *aspirine (un cachet d')*

at *à, dans*
auction *vente aux enchères*
audience *audience*
aunt *tante*
avoid (to) *éviter*
away *loin ; au loin*
B.A. *licence de lettres*
B.Sc. *licence de science*
baby *bébé*
backward *arrière (en) (vers l')*
bad *mauvais(s), méchant(e)*
badly *gravement*
bag *sac, valise*
baked *cuit(e) au four*
baker *boulanger*
banana *banane*
band *orchestre*
bank *banque*
bank holiday *jour férié*
banner *bannière*
bar (at the) *au comptoir*
barbecued *à la broche*
barley *orge*
barrow *tumulus*
bartender *barman*
basil *basilic*
bass *contrebasse*
bath *bain*
bath (to have a) *prendre un bain*
bathroom *salle de bain*
batsman *batteur (cricket)*
battle *bataille*
be off (to) *partir*
be out (to) *être absent, sorti(e)*
be* (to) *être*
bear* (to) *porter*
because *parce que*
Bed & Breakfast *pension*
beer *bière*
before *avant, devant ; avant que*
behind *derrière*

believe (to) *croire*
below *au-dessous de*
best (the) *meilleur (le)*
bet *pari*
bet (to have a) *parier*
bet* (to) *parier*
better *meilleur*
better (to be) *aller mieux*
betting *pari*
betting shop *bureaux de paris*
betting tax *taxe sur les paris*
beyond *au-delà*
bicycle *bicyclette*
big *grand(e), gros(se)*
bike *bicyclette*
bill *addition (GB) ; billet*
birthday *anniversaire*
biscuit *biscuit*
bitter *amer(e) ; bière rousse*
black *noir(e)*
bless (to) *bénir*
blue *bleu(e)*
boarding *embarquement*
boarding card *carte d'embarquement*
boat *bateau*
bobby *agent de police (GB) (fam.)*
body *corps*
boil (to) *bouillir*
boiled potatoes *pommes vapeur*
bonnet *(GB) capot*
book *livre*
bookseller *libraire*
booze *alcool (argot)*
booze (to) *picoler (argot)*
boozer *poivrot (argot)*
border *frontière*
borrow (to) *emprunter*
boss *patron*
both *deux (tous les), ensemble*
bother (to) *ennuyer, embêter, gêner*
bottled *en bouteille*

375

bowler *lanceur (cricket)*
braised *braisé(e)*
brake *frein*
brand *marque*
brandy *cognac*
breakdown *panne*
breakfast *petit déjeuner*
brew (to) *brasser*
brewery (*pl.* : breweries) *brasserie(s)*
bride *fiancée*
bridge *pont*
bring* (to) *appporter*
Britain *Grande-Bretagne*
broadcast (to) *diffuser (radio / TV)*
broadcasting *diffusion (radio / TV)*
brother *frère*
brown *brun(e)*
buck *daim ; dollar (argot)*
bugle *clairon*
build* (to) *construire*
bulb *ampoule*
bump *(GB) dos-d'âne*
bumper *pare-choc*
bus lane *voie réservée aux autobus*
bus ticket *billet d'autobus*
business *affaires, travail*
busy *occupé(e)*
but *mais*
butcher *boucher*
butter *beurre*
button *bouton*
buy* (to) *acheter*
by now *à l'heure qu'il est, à présent*
cab *taxi (US)*
cab-driver *chauffeur de taxi*
cabby (= cab driver) *chauffeur de taxi*
cabin *chalet (US)*
cable *câble*
cake *gâteau*
call (to) *appeler*

call on (to) *passer voir, rendre visite à*
calm (to) *calmer*
camera *appareil photo*
campaign *campagne (publicitaire)*
camper *autocaravane*
campsite *terrain de camping*
candidate *candidat(e)*
canvas *toile*
car *voiture*
car crash *accident de voiture*
car park *parc à voitures*
carburator *(US) carburateur*
carburetter *(GB) carburateur*
careful *soigneux (soigneuse)*
carry (to) *porter, transporter*
carry on (to) *continuer*
cassette *cassette*
cassette-player *magnétophone à cassettes*
castle *château*
casual *décontracté(e)*
cat *chat*
catch* (to) *attraper ; rattraper*
cautiously *prudemment*
C.D. (compact disc) *; CD, disque-compact*
CD-Player *lecteur de CD*
CD-Rom *CD-Rom*
cello *violoncelle*
central bank *banque centrale*
centre/center *centre*
cereal *céréale*
chance (by) *hasard (par)*
change *monnaie ; changement*
change (to) *changer*
channel *chaîne (TV)*
character *caractère ; personnage*
charge *prix à payer*
charge (to) *faire payer*
cheap *bon marché*

cheat (to) *tricher*

check (to) *contrôler, vérifier*

check out (to) *quitter et payer*

check-in *enregistrement*

checker *damier*

cheer (to) *acclamer ; réjouir*

cheese *fromage*

chemist *pharmacien(-ienne)*

cheque *(GB) chèque*

check *(US) chèque*

chervil *cerfeuil*

chicken broth *consommé de poulet*

chicken pie *pâté en croûte au poulet*

child *enfant*

china *porcelaine*

chip *frite*

chives *ciboulette*

choose* (to) *choisir*

chop *côte (viande)*

Christmas / Xmas *Noël*

church *église*

cigarette *cigarette*

cinnamon *cannelle*

circus *place (ronde)*

civil *civil(e)*

civil rights *droits civiques*

civil servant *fonctionnaire*

Civil Service *administration, fonction publique*

claim (to) *affirmer, prétendre*

clarinet *clarinette*

clean (to) *nettoyer*

clerk *employé(e)*

clever *intelligent(e)*

click (to) *appuyer*

cliff *falaise*

climb (to) *grimper*

close (to) *fermer*

club *trèfle (carte)*

clutch *embrayage*

coat *manteau*

cobbler *cordonnier*

coffee *café*

coin *pièce (monnaie)*

cold *rhume*

collect call *(US) appel en P.C.V.*

collection *levée (poste)*

college *faculté*

colo(u)r *couleur*

come* (to) *venir*

come* in (to) *entrer*

comedy *comédie*

comfortable *confortable*

commercial *publicité (TV)*

Common Market *Marché commun*

commute (to) *faire l'aller-retour au travail*

commuter *banlieusard*

compete (to) *rivaliser*

complain (to) *plaindre (se)*

complete (to) *achever*

comprehensive school *établissement secondaire*

computer *ordinateur*

concert *concert*

confectionner's *confiserie*

Congress *Congrès*

constituency *circonscription*

cook *cuisinier(-ière)*

cool *frais, fraîche ; calme, décontracté(e)*

cool (to) *rafraîchir*

cooperate (to) *coopérer*

cop *flic (argot)*

copper *cuivre*

copy *exemplaire (journal)*

corn *maïs*

corner *coin*

correct change *apppoint*

cost* (to) *coûter*

cottage *fermette*

country *(pl. : countries) pays*

(voir p.73)

county *comté*

couple of (a) *quelques, deux*

cracker *pétard*

crafstman *artisan*

crank *manivelle*

crankcase *carter*

crescent *rue en arc de cercle*

cross *croix ; fâché*

crown *couronne*

culture *culture*

cumin *cumin*

cup *tasse ; coupe (sport)*

cup *tasse*

cup final *finale (de coupe de foot-ball)*

cuppa (= cup) *tasse*

customer *client(e)*

cut* (to) *couper*

D.I.Y. *boutique de bricolage*

daily (pl. : dailies) *quotidien(s)*

damage (to) *endommager*

dart *fléchette*

dart board *cible (fléchettes)*

date *date ; rendez-vous amoureux*

daughter *fille*

deal *affaire, marché*

deal* (to) *distribuer ; traiter ; donner (carte)*

death *mort*

debt *dette*

decide (to) *décider*

declaration *déclaration*

declare (to) *déclarer, affirmer*

decoder *décodeur*

decorate (to) *décorer*

deep *profond*

delay *retard*

delicatessen *traiteur*

delicious *délicieux (-ieuse)*

deliver (to) *livrer*

Democrat *Démocrate*

dental surgeon *chirurgien dentiste*

dentist *dentiste*

department store *grand magasin,*

deposit *arrhes*

depressed *déprimé(e)*

detached house *maison séparée*

detour ahead *(US) déviation*

develop (to) *développer*

diagnosis *diagnostic*

dialect *dialecte*

diamond *carreau (carte) ; diamant*

dictionary *dictionnaire*

difference *différence*

different *différent(e)*

differently *différemment*

difficulty *difficulté*

digital camera *appareil de photo numérique*

dime *pièce de 10 cents (US)*

dining-room *salle à manger*

dinner *dîner*

director *directeur*

directory *annuaire de téléphone*

discount *rabais*

discover (to) *découvrir*

discussion *discussion*

dismiss (to) *congédier*

disturb (to) *déranger*

diversion *(GB) déviation*

D.I.Y. *boutique de bricolage*

do on purpose (to) *faire exprès*

do* (to) *faire*

dock *bassin*

doctor *docteur, médecin*

documentary *documentaire*

dominoes *dominos*

donkey *âne*

donut / dough-nut *beignet sucré*

door *porte*

double room *chambre double*

double-decker *autobus à impériale*
down *bas (en), bas (vers le)*
dram *1,77 gr.*
drama *dramatique (TV)*
draught *à la pression (bière)*
dream *songe*
drink *verre ; boisson*
drink (to have a) *prendre un verre*
drink* (to) *boire*
drive* (to) *conduire*
drug *médicament*
drum *tambour*
drums *batterie*
drunk *saoul/sôul*
during *durant, au cours de*
Dutch (to go) *partager les frais*
DVD (Digital Video Disc) *DVD*
each other *l'un l'autre, les uns les autres*
early *tôt, bonne heure (de)*
earthenware *terre (cuite)*
eastbound *direction est*
Easter Monday *lundi de Pâques*
eat* (to) *manger*
education *enseignement*
eel *anguille*
egg *œuf*
electrician *électricien*
elementary school *école primaire*
elephant *éléphant*
else *autre*
emphasize (to) *insister sur*
end *fin*
end (to) *finir*
engineer *ingénieur*
English *anglais(e)*
enjoy (to) *apprécier ; prendre plaisir à*
envelope *enveloppe*
equipment *équipement*
error *erreur*
escalator *escalier roulant*

Establishment *classe dirigeante*
estate *domaine*
European Union *Union européenne*
evening news *journal TV du soir*
eventually *finalement*
ever *jamais ; un jour*
every *chaque (tous les…)*
everyone *tout le monde*
everywhere *partout*
eveything *tout*
evidence *témoignage*
exam(ination) *examen*
excess luggage *supplément bagage*
exchange *change*
executive *cadre*
exempt *dispensé(e)*
exhaust pipe *pot d'échappement*
exhausted *épuisé(e)*
exhibition *exposition*
expect (to) *s'attendre à, compter sur, escompter*
expensive *cher (chère), coûteux*
experienced *expérimenté(e)*
explain (to) *expliquer*
explanation *explication*
explosion *explosion*
exports *exportation*
expression *expression*
extra *supplémentaire*
extra charge *supplément à payer*
eye *œil*
fail (to) *échouer*
fall* (to) *tomber*
fan *ventilateur*
fan belt *courroie*
far *loin*
fare *tarif*
farm *ferme*
farmer *fermier*
fast *rapide ; vite*
father *père*

feed* (to) *nourrir, alimenter*
feel* (to) *sentir, se sentir, éprouver*
fellow *individu*
few *peu (de)*
fiddle *violon*
fifth form *cinquième (classe)*
fight* (to) *combattre*
figure *chiffre (voir p. 362)*
film, movie *(US) film, cinéma*
find* (to) *trouver*
finish* (to) *terminer, finir*
fire *incendie*
fireworks *feux d'artifice*
firm *entreprise*
first form *sixième (classe)*
fish *poisson*
fishmonger *poissonier*
fix (to) *réparer*
flag *drapeau*
flat *bémol ; (GB) appartement*
flight ticket *billet d'avion*
floor *étage*
floppy disc *disquette*
fluctuate (to) *fluctuer*
fluently *couramment*
fog *brouillard*
fool *idiot*
football pool *pronostic de football*
for *pendant ; depuis ; pour ; pendant*
fear that (for) *de peur que*
ford *gué*
foreign *étranger (-ère)*
forest *forêt*
forget* (to) *oublier*
fork *fourchette*
form *formulaire*
forward *avant (en) (vers l')*
free *libre, gratuit(e)*
freedom *liberté*
Friday *vendredi*
fried *frit*

friend *ami(e)*
frightened *effrayé(e)*
from ... to *de, depuis, à partir de*
... *jusqu'à*
front of (in) *face de (en)*
full *complet, plein*
full board *pension complète*
full tank *plein (le)*
fully booked *complet*
fun (to have) *amuser (s')*
funny *drôle*
furniture *meubles, mobilier*
fuss *embarras, agitation*
gallon *gallon ; 4,54 l. (GB) ; 3,78 (US)*
gambling *jeu*
game *jeu, match, partie*
game *jeu, partie*
garden *jardin*
garlic *ail*
gate *porte*
gear box *boîte de vitesse*
gem *pierre précieuse*
general delivery *poste restante*
general elections *élections législatives*
general practitioner *médecin généraliste*
gentleman *gentilhomme*
Gents *toilettes hommes*
get in (to) *entrer*
get* (to) *obtenir*
get* down (to) *mettre à / au (se)*
get* on (to) *continuer*
get* out (to) *sortir*
get* up (to) *lever (se)*
get* warmer (to) *faire (devenir) plus chaud*
ginger *gingembre*
give way *(GB) cédez le passage*
give* (to) *donner*
give* a hand (to) *aider*

give* up (to) *abandonner*
glad *heureux(se)*
glass (*pl.* : glasses) *verre*
glasses *verres, lunettes*
go on (to) *continuer*
go out (to) *sortir*
go* (to) *aller, partir*
God *Dieu*
gold *or*
good *bon(ne), bien*
Good Friday *Vendredi Saint*
G.O.P. Grand Old Party *(US) Parti Républicain)*
government *gouvernement*
grammar school *école primaire*
grand *billet ou somme de 1000 dollars*
grand piano *piano à queue*
grandfather *grand-père*
grandmother *grand-mère*
grant (to) *accorder*
grass court *tennis sur gazon*
green *vert(e)*
greenback « *billet vert » (dollar)*
grey *gris(e)*
grilled *grillée*
grocer *épicier*
grocery *épicerie*
grow* old (to) *vieillir*
guest *invité*
guest house *pension*
guitar *guitare*
gulf *golfe*
gutter *caniveau*
gutter press *presse à scandale*
habit *habitude*
haggis *panse de brebis farcie*
hair *cheveux, chevelure*
hairdresser *coiffeur*
half pint *demi (de bière)*
half-board *(GB) demi-pension*

hang (to) *accrocher*
hanging (to be) *être suspendu*
happen (to) *se produire*
happy *heureux (-euse)*
hard *dur*
hard court (tennis) *surface dure (tennis)*
hard-boiled *dur (oeuf)*
hardly *à peine*
harp *harpe*
harpsichord *clavecin*
hashed browns *pommes de terre rapées*
have* fun (to) *amuser (s')*
headache *mal de tête*
headlight *phare*
health *santé*
health food shop *produits diététiques (magasin)*
hear * (to) *entendre*
heart *coeur (carte)*
heart attack *crise cardiaque*
heavy *lourd*
helmet *casque*
help *aide*
help (to) *aider*
her *elle, la, lui*
Hereditary Peers *Pairs héréditaires*
hesitate (to) *hésiter*
hi ! *salut !*
high *haut(e)*
high (to be) *être parti (ivre)*
high school *école secondaire (14-18 ans)*
higher education *enseignement supérieur*
him *le, lui*
hire (to) *louer, engager*
holiday *vacance*
home *foyer*
home *maison, foyer*

Home Secretary *Ministre de l'Intérieur*
honeymoon *lune de miel*
hood *(US) capot*
hooligan *vandale, voyou*
hop *houblon*
hope (to) *espérer*
horn *cor*
horse *cheval*
hospital *hôpital*
hotel *hotel*
hour *heure*
house *maison*
House of Commons *Chambre des Communes*
House of Lords *Chambre des Lords*
how ! *comme, combien !*
how ? *comment ?*
how much / many? *combien (de) ?*
however ... *si ... que*
huge *énorme , immense*
hurry up (to) *se hâter, dépêcher (se), presser (se)*
hurt* (to) *blesser, faire mal ; se blesser*
husband *mari*
idea *idée*
ideally *idéalement*
identical *identique*
if *si*
ignition key *clé de contact*
imagine (to) *imaginer*
immediately *immédiatement*
in *à ; en ; dans*
in case *au cas où*
inch(es) *pouce (s) = 2,554 cm*
increase *augmentation.*
indeed *en effet*
independance *indépendance*
independant *indépendant(e)*
indian *indien(ne)*

inhabitant *habitant*
insert (to) *introduire*
inside *intérieur (à l')*
intelligent *intelligent(e)*
intend (to) *avoir l'intention*
interesting *intéressant(e)*
introduce (to) *introduire ; présenter (qn)*
invader *envahisseur*
investigate (to) *enquêter (mener une)*
invited *invité(e)*
iron *fer*
isle *île*
issue *question, problème ; numéro (journal) ; issue*
it *elle, le, lui, la (neutre)*
item *article (magasin)*
jack *valet (carte à jouer) ; cric ; pavillon*
jacket *veste*
jam *confiture*
jelly *jelée*
jewel *bijou, joyau*
job *travail*
join (to) *joindre, se joindre*
jolly (to be) *être ivre*
journalist *journaliste*
juice *jus*
junior high school *école secondaire (12-13 ans)*
just *juste*
keep* (to) *continuer, ne pas cesser de ; garder*
key *clé*
kill (to) *tuer*
kind *sorte*
kindergarten *jardin d'enfants*
king *roi*
kitchen *cuisine*
knee *genou*

kneel down (to) *s'agenouiller*
kneeling (to be) *être agenouillé*
knife (*pl.* : knives) *couteau(x)*
knock (to) *frapper, cogner*
Labour Party *Parti travailliste*
Ladies *toilettes dames*
lager *bière blonde*
lake *lac*
lane *passage*
laptop microcomputer *ordinateur portable*
large *étendu*
last *dernier(-ère)*
late *retard (en), tard*
laugh (to) *rire*
launderette *laverie automatique*
lawn tennis *tennis sur gazon*
lawyer *juriste*
lay* (to) *poser ; mettre (table)*
leak *fuite*
lean* (to) *se pencher*
learn* (to) *apprendre*
leave* (to) *quitter, laisser, partir*
leave* for (to) *partir pour*
legal *devise légale*
legal holidays *jours fériés*
leisure *loisir*
lemon *citron*
lend* (to) *prêter*
less ... than *moins ... que*
lest *de peur que*
let in (to) *faire entrer*
let know (to) *faire savoir*
Liberal Party *Parti Libéral*
licence fee *redevance*
licence plate *(US) plaque minéralogique*
lie down (to) *s'étendre*
life *vie*
Life Peers *Pairs à vie*
like (to) *aimer*

listen (to) *écouter*
little *peu (de)*
little (a) *peu de (un), peu (un)*
live (to) *vivre*
livestock *bétail*
local *client régulier*
local *local(e)*
local school board *commission locale d'enseignement*
located *situé(e)*
lock (to) *fermer à clé*
lodge *chalet*
long *long*
look (to have a) *jeter un cou d'oeuil*
look (to) *regarder, paraître*
look for (to) *chercher*
look forward (to) *être impatient de*
look out (to) *faire attention*
look up (to) *lever les yeux*
lose* (to) *perdre*
lose* (to) *perdre*
lost *perdu*
lot of (a) *beaucoup de*
lots of *beaucoup de, des tas de, un grand nombre de, une grande quantité de*
lottery (pl. : lotteries) *loterie*
loudspeaker *haut-parleur, enceinte*
lounge *salon*
love *amour*
lovely *charmant(e)*
low clearance *(GB) hauteur limitée*
lucky *chanceux(-euse)*
luggage *bagage*
lunch *déjeuner*
luncheon *déjeuner*
lying (to be) *être allongé*
M.P. *Member of Parliament*
magazine *magazine*

mail *courrier*

make money (to) *gagner de l'argent*

make* a fuss (to) *faire des embarras, des histoires*

make* a mistake (to) *se tromper, commettre une erreur*

make* an appointment (to) *prendre rendez-vous*

make* coffee, tea (to) *faire du café, du thé*

malt *malte*

malted *malté(e)*

man *homme*

manage (to) *se débrouiller, arranger (s') pour*

manager *directeur*

mansion *demeure*

many *beaucoup de*

marble *marbre*

marmalade *marmelade*

marriage *mariage*

marry (to) *épouser*

Master's degree *maîtrise*

match (*pl.* : matches) *match ; allumette(s)*

may *I may je peux (éventualité, permission)*

maybe *peut-être*

me *me, moi*

mean* (to) *signifier, vouloir dire*

measure *mesure*

mechanic *mécanicien*

medicine *médicament*

medium *à point (viande)*

meet* (to) *rencontrer*

meeting *réunion*

member *membre*

men at work *(US) Attention, travaux !*

mention (to) *mentionner*

meter *compteur ; mètre*

mews *ruelle*

midnight *minuit*

mild *léger(e) ; bière légère*

mile *mile (1609 m)*

milk *lait*

milkman *laitier*

mind *esprit*

mind (to) *voir un inconvénient à ; s'occuper de*

mint *menthe*

miss (to) *manquer, regretter*

mistake *erreur, faute*

mistaken (to be) *erreur (faire)*

mobil home *autocaravane*

Monday *lundi*

money *argent*

montainous *montagneux(-euse)*

month *mois*

monthly (*pl.* : monthlies) *mensuel(s)*

more *plus (de), davantage*

more ... than *plus ... que*

morning *matin*

mother *mère*

mountain *montagne*

move out (to) *déménager*

much *beaucoup de*

muffin *petit pain rond sucré*

murder *meurtre*

mussel *moule*

mutual *mutuel*

my *mon, ma, mes*

mysterious *mystérieux (-euse)*

name *nom*

national *national(e)*

national park *parc national*

nationality *nationalité (voir p. 73)*

nephew *neveu*

network *réseau*

never *jamais*

new *nouveau (nouvelle), neuf (neuve)*

newsagent's *kiosque à journaux*
newspaper *journal*
nice *bon(ne), joli(e), beau (belle), aimable*
nickel *nickel ; pièce de 5 cents (US)*
nickname *surnom*
niece *nièce*
no *non, pas de, aucun*
noise *bruit*
noisy *bruyant(e)*
nomination *proposition*
nominees *candidats officiels*
none *aucun(e)(s)*
northbound *direction nord*
not *ne ... pas*
not so (as) *pas aussi ... que*
not yet *pas encore*
nothing *rien*
notice (to) *remarquer ; s'apercevoir*
novel *roman*
now *maintenant*
number *nombre (voir p. 362) ; morceau (de musique)*
number plate *(US) plaque minéralogique*
nurse *infirmière*
nursery school *école maternelle*
oboe *hautbois*
occasion *occasion*
occasionally *temps en temps (de)*
occur (to) *venir à l'esprit ; produire (se)*
of which *duquel, de laquelle, desquel(le)s ; dont*
off *hors de ; à l'extérieur ; venant de*
offer (to) *offrir*
office *bureau (lieu)*
often *souvent*
old *vieux (vieille)*
on *sur*
on tap *à la pression (bière)*

once *une fois que*
one *un(e)*
one way *(GB) sens unique*
one-armed bandit *bandit-man-chot (machine à sous)*
one-way ticket *(US) aller simple*
only *seulement*
open (to) *ouvrir*
opening hours *heures d'ouverture*
operated (to be) *se faire opérer*
operation (to have an) *se faire opérer*
opportunity *occasion*
orange *orange*
orchestra *orchestre (musique classique)*
order *commande*
ounce *28 35 gr.*
out *dehors, hors de*
outside *extérieur (à l'), hors de, (au-) dehors*
over *au-dessus de*
overtaken (to be) *dépasser (se faire)*
overtaking (no) *(GB) dépassement interdit*
ox (oxen) *bœuf(s)*
oxtail soup *potage à la queue de boeuf*
oyster *huitre*
p.m. (post meridiem) *après-midi (de l')*
padded jersey *maillot rembourré*
painkiller *calmant*
painting *peinture*
pan *casserole*
pancake *crêpe*
paprika *paprika*
parents *parents*
park (to) *garer*
park at angle *(US) stationnement en épi*

parking lot *parc à voiture*
Parliament *Parlement*
parsley *persil*
partition *séparation*
party *réception, fête*
pass (to) *passer ; doubler, dépasser*
pass on (to) *faire passer*
passenger *passager*
passer-by *passant*
passport *passeport*
pasty *feuilleté*
pay attention (to) *faire attention*
paying guest *hôte payant*
PC (Personal computer) *PC (ordinateur individuel)*
pen *stylo*
people *gens, personnes*
perhaps *peut-être*
personal *personnel*
personnel manager *chef du personnel*
pharmacy *pharmacie*
phone (to) *téléphoner*
phone call *appel téléphonique*
phone-book *annuaire de téléphone*
phone-box *cabine téléphonique*
phone-number *numéro de téléphone*
photo(graph) *photo(graphie)*
physician *médecin*
piano *piano*
pick up *levée (poste)*
pictures (the) *cinéma (le)*
pig *cochon*
pill *pilule*
pilot *pilote*
pint *pinte (0,568 l.)*
pitch (to) *monter (tente)*
pity *pitié*
platform *quai*
play (to) *jouer*

play (to) the guitar *jouer de la guitare*
play (to) the piano *jouer du piano*
play the fool (to) *faire l'idiot*
play-station *console de jeu*
player *joueur*
please *s'il vous plaît*
pleased *content(e)*
pleasure *plaisir*
plot *complot, conspiration*
point *point(e), endroit*
point out (to) *faire remarquer*
police *police*
policy *politique*
polite *poli(e)*
pool *mare ; billard*
popular press *presse populaire*
pork *porc*
porridge *bouillie d'avoine*
position *poste*
possible *possible*
post (to) *poster*
postal code *code postal*
postcard *carte postale*
poste restante *poste restante*
postman *postier, facteur*
postpone (to) *remettre, repousser*
pot still *alambic à distillation lente*
pound *0, 454 kg.*
pound *livre*
pre-shrunk *griffé(e)*
prefer (to) *préférer*
prescription *ordonnance*
prescription *ordonnance*
present *cadeau*
President *Président*
press (to) *appuyer*
pretty *joli(e)*
primary school *école primaire*
Prime Minister *Premier Ministre*

prime time *heure de grande écoute*
prince *prince*
printer *imprimante*
private *privé(e)*
private school *école privé*
probably *probablement*
problem *problème, ennui*
professionalism *professionalisme*
professions *professions liberales*
programme *programme*
promise (to) *étudier*
propose (to) *proposer*
prove (to) *révéler (se)*
provided *pourvu que*
pub *café*
public school *école secondaire*
public transport *transport public*
publish (to) *publier*
publisher *éditeur*
puncture *crevaison*
purple *violet(-ette)*
put* (to) *poser*
put* down (to) *poser*
put* on (to) *mettre*
quart *1,14 l.*
quarter *quart ; pièce de 25 cents (US)*
queen *reine*
question *question*
queue (to) *faire la queue*
quid *livre sterling (familier)*
quietly *sagement*
quite *tout à fait, assez*
race *course*
radiator *radiateur*
radio (-set) *radio (poste de)*
rain (to) *pleuvoir*
rain (to) *pleuvoir*
range *gamme*
rare *bleue (viande) ; rare*
rarely *rarement*
raspberry *framboise*

rate *taux*
read* (to) *lire*
reading *lecture*
realize (to) se *rendre compte*
really *réellement*
rear-view mirror *rétroviseur*
reasonable *correct, raisonnable*
receipt *reçu*
receive (to) *recevoir*
receptionist *réceptioniste*
recommend (to) *recommander*
record *disque*
record (to) *enregistrer*
recorder *enregistreur, magnétophone*
red *rouge*
reduce speed *(GB) ralentissez*
reduced fare *tarif réduit*
refuse (to) *refuser*
regatta *régate*
register (to) *inscrire(s') ; recommander*
registered letter *terre recommandée*
reign (to) *règner*
relative *parent, relatif*
remind (to) *rappeler*
rent (to) *louer*
repair (to) *réparer*
repeat (to) *répéter*
repent (to) *repentir (se)*
replace (to) *remplacer*
report *rapport*
republic *république*
resign (to) *démissionner*
rest (to) *se reposer*
restaurant *restaurant*
restroom *(US) toilettes*
retire (to) *retraite (prendre sa)*
return *retour*
return (to) *retourner*
return ticket *(GB) aller et retour*
reverse charge call *appel en P.C.V.*

review *revue ; rubrique*

right lane must exit *(US) voie de droite uniquement pour la sortie*

right time (the) *bon moment (le)*

rights *droits (redevance)*

risk (to) *risquer*

river *rivière*

road *route*

road works ahead *(GB) travaux*

roast beef *rosbif*

roasted *rôti(e)*

roof *toit*

room *pièce, chambre ; place*

room temperature (at) *chambrée*

round *rond(e) ; tournée (au pub)*

round trip ticket *(US) aller et retour*

round-the-clock *vingt-quatre heures sur vingt-quatre*

roundabout *(GB) sens giratoire*

row *rangée*

rugger *rugby*

rule (to) *gouverner*

run* away (to) *enfuir (s')*

rye *seigle*

sad *triste*

saffron *safran*

sail (to) *naviguer, faire de la voile*

sailor *marin*

salad *salade*

salary *salaire*

sales *soldes*

salesperson *vendeur (-euse)*

salmon *saumon*

same *même, identique*

Saturday *samedi*

sausage *saucisse*

sausage roll *friand à la saucisse*

save money (to) *économiser*

saxophone *saxophone*

say* (to) *dire, déclarer*

say sth to sb (to) *dire qch à qn*

scrambled *brouillé (oeuf)*

screen *écran*

seat *siège*

secret *secret*

secretary *secrétaire*

see* (to) *voir*

seldon *rarement*

semi-detached house *maison jumelle*

semi-grand *demi-queue*

Senate *Sénat*

send* (to) *envoyer*

series *série à thème (TV)*

serve (to) *servir*

Shadow Cabinet *Cabinet Fantôme*

shake hand (to) *serrer la main*

share *part*

sharp *dièse*

shelf *(pl. : shelves) étagère(s)*

shelter *abri*

shirt *chemise*

shock absorber *amortisseur*

shop *boutique*

shop (to) *faire des courses*

shopkeeper *commerçant(e)*

shopping *courses (achat)*

short story *nouvelle*

shout (to) *crier*

show *spectacle*

show in (to) *faire entrer*

show* (to) *montrer*

shower *douche*

shrimp *crevette*

sick *malade*

silly *idiot, bête*

silver *argent (métal)*

silverware *argenterie*

simmer (to) *frémir*

since *depuis ; puisque*

sing* (to) *chanter*

single *seul (un), seule (une) ; célibataire*
single room *chambre simple*
single ticket *(GB) aller simple*
sister *soeur*
sit* down (to) *s'asseoir*
sitting (to be) *être assis*
sixth form *première (classe)*
sleep* (to) *dormir*
slippery *glissant*
slot machine *machine à sous*
slow *lent(e)*
slow down (to) *ralentir*
slowly *lentement*
small change *petite monnaie*
smart *intelligent(e) ; élégant(e)*
smelling salts *sels*
smile at (to) *sourire (de)*
smog *brouillard londonien*
smoke (to) *fumer*
smoked fish *poisson fumé*
snooker *billard*
so *ainsi ; si, tant, tellement*
so that *afin que, de sorte que*
soapbox *caisse à savon*
soccer *football*
Social security *Sécurité Sociale*
soft-boiled *à la coque (oeuf)*
software *logiciel*
sole *sole*
some *du, de, la, de, des*
somebody *quelqu'un*
someone *quelqu'un*
sometimes *quelquefois*
son *fils*
song *chanson*
soon *bientôt*
sooner or later *tôt ou tard*
sore *douloureux (-euse)*
sorry *désolé(e)*
soup *soupe*

sousaphone *soubassophone*
southbound *direction sud*
spade *pique (carte)*
spare tyre *roue de secours*
spark plug *bougie*
speak * (to) *parler*
speaker *orateur*
specialist *spécialiste*
speech *discours*
spell* (to) *épeler, orthographier*
spend* (to) *dépenser, rester*
spirit *esprit*
spoil* (to) *gâter*
spoon *cuiller*
spy *espion*
square *carré ; place (rectangulaire ou carrée)*
square meter *mètre carré*
stadium *stade*
stake *mise*
stall (to) *caler (avec une voiture)*
stammer (to) *bégayer*
stamp *timbre*
stand up (to) *se lever*
stand* (to) *supporter ; être debout*
stand-by *liste d'attente*
standing (to be) *être debout*
star *étoile*
start (to) *commencer, démarrer, partir*
state *état*
state (to) *déclarer, affirmer*
state school *école publique*
station *gare*
stationer's *papeterie*
stay *séjour*
stay at an hotel (to) *séjourner dans un hôtel*
steak *steak*
steak and kidney pie *tourte de boeuf aux rognons*

steal* (to) *voler*
steering wheel *volant*
sterling *fin ; solide*
stew *ragoût*
stewed *ragoût (en)*
sticker *autocollant*
still *encore*
stone *pierre ; 6,3 kg*
stone-washed *délavé(e)*
shop *(GB) magasin*
store *(US) magasin*
storm *orage*
story *histoire*
strange *étrange, bizarre*
street *rue*
stress (to) *insister sur*
strike *grève*
stripe *bande, rayure*
study (to) *étudier*
stuffed *farci(e)*
stupid *stupide*
stutter (to) *bégayer*
suburbs *banlieue, faubourgs*
succeed (to) *réussir*
such ! *tel(s), telle(s), si !*
suit *costume*
suit (to) *convenir*
summer *été*
Sunday *dimanche*
Sunday paper *journal du dimanche*
sunny *ensoleillé(e)*
sunny-side up *frit (oeuf)*
supper *souper*
Supreme Court *Cour Suprême*
sure *sûr(e)*
surgeon *chirurgien*
surname *nom (de famille)*
surprise *surprise*
surprised *surpris(e)*
swim* (to) *nager*
swimming-pool *piscine*

Swiss *suisse*
switch off (to) *éteindre*
switch on (to) *allumer*
table *table*
take off (to) *décoller*
take* (to) *prendre*
take* care (to) *faire attention*
take* care of (to) *prendre soin de*
tale *conte*
tall *grand*
tame (to) *apprivoiser*
tank *réservoir*
tap *robinet*
tap (on) *à la pression*
tape *ruban, bande magnétique*
tape-recorder *magnétophone*
tarragon *estragon*
taste (to) *goûter*
taxi *taxi*
tea *thé*
tea cup *tasse à thé*
tea-caddy *boîte à thé*
tea-kettle *bouilloire à thé*
teach* (to) *enseigner*
teacher *enseignant(e)*
team *équipe*
team game *sport d'équipe*
team spirit *esprit d'équipe*
television (-set) *télévision (poste)*
tell* (to) *dire ; raconter*
tell* sb sth (to) *dire qch à qn*
ten *dix*
tent *tente*
terrace *rue avec rangée de maisons uniformes*
that *cela, ça, ce ; cet(te) ; qui, que*
thatched *recouvert de chaume*
theatre *théâtre*
them *eux, elles, les, leur*
then *alors*
there *là*

there is / are *il y a*
thing *chose*
think* (to) *penser*
think* about (to) *penser (à)*
this *ceci, ce, c' ; ce, cet(te)*
though *bien que, quoique*
throat *gorge*
throne *trône*
throw a rod (to) *couler une bielle*
Thursday *jeudi*
thyme *thym*
ticket *ticket*
till *jusqu'à ce que*
time *temps*
time (in) *à l'heure*
tip *pourboire ; tuyau (renseignement)*
tipsy *ivre*
tired *fatigué(e)*
toast *pain grillé*
tobacconist *bureau de tabac*
today *aujourd'hui*
together *ensemble*
toilets *toilettes*
toll *péage*
tomorrow *demain*
too *également, aussi*
too much *trop*
toothache *mal de dent*
Tory (*pl.* :Tories) *Conservateur(s)*
tour (to) *visiter*
tourist *tourist*
tourist office *office de tourisme*
tow (to) *remorque*
tower *tour*
town *ville*
town-hall *mairie*
toy *jouet*
trackway *chaussée*
traditional *traditionnel(-elle)*
tragedy *tragédie*
train *train*

training period *stage*
translate (to) *traduire*
travel (to) *voyager*
travel(l)er *voyageur (-euse)*
treatment *traitement*
trick *farce ; tour ; truc*
trifle *charlotte (dessert)*
trip *voyage*
trombone *trombone*
trump *atout*
truncheon *matraque*
trust (to) *faire confiance*
try (*pl.* : tries) *essai(s)*
try (to) *essayer*
tuba *tuba*
tube *tube ; métro londonien*
Tuesday *mardi*
tuner *récepteur radio*
tunnel *tunnel*
turn *tour*
turn down (to) *repousser*
turnover *chiffre d('affaires)*
TV (-set) *télé*
twin bedroom *chambre à deux lits*
two *deux*
U-turn (no) *(GB) interdiction de faire demi-tour*
uncle *oncle*
under *au-dessous de*
underdone *saignante (viande)*
undergo (to) *subir*
undergo surgery (to) *se faire opérer*
understand* (to) *comprendre*
unexpected *inattendu(e), inopiné(e)*
union *syndicat*
university *université*
unless *à moins que*
unpleasant *déplaisant(e)*
unusual *inhabituel(le)*
up *en haut, vers le haut*
upper sixth *terminale (classe)*

391

upright piano *piano droit*
upset *ennuyé(e)*
us *nous*
USD = *US Dollar*
use (to) *utiliser, se servir de*
used to (to be) *habitué à (être)*
useful *utile*
usual *habituel(le)*
usually *d'habitude*
utter (to) *prononcer*
vegetables *légumes*
very well *très bien*
victory *victoire*
village *village*
violin *violon*
visit (to) *visiter*
visitor *visiteur, touriste*
voucher *bon d'échange*
wait (to) *attendre*
waiter *serveur*
waitress *serveuse*
wake* up (to) *réveiller (se)*
walk (to have a) *promener (se)*
walk (to) *marcher*
walkie-talkie *talkie-walkie*
walkman *baladeur, walkman*
wall *mur*
war *guerre*
warehouse *entrepôt*
warm *chaud*
warm (to) *chauffer, réchauffer*
warn (to) *prévenir*
warning *avertissement*
watch *montre*
watch out (to) *faire attention*
water *eau*
way *chemin, façon*
way of life *mode de vie*
wear* (to) *porter*
Wednesday *mercredi*
week *semaine*

weekly (*pl.* : weeklies) *hebdomadaire(s)*
Welfare State *Etat Providence*
well *bien*
well done *bien cuit(e)*
Welsh *gallois(e)*
Welsh rarebit *croque-monsieur*
westbound *direction ouest*
wharf (*pl.* : wharves) *appontement*
what *ce qui, ce que*
what ! *quel(s), quelle(s) !*
what ? *que, quoi, à quoi ?*
when *quand*
when ? *quand ?*
whenever *chaque fois que*
where ? *où ?*
whether *si ...*
which *qui, que ; ce qui, ce que*
which ? *quel(s), quelle(s), lequel, laquelle*
while *tandis que, pendant*
while (a) *période de temps, moment*
while (for a) *pendant un moment*
whisky / whiskey *whisky*
whisper (to) *chuchoter*
white *blanc (blanche)*
who *qui*
who(m) *que*
who(m) ? *qui ?*
whose *dont*
whose ? *à qui, de qui ?*
why *pourquoi ?*
wicket *guichet*
wide *large*
wife (*pl.*: wives) *épouse, femme*
win* (to) *gagner*
window *fenêtre*
windscreen (*GB*) *pare-brise*
windshield (*US*) *pare-brise*
wine *vin*
winning *gain*

wish (to) *souhaiter*
with *avec*
without *sans*
woman (*pl.* women) *femme(s)*
wonder (to) *demander (se)*
work *travail*
work (to) *travailler*
worker *ouvrier*
world *monde*
worry (to) *tracasser (se) ; inquiéter (s')*
worse *pire*
worst (the) *pire (le)*
wounded *blessé(e)*

write* (to) *écrire*
write* out (to) *rédiger*
Xmas (= Christmas) *Noël*
xylophone *xylophone*
yard *0,914 m*
year *an, année*
yellow *jaune*
you *vous, toi ,te*
young *jeune*
your *vos, votre*
zip code *code postal*
zoo *zoo*

à at
à moins que unless
à peine hardly
à qui, de qui ? whose ?
abandonner give* up (to)
abbaye abbey
abri shelter
absent (être) be out (to)
accepter accept (to)
accessoire(s) accessory (-ies)
accident de voiture car crash
acclamer cheer (to)
accompagner accompany (to)
accord(être d') agree (to)
accordéon accordion
accorder grant (to)
accrocher hang* (to)
acheter buy* (to)
achever complete (to)
acteur actor
addition (GB) bill
admettre admit (to)
administration Civil Service
adresse address
affaire deal
affaires business
affirmer claim (to) ; declare (to)
afin que, de sorte que so that
âge age
agenouiller (s') kneel down (to)
agent agent
agent de police (GB) (fam.) bobby
agitation fuss
aide help
aider give* a hand (to) ; help (to)
ail garlic
aimable nice
aimer like (to)
ainsi so
alambic à distillation lente pot

still
alcool (argot) booze
allée alley
aller et retour return ticket *(GB)*,
  round trip ticket *(US)*
aller go* (to)
aller mieux better (to be)
aller simple one-way ticket *(US)* ;
  single ticket *(GB)*
aller-retour au travail (faire l')
  commute (to)
allumer switch on (to)
allumette(s) match *(pl. :* matches)
alors que as
alors then
alternateur alternator
amer(e) bitter
ami(e) friend
amortisseur shock absorber
amour love
amplificateur amplifier
ampoule bulb
amuser (s') have* fun (to)
an, année year
âne donkey
anglais(e) English
anguille eel
animal animal
anniversaire birthday
annonceur advertiser
annuaire de téléphone directory ;
  phone-book
appareil de photo numérique digital camera
appareil photo camera
appartement flat *(GB)* ; appartment *(US)*
appel appeal
appel en P.C.V. reverse charge
  call ; collect call *(US)*

appel téléphonique phone call
appeler call (to)
appontement wharf *(pl. :* wharves)
appoint correct change
apporter bring* (to)
apprécier appreciate (to) ; enjoy (to)
apprendre learn* (to)
apprivoiser tame (to)
appuyer click (to) ; press (to)
après (que) after
après-midi afternoon
après-midi (de l') p.m. (post meridiem)
argent money ; silver *(métal)*
argenterie silverware
arithmétique arithmetics
armée army
arranger (s') pour manage (to)
arrêter arrest (to)
arrhes deposit
arrière (en) (vers l') backward
article (magasin) item
artisan crafsman
as ace
asperge asparagus
aspirine (un cachet d') aspirin
asseoir (s') sit* down (to)
assez quite
assis (être) sitting (to be)
atout trump
attendre wait (to)
attendre(s') à expect (to)
attention (faire) pay attention (to)
attrait appeal
attraper catch* (to)
au cas où in case
au-delà beyond
au-dessous de below ; under
au-dessus de above ; over
aucun(e)(s) none

audience audience
augmentation increase
aujourd'hui today
aussi ... que as ... as
aussitôt que as soon as
autobus à impériale double-decker
autocaravane camper ; mobil home
autocollant sticker
autre else
avance advance
avant (en) (vers l') forward
avant before
avant que before
avec with
avertissement warning
avoir l'intention intend (to)
avoir les moyens de afford (to)
avril April
bagage luggage
bain bath
baladeur, walkman walkman
banane banana
bande magnétique tape
bande, rayure stripe
bandit-manchot one-armed bandit *(machine à sous)*
banlieue, faubourgs suburbs
banlieusard commuter
bannière banner
banque bank
banque centrale central bank
barman bartender
bas (en) down
bas (vers le) down
basilic basil
bassin dock
bataille battle
bateau boat
batterie drums
batteur (cricket) batsman
beaucoup de lot of (a) ; many ;

much

bébé baby

bégayer stammer (to) ; stutter (to)

beignet sucré donut / dough-nut

bémol flat

bénir bless (to)

bétail livestock

beurre butter

bicyclette bicycle, bike

bien que, quoique though

bien well

bientôt soon

bière beer

bière blonde lager

bière locale ale

bière rousse bitter

bijou, joyau jewel

billard pool ; snooker

billet bill

billet d'autobus bus ticket

billet d'avion flight ticket

biscuit biscuit

blanc (blanche) white

blessé(e) wounded

blesser, faire mal ; blesser (se) hurt*
  (to)

bleu(e) blue

bleue (viande) rare

boeuf ox (*pl.* : oxen)

boire drink* (to)

boisson drink

boîte de vitesse gear box

bon d'échange voucher

bon marché cheap

bon moment (le) right time (the)

bon(ne), bien nice ; good

bonne heure (de) early

boucher butcher

bougie spark plug

bouillie d'avoine porridge

bouillir boil (to)

boulanger baker

bouteille (en) bottled

boutique de bricolage D.I.Y.

boutique shop

bouton button

braisé(e) braised

brasser brew (to)

brasserie(s) brewery (*pl.* : breweries)

broche (à la) barbecued

brouillard fog

brouillard londonien smog

brouillé (oeuf) scrambled

bruit noise

brun(e) brown

bruyant(e) noisy

bureau (lieu) office

bureau de tabac tobacconist

bureaux de paris betting shop

but aim

cabine téléphonique phone-box

câble cable

cadeau present

cadre executive

café coffee ; pub

caisse à savon soapbox

caler (avec une voiture) stall (to)

calmant painkiller

calme cool

calmer calm (to)

campagne (publicitaire) campaign

candidat(e) candidate

candidat officiel nominee

caniveau gutter

cannelle cinnamon

capot bonnet *(GB)* ; hood *(US)*

caractère character

carburateur carburator *(US)* ;
  carburetter *(GB)*

carreau (carte) diamond

carte d'embarquement boarding card

carte postale postcard

carter crankcase
casque helmet
casserole pan
cassette cassette
C.D., disque-compact C.D. (compact disc)
CD-Rom CD-Rom
ce qui, ce que what
ceci, ce, c' ; ce, cet(te) this
cela, ça, ce, c' ; ce, cet(te) ; afin que, de sorte que ; qui, que that
célibataire single
centre centre / center
céréale cereal
cerfeuil chervil
chaîne (TV) channel
chalet (US) cabin
chalet lodge
chambre à deux lits twin bedroom
Chambre des Communes House of Commons
Chambre des Lords House of Lords
chambre double double room
chambre simple single room
chambrée room temperature (at)
chanceux(-euse) lucky
change exchange
changement change
changer change (to)
chanson song
chanter sing* (to)
chaque (tous les…) every
chaque fois que whenever
charlotte (dessert) trifle
charmant(e) lovely
chat cat
château castle
chaud warm
chauffer, réchauffer warm (to)
chauffeur de taxi cab-driver ; cabby *(US)*

chaussée trackway
chef du personnel personnel manager
chemin, façon way
chemise shirt
chèque check *(US)*, cheque *(GB)*
cher (chère) expensive
chercher look for (to)
cheval horse
cheveux, chevelure hair
chiffre d('affaires) turnover
chiffre figure *(voir p. 362)*
chirurgien dentiste dental surgeon
chirurgien surgeon
choisir choose* (to)
chose thing
chuchoter whisper (to)
cible (fléchettes) dart board
ciboulette chives
cigarette cigarette
cinéma (le) cinema
cinéma film, pictures, movie *(US)*
cinquième (classe) fifth form
circonscription constituency
citron lemon
civil(e) civil
clairon bugle
clarinette clarinet
classe dirigeante Establishment
clavecin harpsichord
clé de contact ignition key
clé key
client régulier local
client(e) customer
cochon pig
code postal postal code ; zip code
cœur (carte) heart
cognac brandy
coiffeur hairdresser
coin corner
combattre fight* (to)

397

combien (de) ? how much / many ?
comédie comedy
commande order
comme as
comme, combien ! how !
commencer, démarrer start (to)
comment ? how ?
commerçant(e) shopkeeper
commission locale d'enseignement local school board
complet full ; fully booked
complot, conspiration plot
comprendre understand* (to)
comptable accountant
compter sur expect (to)
compteur ; mètre meter
comptoir (au) bar (at the)
comté county
concert concert
conduire drive* (to)
confiserie confectionner's
confiture jam
confortable comfortable
congédier dismiss (to)
Congrès Congress
conseiller advice (to)
Conservateur(s) Tory (*pl.* : Tories)
console de jeu play-station
consommé de poulet chicken broth
construire build* (to)
conte tale
content(e) pleased
continuer carry* on (to)
continuer get* on (to) ; go on (to), keep (to)
contre against
contrebasse bass
contrôler check (to)
convenir suit (to)
coopérer cooperate (to)
coque (à la) (oeuf) soft-boiled

cor horn
cordonnier cobbler
corps body
correct, raisonnable reasonable
costume suit
côte (viande) chop
couler une bielle throw a rod (to)
couleur colo(u)r
coupe (sport) cup
couper cut* (to)
couramment fluently
couronne crown
courrier mail
courroie fan belt
course race
courses (achat) shopping
couteau(x) knife (*pl.* : knives)
coûter cost* (to)
coûteux expect (to)
crêpe pancake
crevaison puncture
crevette shrimp
cric jack
crier shout (to)
crise cardiaque heart attack
croire believe (to)
croix cross
croque-monsieur Welsh rarebit
cuiller spoon
cuisine kitchen
cuisinier(-ière) cook
cuit(e) (bien) well done
cuit(e) au four baked
cuivre copper
culture culture
cumin cumin
daim buck
damier checker
dans in, into
date date
de ... jusqu'à from ... to

de from ... to ; off

debout (être) stand* (to) ; standing (to be)

décider decide (to)

déclaration declaration

déclarer, affirmer state (to) ; declare (to)

décodeur decoder

décoller take off (to)

décontracté(e) cool ; casual

décorer decorate (to)

découvrir discover (to)

dehors out

déjà already

déjeuner lunch, luncheon

délavé(e) stone-washed

délicieux delicious

demain tomorrow

demande (faire une) apply for (to)

demander (se) wonder (to)

demander ask (to)

déménager move out (to)

demeure mansion

demi (de bière) half pint

demi-pension half-board *(GB)*

demi-queue semi-grand

démissionner resign (to)

Démocrate Democrat

dentiste dentist

dépasser (se faire) overtaken (to be)

dépêcher (se) hurry up (to)

dépenser spend* (to)

déplaisant unpleasant

déprimé(e) depressed

depuis ; puisque since ; for

depuis from ... to

déranger disturb (to)

dernier(-ère) last

derrière behind

des tas de (des) lots of

désolé(e) sorry

dette debt

deux (tous les) both ; couple of (a)

deux two

devant before

développer develop (to)

déviation detour ahead *(US)* ; diversion *(GB)*

devise légale legal

diagnostic diagnosis

dialecte dialect

diamant diamond

dictionnaire dictionary

dièse sharp

Dieu God

différemment differently

différence difference

différent(e) different

difficulté difficulty

diffuser (radio / TV) broadcast (to)

diffusion broadcasting

dimanche Sunday

dîner dinner

dire qch à qn to say sth to sb ; to tell* sb sth.

dire, déclarer say* (to) ; tell* (to)

directeur director ; manager

direction est eastbound

direction nord northbound

direction ouest westbound

direction sud southbound

discours speech

discussion discussion

dispensé(e) exempt

disque record

disquette floppy disc

distribuer deal* (to)

dix ten

docteur, médecin doctor

documentaire documentary

dollar (argot) buck

domaine estate

399

dominos dominoes
donner (cartes à jouer) deal* (to)
donner give* (to)
dont whose
dormir sleep* (to)
dos-d'âne bump *(GB)*
doubler, dépasser pass (to)
douche shower
douloureux (-euse) sore
dramatique (TV) drama
drapeau flag
droits (redevance) rights
droits civiques civil rights
drôle funny
du, de, la, de, des any
du, de, la, de, des some
duquel, de laquelle, desquel(le)s ;
  dont of which
dur (oeuf) hard-boiled
dur hard
durant during
DVD DVD (Digital Video Disc)
eau water
échouer fail (to)
école maternelle nursery school
école primaire elementary school
école primaire grammar school ;
  primary school
école privé private school
école publique state school
école secondaire (12-13 ans)
  junior high school ; *(14-18 ans)*
  high school ; public school
économiser save money (to)
écouter listen (to)
écran screen
écrire write* (to)
éditeur publisher
effet (en) indeed
effrayé(e) frightened
également, aussi too

église church
élections législatives general elections
électricien electrician
élégant(e) smart
éléphant elephant
elle, la, lui her
embarquement boarding
embêter bother (to)
embrayage clutch
employé(e) clerk
emprunter borrow (to)
encore again ; still
endommager damage (to)
enfant child
enfuir (s') run* away (to)
ennuyé(e) upset
ennuyer bother (to)
énorme huge
enquête (mener une) investigate (to)
enregistrement check-in
enregistrer record (to)
enregistreur recorder
enseignant(e) teacher
enseignement education
enseignement supérieur higher education
enseigner teach* (to)
ensemble both ; together
ensoleillé(e) sunny
entendre hear * (to)
entrepôt warehouse
entreprise firm
entrer come* in (to) ; get in (to)
envahisseur invader
enveloppe envelope
envoyer send* (to)
épeler, orthographier spell* (to)
épicerie grocery ; grocer
épouse, femme wife (*pl.:* wives)
épouser marry (to)

éprouver feel* (to)
épuisé exhausted
équipe team
équipement equipment
erreur (faire) mistaken (to be)
erreur error ; mistake
escalier roulant escalator
escompter expect (to)
espérer hope (to)
espion spy
esprit d'équipe team spirit
esprit mind
esprit spirit
essai(s) try (*pl.* : tries)
essayer try (to)
estragon tarragon
et and
étage floor
étagère(s) shelf (*pl.* : shelves)
état Providence state
Etat Providence Welfare State
été summer
éteindre switch off (to)
étendre (s') lie down (to)
étendu large
étoile star
étrange, bizarre strange
étranger (-ère) foreign
étranger (à l') abroad
être agenouillé kneeling (to be)
être allongé lying (to be)
*être be** (to)
étudier study (to)
eux, elles, les, leur them
éviter avoid (to)
examen exam(ination)
excuser (s') apologize (to)
exemplaire (journal) copy
expérimenté(e) experienced
explication explanation
expliquer explain (to)

explosion explosion
exportation exports
exposition exhibition
expression expression
*extérieur (à l'), hors de, (au-)
    dehors* outside
face de (en) front of (in)
fâché cross
faculté college
faire attention look out (to) ;
    take* care (to) ; watch out (to)
faire confiance trust (to)
faire des courses shop (to)
faire do* (to)
faire du café, du thé make* coffee,
    tea (to)
faire entrer let in (to)
faire entrer show in (to)
faire exprès do on purpose (to)
faire la queue queue (to)
faire remarquer point out (to)
faire savoir let know (to)
falaise cliff
farce, tour trick
farci(e) stuffed
fatigué(e) tired
femme(s) woman (women)
fenêtre window
fer iron
ferme farm
fermer à clé lock (to)
fermer close (to)
fermette cottage
fermier farmer
feuilleté pasty
feux d'artifice fireworks
fiancée bride
fille daughter
film film, movie *(US)*
fils son
fin end

finale (de coupe de football) cup final
finalement eventually
finir end (to)
fléchette dart
flic (argot) cop
fluctuer fluctuate (to)
fonction publique Civil Service
fonctionnaire civil servant
football soccer
forêt forest
formulaire form
fourchette fork
frais cool
framboise raspberry
frapper, cogner knock (to)
frein brake
frémir simmer (to)
frère brother
friand à la saucisse sausage roll
frit (oeuf) sunny-side up, fried
frite chip
fromage cheese
frontière border
fuite leak
fumer smoke (to)
gagner de l'argent make money (to)
gagner win* (to)
gain winning
gallois(e) Welsh
gamme range
garder keep* (to)
gare station
garer park (to)
gâteau cake
gâter spoil* (to)
gêner bother (to)
genou knee
gens, personnes people
gentilhomme gentleman
geste du bras arm waving

gingembre ginger
glissant slippery
golfe gulf
gorge throat
goûter taste (to)
gouvernement government
gouverner rule (to)
grand magasin department store
grand tall
grand(e) big
grand-mère grandmother
grand-père grandfather
Grande-Bretagne Britain
gratuit(e) free
gravement badly
grève strike
griffé(e) pre-shrunk
grillée grilled
grimper climb (to)
gris(e) grey
gros(se) big
gué ford
guerre war
guichet wicket
guitare guitar
habitant inhabitant
habitude (d') usually
habitude habit
habitué à (être) used to (to be)
habituel(le) usual
harpe harp
hasard (par) chance (by)
haut (en), haut (vers) up
haut(e) high
haut-parleur, enceinte loudspeaker
hautbois oboe
hauteur limitée low clearance *(GB)*
hebdomadaire(s) weekly (-ies)
hésiter hesitate (to)
heure (à l') time (in)
heure de grande écoute prime time

heure hour
heures d'ouverture opening hours
heureux (-euse) happy
heureux(se) glad
histoire story
histoires (faire des) make* a fuss (to)
homme man (men)
hôpital hospital
hôte payant paying guest
hotel hotel
houblon hop
huitre oyster
hymne anthem
idéalement ideally
idée idea
identique identical
idiot (faire) play the fool (to)
idiot fool
idiot, bête silly
il y a there is / are
île isle
imaginer imagine (to)
immédiatement immediately
immense huge
impatient de (être) look forward (to)
imprimante printer
in *à ; en ; dans*
inattendu(e), inopiné(e) unexpected
incendie fire
indépendance independance
indépendant(e) independant
indien(ne) indian
individu fellow
infirmière nurse
ingénieur engineer
inhabituel(le) unusual
inquiéter (s') worry (to)
inscrire(s') register (to)
insister sur emphasize (to)
insister sur stress (to)

intelligent(e) clever ; intelligent ; smart
intéressant(e) interesting
intérieur (à l') inside
introduire introduce (to) ; insert (to)
invité guest
invité(e) invited
ivre (être) jolly (to be)
ivre tipsy
jamais ever ; never
jardin d'enfants kindergarten
jardin garden
jaune yellow
jelée jelly
jeter un coup d'œil look (to have a)
jeu gambling ; game
jeudi Thursday
jeune young
joindre, se joindre join (to)
joli(e) pretty
jouer de la guitare play (to) the guitar
jouer du piano play (to) the piano
jouer play (to)
jouet toy
joueur player
jour day
jour férié bank holiday *(GB)*
journal newspaper
journal télévisé du soir evening news
journaliste journalist
jours fériés legal holidays
juriste lawyer
jus juice
jusqu'à ce que till
juste just
kiosque à journaux newsagent's
l'(es) un(s) l'(es) autre(s) each other
là there
lac lake

lait milk
laitier milkman
lanceur (cricket) bowler
large wide
laverie automatique launderette
le, lui him
lecteur de CD CD-Player
lecture reading
léger(e) mild
légumes vegetables
lent(e) slow
lentement slowly
lettre recommandée registered letter
levée (poste) pick up
levée (poste) collection
lever (se) stand up (to) ; get* up (to)
lever les yeux look up (to)
liberté freedom
libraire bookseller
libre free
licence de lettres B.A.
licence de science B.Sc.
lire read* (to)
liste d'attente stand-by
livre book
livre sterling (fam.) quid
livrer deliver (to)
local(e) local
logement accommodation
loger accommodate (to)
logiciel software
loin (au) away
loin away ; far
loisir leisure
long long
loterie lottery (pl. : lotteries)
louer rent (to)
louer, engager hire (to)
lourd heavy
lundi de Pâques Easter Monday

lundi Monday
lune de miel honeymoon
lunettes glasses
machine à sous slot machine
magasin shop *(GB)*, store *(US)*
magazine magazine
magnétophone à cassettes cassette-player
magnétophone tape-recorder
maillot rembourré padded jersey
maintenant now
mairie town-hall
mais but
maïs corn
maison house ; home
maison jumelle semi-detached house
maison séparée detached house
maîtrise Master's degree. MA.
mal de dent toothache
mal de tête headache
malade sick
malte malt
malté(e) malted
manger eat* (to)
manivelle crank
manquer miss (to)
manteau coat
marbre marble
Marché Commun Common Market
marché deal
marcher walk (to)
mardi Tuesday
mare pool
mari husband
mariage marriage
marin sailor
marmelade marmalade
marque brand
match match *(pl. :* matches)
matin (du) a.m. (= ante meridiem)

matin morning

matraque truncheon

mauvais(s) bad

me, moi me

mécanicien mechanic

méchant(e) bad

médecin généraliste general practitioner

médecin physician

médicament drug, medicine

meilleur (le) best (the)

meilleur better

membre member

même, identique same

mensuel(s) monthly (-ies)

menthe mint

mentionner mention (to)

mercredi Wednesday

mère mother

mesure measure

mètre carré square meter

métro londonien tube

mettre put* on (to)

meurtre murder

mieux (aller) better (to be)

Ministre de l'Intérieur Home Secretary

minuit midnight

mise stake

mobilier furniture

mode de vie way of life

modifier alter (to)

moins ... que less ... than

mois month

mon, ma, mes my

monde world

monnaie (petite) small change

monnaie change

montagne mountain

montagneux(-euse) montainous

monter (tente) pitch (to)

montre watch

montrer show* (to)

morceau (de musique) tune

mort death

moule mussel

mur wall

mutuel(-elle) mutual

mystérieux (-euse) mysterious

nager swim* (to)

national(e) national

nationalité (voir p. 73) nationality

naviguer, faire de la voile sail (to)

ne ... pas not

nettoyer clean (to)

neuf (neuve) new

neveu nephew

nickel nickel

nièce niece

Noël Christmas ; Xmas

Noël Xmas (= Christmas)

noir(e) black

nom (de famille) surname

nom name

nombre (voir p. 362) number

nomination appointment

nommer appoint (to)

non, pas de, aucun no

nourrir feed* (to)

nous us

nouveau (nouvelle) new

nouvelle short story

numéro (journal) issue

numéro de téléphone phone number

objectif aim

obtenir get* (to)

occasion opportunity ; occasion

occupé(e) busy

occuper (s') de mind (to)

œil eye

œuf egg

office de tourisme tourist office

offrir offer (to)

oncle uncle

opérer (se faire) operated (to be) ; operation (to have an) ; undergo surgery (to)

or gold

orage storm

orange orange

orateur speaker

orchestre orchestra *(musique classique)* ; band

ordinateur computer

ordinateur portable laptop microcomputer

ordonnance prescription

orge barley

où ? where ?

oublier forget* (to)

ouvrier worker

ouvrir open (to)

pain grillé toast

pain rond sucré muffin

Pairs à vie Life Peers

Pairs héréditaires Hereditary Peers

panne breakdown

panse de brebis farcie haggis

papeterie stationer's

paprika paprika

parc à voiture parking lot ; car park

parc national national park

parce que because

pare-brise windshield *(US)* ; windscreen *(GB)*

pare-choc bumper

parent relative

parents parents

pari bet ; betting

parier bet (to have a), bet* (to)

Parlement Parliament

parler speak * (to)

part share

partager les frais Dutch (to go)

parti (ivre) high

Parti Libéral Liberal Party

Parti travailliste Labour Party

partie game *(jeu)* ; part

partir be off (to)

partir pour leave for

partout everywhere

pas aussi … que not so (as)

pas encore not yet

passage lane

passager passenger

passant passer-by

passeport passport

passer voir call on (to)

pâté en croûte au poulet chicken pie

patron boss

payer (faire) charge (to)

pays country *(pl. : countries) (voir p.73)*

PC (ordinateur individuel) PC (Personal computer)

péage toll

peinture painting

pencher (se) lean* (to)

pendant for ; during

pendant un moment while (for a)

penser think* (to)

penser (à) think* about (to)

pension complète full board

pension guest house ; bed & breakfast

perdre lose* (to)

perdu lost

père father

période de temps while (a)

persil parsley

personnage character

personnel personal
pétard cracker
petit déjeuner breakfast
peu de (un), peu (un) little (a) , few
peur que (de) fear that (for) ; lest
peut-être maybe, perhaps
peux (je) I may *(permission, éventualité)*
phare headlight
pharmacie pharmacy
pharmacien(ne) chemist
photo(graphie) photo(graph)
piano à queue grand piano
piano droit upright piano
piano piano
picoler (argot) booze (to)
pièce (monnaie) coin
pièce, chambre room
pierre précieuse gem
pierre stone
pilote pilot
pilule pill
pique (carte à jouer) spade
pire worse
pire (le) worst (the)
piscine swimming-pool
pitié pity
place (rectangulaire ou carrée) square
place (ronde) circus
place room
plaindre (se) complain (to)
plaisir pleasure
plaque minéralogique number plate *(GB)*, licence plate *(US)*
plein (le) full tank
plein full
pleuvoir rain (to)
plus (de), davantage more
plus ... que more ... than
point (à) (viande) medium

point(e), endroit point
poisson fish
poisson fumé smoked fish
poissonier fishmonger
poivrot (argot) boozer
poli(e) polite
police police
politique policy
pomme apple
pommes de terre rapées hashed browns
pommes vapeur boiled potatoes
pont bridge
porc pork
porcelaine china
porte door ; gate
porter bear* (to) ; carry (to) ; wear* (to)
poser ; mettre (table) lay* (to)
poser put* (to), put* down (to)
possible possible
poste position
poste restante general delivery ; poste restante
poster post (to)
postier, facteur postman
postuler à apply for (to)
pot d'échappement exhaust pipe
pour for
pourboire tip
pourquoi ? why
pourvu que provided
préférer prefer (to)
premier avril April Fool's Day
Premier Ministre Prime Minister
prendre plaisir à enjoy (to)
prendre rendez-vous make* an appointment (to)
prendre soin de take* care of (to)
prendre take* (to)
prendre un bain bath (to have a)

prendre un verre drink (to have a)
présent (à) by now
présenter qn to introduce
Président President
presque almost
presse à scandale gutter press
presse populaire popular press
pression (à la) (bière) draught, on tap
prétendre claim (to)
prêter lend* (to)
prévenir warn (to)
prince prince
privé(e) private
prix à payer charge
probablement probably
problème issue ; problem
produire (se) happen (to), occur (to)
produits diététiques (magasin) health food shop
professionalisme professionalism
professions liberales professions
profond deep
programme programme
promener (se) walk (to have a)
promettre arrive (to)
prononcer utter (to)
pronostic de football football pool
propos de (à) about
proposer propose (to)
proposition nomination
prudemment cautiously
publicité (TV) commercial
publier publish (to)
quai platform
quand ? when ?
quand when
quart quarter
que, quoi, à quoi ? what ?
quel(s), quelle(s) ! what !

quel(s), quelle(s), lequel, laquelle which ?
quelqu'un somebody, someone
quelquefois sometimes
quelques couple of (a)
question question
qui ? who(m) ?
qui, que ; ce qui, ce que which ; who ; whom
quitter et payer check out (to)
quitter, laisser, partir leave* (to)
quotidien(s) daily (*pl.* : dailies)
rabais discount
raconter des histoires tell stories (to)
radiateur radiator
radio (poste de) radio (-set)
rafraîchir cool (to)
ragoût stew
ralentir slow down (to)
rangée row
rapide fast
rappeler remind (to)
rapport report
rare rare
rarement rarely ; seldon
rattraper catch* (to)
réalité (en) actually)
récepteur radio tuner
réception party
réceptioniste receptionist
recevoir receive (to)
recommander recommend (to) ; to register (*letter*)
reconnaître admit (to)
recouvert de chaume thatched
reçu receipt
redevance licence fee
rédiger write* out (to)
réellement really
refuser refuse (to)

regarder, paraître look (to)

régate regatta

régner reign (to)

reine queen

réjouir cheer (to)

remarquer ; s'apercevoir notice (to)

remettre, repousser postpone (to)

remorquer tow (to)

remplacer replace (to)

rencontrer meet* (to)

rendez-vous appointment

rendre (se) compte realize (to)

rendre visite à call on (to)

réparer fix (to) ; repair (to)

repentir (se) repent (to)

répéter repeat (to)

répondre answer (to)

réponse answer

reposer (se) rest (to)

repousser turn down (to)

république republic

réseau network

réservoir tank

restaurant restaurant

retard (en), tard late

retard delay

retoucher alter (to)

retour return

retourner return (to)

retraite (prendre sa) retire (to)

rétroviseur rear-view mirror

réunion meeting

réussir succeed (to)

réveiller (se) wake* up (to)

révéler (se) prove (to)

revue review

rhume cold

rien nothing

rire laugh (to)

risquer risk (to)

rivaliser compete (to)

rivière river

robinet tap

roi king

roman novel

rond(e) round

rosbif roast beef

rôti(e) roasted

roue de secours spare tyre

rouge red

route road

rubrique review

rue street

ruelle mews

rugby rugger

sac bag

safran saffron

sagement quietly

saignante (viande) underdone

salade salad

salaire salary

salle à manger dining-room

salle de bain bathroom

salle de jeu d'arcade amusement arcade

salon lounge

salut ! hi !

samedi Saturday

sans without

santé health

saoul, sôul drunk

saucisse sausage

saumon salmon

saxophone saxophone

secret secret

secrétaire secretary

Sécurité Sociale Social security

seigle rye

séjour stay

séjourner dans un hôtel stay at an hotel (to)

sels smelling salts

semaine week
Sénat Senate
sens giratoire roundabout *(GB)*
sens unique one way *(GB)*
sentir, se sentir feel* (to)
séparation partition
série à thème series *(TV)*
serrer la main shake hand (to)
serveur waiter
serveuse waitress
servir serve (to)
seul (un), seule (une) single
seul(e) alone
seulement only
si if
si ... que however ...
si ... whether
siège seat
signifier, vouloir dire mean* (to)
s'il vous plaît please
situé(e) located
sixième (classe) first form
soeur sister
soigneux (soigneuse) careful
soldes sales
sole sole
solution de rechange alternative solution
songe dream
sorte kind
sorti(e) (être) be out (to)
sortir get* out (to), go out to
soubassophone sousaphone
souhaiter wish (to)
soupe soup
souper supper
sourire (de) smile at (to)
souvent often
spécialiste specialist
spectacle show
sport d'équipe team game

stade stadium
stage training period
stationnement en épi park at angle *(US)*
steak steak
stupide stupid
stylo pen
subir undergo (to)
sujet de (au) about
supplément à payer extra charge
supplément bagage excess luggage
supplémentaire extra
supporter stand* (to)
sur on
sûr(e) sure
surface dure (tennis) hard court (tennis)
surnom nickname
surpris(e) surprised
surprise surprise
suspendu (être) hanging (to be)
syndicat union
table table
talkie-walkie walkie-talkie
tambour drum
tandis que, pendant while
tant que as long as
tant, tellement so
tante aunt
tarif fare
tarif réduit reduced fare
tasse cup ; cuppa *(fam)*
taux rate
taxe sur les paris betting tax
taxi taxi, cab *(US)*
te, toi ,te you
tel(s), telle(s) such
télé TV (-set)
téléphoner phone (to)
télévision (poste de) television (set)
témoignage evidence

temps (tout le) all the time
temps en temps (de) occasionally
temps time
tennis sur gazon lawn tennis
tente tent
terminale (classe) upper sixth
terminer finish (to)
terrain de camping campsite
terre(cuite) earthenware
thé tea
théâtre theatre
thym thyme
ticket ticket
timbre stamp
toile canvas
toilettes toilets, restroom *(US)* ;
  Ladies ; Gents
toit roof
tomber fall* (to)
tôt early
tôt ou tard sooner or later
toujours always
tour tower
tour turn
touriste tourist
tournée (au pub) round
tout à fait quite
tout ce qui (que) all that
tout eveything
tout le monde everyone
tracasser (se) worry (to)
traditionnel(-elle) traditional
traduire translate (to)
tragédie tragedy
train train
traitement treatment
traiter deal* (to)
traiteur delicatessen
transport public public transport
transporter carry (to)
travail business ; job ; work

travailler work (to)
travaux road works ahead *(GB)*
trèfle (carte à jouer) club
très bien very well
tricher cheat (to)
triste sad
trombone trombone
tromper (se) make* a mistake (to)
trône throne
trop too much
trouver find* (to)
tuba tuba
tube tube
tuer kill (to)
tumulus barrow
tunnel tunnel
tuyau (renseignement) tip
un(e) a, an
un(e) autre another
un(e) one
une fois que once
Union européenne (UE) **(EU)**
  European Union
université university
utile useful
utiliser, se servir de use (to)
vacance holiday
valet (carte à jouer) jack
valise bag
vandale, voyou hooligan
vendeur (-euse) salesperson
vendredi Friday
Vendredi Saint Good Friday
venir come* (to)
vente aux enchères auction
ventilateur fan
vérifier check (to)
verre drink ; glass *(pl. :* glasses)
vert(e) green
veste jacket
victoire victory

411

vie life
vieillir grow* old (to)
vieux old
village village
ville town
vin wine
vingt-quatre heures sur vingt-quatre round-the-clock
violet(-ette) purple
violon fiddle ; violin
violoncelle cello
visiter tour (to) ; to visit
visiteur, touriste visitor
vite fast

vivre live (to)
voie réservée aux autobus bus lane
voir see* (to)
voiture car
volant steering wheel
voler steal* (to)
vos, votre your
vous you
voyage trip
voyager travel (to)
voyageur (-euse) travel(l)er
whisky whisky / whiskey
xylophone xyolphone
zoo zoo

Les chiffres renvoient aux pages (ceux en **gras** particulièrement à celles du Précis grammatical).

413

Cet ouvrage a été composé par :
POINT • TYPO • GRAPH (61290 BIZOU) et DÉCLINAISONS (75013 PARIS)

Achevé d'imprimer en septembre 2017
par Maury Imprimeur
45330 Malesherbes

POCKET - 12, avenue d'Italie - 75627 PARIS Cedex 13

Imprimé en France
Dépôt légal : mars 2009
N° d'impression : 221041
S18905/10